U0105473

中華文化思想叢書

四庫全書館研究

上冊

張升　著

目次

上冊

緒論

一　選題緣起

《四庫全書》是我國古代最大的一部叢書，集中國古代重要典籍之大成，對中國學術文化的發展產生著巨大的影響。關於《四庫全書》及其相關問題的研究，自二十世紀初期以來逐漸形成一門顯學——四庫學，相關的成果已經有不少。近十多年來，四庫學研究更顯示出繁榮的跡象：出版了一系列大型的《四庫》叢書（《四庫全書》、《四庫全書存目叢書》、《續修四庫全書》、《四庫未收書輯刊》、《四庫禁燬書叢刊》等），開過四次全國四庫學研討會，成立了五個四庫學研究機構，發表的論文數百篇，出版專著或資料整理圖書十餘部，寫成的博、碩士論文有二十餘篇。[1]儘管如此，筆者認為四庫學仍有很大的研究空間：其一，四庫學的內容實在太豐富，有關《四庫》、《四庫總目》及其相關問題還有很多可以研究的地方。其二，有關四庫學的材料非常多。隨著研究的深入和各類文獻的整理、刊佈，發掘出來的相關材料越來越多。現在搜集材料較幾十年前，十年前、甚至三四年前要容易得多，而且以後還會越來越容易。原來很難尋覓的材料，現在則唾手可得。佔有的材料不斷豐富，必然可以不斷推進四庫學研究。其三，目前四庫學研究中還有很多問題未得到解決或解

1　高遠、汪受寬：〈近三十年來《四庫全書》研究現狀與思考〉，《圖書與情報》2008年第3期，頁119-125。

決得不夠徹底。例如，四庫全書館（以下簡稱四庫館）開、閉館在何時？四庫館由什麼機構組成，分別在哪裏？館臣日常的具體工作是怎樣一個程序？兼職館臣是如何處理修書與行政工作關係的？館臣的人數到底有多少？等等。這些問題還需要我們在今後的研究中予以解決或作進一步闡釋。其四，以往的四庫學研究多局限於文獻研究的範圍，今後我們可以通過不斷引入新方法、新觀念來推進已有的研究，如採取文化史的方法、比較的方法、多學科結合的交叉研究方法等，而且還可以不斷開拓出新的研究領域，如陳曉華所提出的「四庫總目學」[2]等。

因此，擔心四庫學題目已被做完的想法是完全沒有必要的。事實上，單就《四庫總目》而言，近百年來，儘管學者們不斷地糾錯，但仍遠未能糾完。所以，筆者對四庫學的研究前景充滿信心。

就筆者而言，一方面，筆者這幾年一直在做《四庫》研究，陸續發表過一些文章，對四庫學的一些疑難問題有過一些思考，同時也有不少研究中的困惑。例如，筆者研究較多集中於《四庫》大典本輯佚範圍，但是，最初分派簽閱《大典》佚書的三十位纂修官是哪些人？他們與後來職名表中的三十九位大典本纂修與分校官是什麼關係？簽閱的程序是什麼樣的？他們對散片是如何整合的？等等。筆者希望能有機會集中研究解決這些問題。

另一方面，筆者這些年在給研究生及本科生講授文獻學課程時，會專門講授四庫學專題。在講授中，筆者經常會為四庫學研究中的一些基本問題所困擾，如四庫館是何時開館的、何時閉館的？館臣每天都在哪裏上班？每天的工作都幹些什麼？在十多年的修書期間工作是否有所變化？館臣於修書之外日常還有些什麼活動？館臣共有多少人？

---

2 陳曉華：《「四庫總目學」史研究》（北京市：商務印書館，2008年），頁1-4。

我要讓學生明白四庫學的一些主要內容，這些基本問題必須弄明白。

以上所提到的問題可以說是四庫學的基本問題，或者可以說是一些細節問題。儘管很多研究者或許認為這些瑣細之事不值得探究，或覺得資料有限說不清楚，或人云亦云，不深究其中的疑點，但筆者認為，整體是由細節構成的，只有把基本問題說清楚，才能搞清楚四庫館，才能進一步深入研究四庫學。另外，四庫學研究中的一些疑難問題，其實就是因為我們沒有搞清楚一些細節的東西造成的。而且，因為不清楚細節，或者對細節有誤解，造成四庫學研究的一些錯誤觀點也屢見不鮮。可以說，細節的清晰與否，必然會影響到對四庫學一些重大問題及疑難問題的解決。

對細節的拷問有助於我們推翻一些想當然的認識或者所謂常識。例如，大家都說四庫館，可這一名稱有無問題呢？為什麼又稱四庫處呢？為什麼還有翰林院四庫館與武英殿四庫館的區別呢？事實上，我們對四庫館這一名稱的認識也是模糊的。又如，我們（尤其是研究《四庫》的學者）會想當然地認為《四庫》編修在當時是國家最重要的大事，並批評很多總裁不專注於《四庫》。其實，這些總裁都是兼職，還有很多國家大事需要處理，編修《四庫》只是其中的一項工作罷了。又如，很多論著想當然地認為，四庫館網羅全國著名的學者，精英彙聚。可事實是否真是這樣？是否在館者都有名，不在館者都不夠知名？又如，翁方綱是如何寫作一千餘部書的提要的？他的助校對他校辦圖書有多大幫助？筆者通過進一步考察發現，不少館臣都有助校者（不但纂修官有，分校官也有）。可見，助校在當時是普遍的現象。可惜的是，如今研究《四庫》者很少注意到這一點。

對細節的拷問也有助於我們檢討以往的研究方法。例如，四庫學研究中有的難題不是對文獻本身的研究能解決的，需要跳出來思考，如提要稿的不同、《四庫》存在的錯謬等，有些是主觀問題，有些是客觀問題。也就是說，有些錯誤是四庫館修書程序本身造成的；有的錯誤是館臣學識局限或不負責造成的。那麼，為什麼館臣不負責呢？是什麼原因造成的呢？其實，我們通過對四庫館臣私家錄副現象的研究會發現，館臣利用入館之便幹私活的現象非常普遍。這種行為自然會給《四庫》修書帶來諸多負面影響，但同時，我們也應看到，這種行為也多少有利於《四庫》書的傳播，從另一方面推動學術的發展。

對細節的拷問，也是四庫學研究達到一定的階段的必然需求，因為歷史研究，不能總以給人大致的面貌而滿足。

以上有關細節問題的思考，都可涵蓋在「四庫全書館研究」這樣一個大題目之中。也就是說，這些細節問題，歸結為一點，就是四庫館的問題。因此，為編纂《四庫全書》而成立的四庫館機構複雜、人員眾多、歷時長、變化大，值得很好地研究。正是基於這樣的認識，筆者選擇了這一題目。不過，本書的研究，也不是研究四庫館的方方面面，而是圍繞其中的一些重要問題展開討論。這些問題主要包括：四庫館何時開、閉館，其機構設置及所在位置，有多少人入四庫館工作，助校現象與錄副現象，四庫館各館職的分工及基本工作流程，《武英殿聚珍版叢書》的印行及纂校人員等。

二 選題意義

一、《四庫》修書的過程不斷地驗證著傳統社會裏集體修書普遍存在的一些優缺點，因此，在機構設置、運作管理、人員配置、獎懲制度等諸多方面，該研究可為今後政府及民間組織大型圖書的編纂活動提供借鑒和參考。[3]

3 陳仕華《五十年來臺灣「四庫學」之研究》云：「借由纂修研究，瞭解其組織、管

二、通過對四庫館準確而全面的描述，糾正以往一些相關論述的錯誤。例如，通過史料的發掘與分析，發現事實上四庫館是由兩大系統組成，其運作模式頗具特色且有成效；在提供較為準確的館臣統計數量的基礎上，對現在通行於世的《四庫》職名表進行了力所能及的修訂與增補。

三、在現有研究的基礎上，通過對相關史料的發掘、耙梳和分析，在某些環節進一步推進四庫學研究。四庫館研究是四庫學研究的基礎，只有在準確、清晰地把握了四庫館基本情況的前提下，才能真正認清《四庫》編修過程中出現的諸多問題，也才有可能解決目前存在的四庫學研究中的一些疑難問題（如提要稿與《總目》的歧異、底本與定本的歧異等）。

四、四庫館的設置及其運作模式，對於乾隆及以後清廷各修書館的設置與運作，具有直接的影響。通過探討和總結四庫館的設置與運作模式，不僅可為我們研究中國古代設館修書現象提供絕佳的範例，而且也可為我們今天建設社會主義文化事業提供許多可資借鑒的有益經驗及教訓。

三　學術史回顧

利用學術期刊網及其它檢索工具，基本能查到目前為止絕大多數四庫學論文。《四庫全書研究文集》（蘭州市：敦煌文藝出版社，2006年）所附的論文索引，侯美真編《四庫學研究論著目錄》[4]及〈四庫

理、徵集、採錄，作為編纂大型圖書的經驗。」甘肅省圖書館編：《四庫全書研究文集》（蘭州市：敦煌文藝出版社，2005年），頁57。

4 林慶彰主編：《乾嘉學術研究論著目錄（1900-1993）》（臺北市：中央研究院中國文哲研究所籌備處，1995年），頁35-117。

學相關書目續編〉[5]，也為筆者檢索相關論文提供了極大幫助。另外，二〇〇五年、二〇〇六年兩部《四庫全書研究文集》（分別為蘭州市：敦煌文藝出版社，2005年、2006年），前者為精選二〇〇五年以前代表性的論著，後者為二〇〇六年的會議論文，則為筆者閱讀重要的相關論著提供了極大便利。

特別值得一提的是，近年來，隨著《四庫》熱的升溫及世紀交匯期間總結性著述的繁榮，出現了不少四庫學綜述性成果，如周積明《「四庫學」：歷史與思考》，楊晉龍《「四庫學」研究的反思》，陳仕華《五十年來臺灣「四庫學」之研究》[6]，劉兆祐〈民國以來的四庫學〉[7]，李傑〈九〇年代《四庫全書總目》研究論文綜述〉[8]，汪受寬、劉鳳強〈《四庫全書》研究的回顧與思考〉[9]，高遠、汪受寬〈近三十年來《四庫全書》研究現狀與思考〉[10]，康爾琴〈建國以來《四庫全書》研究論文概述〉[11]，王世偉〈關於近年來四庫全書研究的若干問題〉。[12]這些論著總結了前人的研究成果，指出了存在的問題，也

5 《書目季刊》第25卷第3期（1991年12月），頁68-70。

6 以上分別載甘肅省圖書館編：《四庫全書研究文集》（蘭州市：敦煌文藝出版社，2005年），頁13-27、頁28-51、頁52-57。

7 劉兆祐：〈民國以來的四庫學〉，《漢學研究通訊》第2卷第3期（1983年7月），頁146-151。

8 李傑：〈九〇年代《四庫全書總目》研究論文綜述〉《圖書館工作與研究》2001年第3期，頁33-37。

9 汪受寬、劉鳳強：〈《四庫全書》研究的回顧與思考〉，《史學史研究》2005年第1期，頁62-66。

10 高遠、汪受寬：〈近三十年來《四庫全書》研究現狀與思考〉，《圖書與情報》2008年第3期，頁119-125。

11 康爾琴：〈建國以來《四庫全書》研究論文概述〉，《圖書館學刊》2002年第6期，頁63-64。

12 甘肅省圖書館編：《四庫全書研究文集——2005年四庫全書研討會文選》（蘭州市：敦煌文藝出版社，2006年），頁209-214。

提出了一些研究思路，對筆者的研究有很大的參考價值，也為筆者檢索相關觀點與材料提供了諸多便利。

以下的綜述，主要是就本書涉及的各個專題展開的，並不涵蓋四庫館所有相關問題的學術研究情況。例如，乾隆皇帝在館中的影響是毋庸置疑的[13]，但本書並未予以專門探討，故綜述中不單獨介紹關於乾隆與《四庫》編修關係的研究概況。

（一）關於四庫館機構的設置

1 四庫館是何時開、閉館的？

目前來看，四庫館的開館並沒有一個正式的聲明或儀式，因而我們只能依據現有的材料來推斷其大致的開館時間。目前學界關於此問題沒有統一的認識。郭伯恭指出，《四庫》開館在乾隆三十八年二月。[14]後來學者比較多地認同此觀點[15]，但也有一些學者認為開館是

13 可參司馬朝軍：《〈四庫全書總目〉編纂考》（武漢市：武漢大學出版社，2005年），第4章，頁112-187。相關文章還有：伯昭：〈清高宗對於《四庫全書》纂修之督課〉，載甘肅省圖書館編：《四庫全書研究文集》（蘭州市：敦煌文藝出版社，2005年），頁89-92；戚福康〈《四庫全書》乾隆諭旨評議〉，載甘肅省圖書館編：《四庫全書研究文集》（蘭州市：敦煌文藝出版社，2005年），頁113-124；陳淑霞：〈乾隆帝編纂四庫全書芻議〉，載甘肅省圖書館編：《四庫全書研究文集——2005年四庫全書研討會文選》（蘭州市：敦煌文藝出版社，2006年），頁226-229；王作華：《乾隆皇帝與《四庫全書》的纂修》（蘭州市：蘭州大學碩士論文，2006年）；管錫華〈乾隆四庫諭文獻學思想初探〉，《中國文化研究》1998年冬之卷，頁58-63。

14 郭伯恭：《四庫全書纂修考》（上海市：上海書店出版社，1992年），頁77載：「是年（乾隆三十八年）二月四庫館組織成立。」

15 楊晉龍：〈「四庫學」研究的反思〉認為，乾隆三十八年二月庚午開館；又說二月開始「給劄授餐」，開館「輯《四庫全書》」。戚福康：〈《四庫全書》乾隆諭旨評議〉云：「《四庫全書》於乾隆三十八年（1773）二月正式開館編纂。」以上分別見甘肅省圖書館編：《四庫全書研究文集》（蘭州市：敦煌文藝出版社，2005年），頁30、頁113。

在乾隆三十八年閏三月，如吳哲夫與劉鳳強。[16]這兩種說法，值得認真討論。他們產生分歧的主要原因在於：前者以辦理簽輯《大典》為開館之始，後者以正式辦理《四庫》為開館之始。另外，即便以大多數人認同的乾隆三十八年二月為開館之始，那麼是否還可以進一步探尋更具體的開館時間呢？

關於閉館，目前來看，也沒有準確的說法。要瞭解閉館時間，必須要知道四庫館存在多長時間。很多人會想當然地認為，《四庫》修成的時間，就應是四庫館閉館的時間。一般來說可以這樣理解，但《四庫》的情況較為特殊，因為《四庫》從第一部修成到最後七閣全部完成定本，前後經歷了三十多年的時間[17]，這期間起碼可以分為第一部抄完、前四部抄完、七部抄完、初次重校完、二次重校完、補空函完六個階段，到底以哪個階段為《四庫》修書完成的標誌呢？而且，這一時間是否就真正是四庫館閉館時間呢？王巍提到，《四庫全書》纂修完成的時間有四種說法[18]：其一，乾隆四十六年（1781）；其二，乾隆四十七年（1782）；其三，乾隆五十三年（1788）；其四，乾隆五十五年（1790）。他特別指出不能把重校理解為修書的一部分，因而認為第一份《四庫》抄成的時間即是《四庫》編成的時間。

既然重校不算在修書時限內，那麼，七閣抄完所經歷的兩個階段就成為了探討閉館時間的主要依據：其一為前四部，到乾隆四十九年

---

16 吳哲夫：《四庫全書薈要纂修考》（臺北市：國立故宮博物院，1976年），頁2認為，乾隆三十八年閏三月正式開館。劉鳳強《四庫全書館研究》（蘭州市：蘭州大學碩士論文，2006年），頁8認為，乾隆三十八年閏三月十一日，正式任命《四庫》正副總裁，並以辦理四庫全書處名義奏事，為正式開館之標誌。

17 對空函的補定到嘉慶十一年四月二日才最終完成。參楊晉龍：〈「四庫學」研究的反思〉，載甘肅省圖書館編：《四庫全書研究文集》（蘭州市：敦煌文藝出版社，2005年），頁31。

18 王巍：〈四庫全書纂修時間考辨〉，《徐州師範學院學報》1986年第2期，頁142-144。

完成[19]；其二為續抄三部，直至乾隆五十二年才完成。[20]如果以第二階段為準，那麼四庫館是在乾隆五十二年閉館。如果以第一階段為準，則是在乾隆四十九年閉館。那麼，以哪一階段為準呢？這需要討論。目前很多研究者談四庫館，都是兩個階段一併談的。也就是說，儘管這些研究者並不明確說明，但其基本意思卻很明確，即認為閉館是在乾隆五十二年。

四庫館何時閉館問題的存在，直接影響到我們對館臣數的統計（例如，如果以第一階段為準，則後一階段的纂校者就不應歸為館臣），以及對四庫館的名稱與位置、四庫館機構的組成與運作等的考察。

2 機構組成與位置

要瞭解四庫館，必須首先要瞭解其機構組成及所在位置。從筆者目前所瞭解的情況看，四庫館是分兩處的：一在翰林院；一在武英殿。這兩處有什麼區別呢？它們之間的關係又是如何呢？這兩處歸誰而且如何管理呢？一般所謂的四庫館，是指一處還是兩處呢？可以說，我們對四庫館的認識還是比較模糊的。

（1）關於機構

四庫館規模如此龐大，歷時又長，其組織機構是比較複雜的。關於這方面的研究，主要是依據《四庫》職名表展開的，其中較重要的研究成果有：

---

19 關於前四部的完成時間，有多種說法。黃愛平：《四庫全書纂修研究》（北京市：中國人民出版社，2001年），頁144通過清單的方式比較了各種說法，並提出自己的看法。本書採用了她的觀點。

20 易雪梅就採用了這一時間，參甘肅省圖書館編：《四庫全書研究文集》（蘭州市：敦煌文藝出版社，2005年），「序二」，頁3。

郭伯恭《四庫全書纂修考》第三章〈四庫全書館之組織〉，對四庫館研究有開創性意義，但內容過於簡單。例如，其〈四庫館組織概況〉一節，對各館職的主要工作職責作了大致的描述，如總裁負責什麼，副總裁負責什麼，纂修官、分校官分別負責什麼。[21]然而，該節對各館職之間的聯繫及統屬關係，並未有較清楚的說明。四庫館組織機構的層次還不清楚。

任松如在《四庫全書答問》一書中試圖說明這一層級關係，指出總裁之下有總閱、總纂、總校、總目協勘官、提調官，而總纂之下有各類纂修，總校之下有分校。[22]但是，他所指出的上下統屬的關係有些並不合理，有些館職也未包括在其所述的統屬關係裏，而且，由於四庫館分翰林院、武英殿二處，它們分別都歸哪一個系統也並不清楚。另外，他也沒有提供其如此描述的材料依據。[23]

楊家駱在《四庫全書通論》[24]中認為，四庫館分為總閱處、總纂處、總校處、提調處、繕書處等。其主要依據也是職名表。乾隆四十七年的〈辦理四庫全書在事諸臣職名〉將四庫館臣分為總裁官、總纂官、總閱官、校辦各省遺書纂修官、校核《永樂大典》纂修兼分校官、翰林院提調官、武英殿提調官、督催官、繕書處分校官等。也就是說，楊氏把每類館職分設一「處」來處理。不過，這些「處」之間的層級關係還是不清楚。

黃愛平則認為：「根據工作性質的不同，大致可分為纂修、繕

21 郭伯恭：《四庫全書纂修考》（上海市：上海書店出版社，1992年），頁60。

22 任松如：《四庫全書答問》（上海市：上海書店出版社，1992年），「問七」，頁9-10。

23 該書通過問答的方式解釋了與四庫館相關的一些問題（主要是問七至問二十四），明白曉暢，非常有價值。但因為採用的是問答式，不可能展開討論，所以其解釋均是淺嘗輒止。

24 楊家駱編：《四庫全書百科大辭典》（北京市：警官教育出版社，1994年影印本），頁33。

書、監造三大處。纂修處專職校理勘定全部書籍，併兼司繕書處繕寫書籍的分校工作。……繕書處則專司全書的繕寫及校勘事宜。……至於監造處，主要經營武英殿刊刻印刷裝訂整理書籍事宜。」[25]這一論述大致正確，而且，黃氏對各處所屬的館職也一併作了清楚的列舉。另外，她還指出纂修處併兼司繕書處繕寫書籍的分校工作，而且纂修官也多兼任分校。這些方面的論述均很有啟發性。儘管其對纂修處與繕書處中的總校官沒有作進一步的解釋，讓人不太明白他們之關係與區別，但筆者認為，這已是到目前為止最合理的機構描述了。

此外，《四庫全書薈要》處是單獨設館的，還是與四庫館重疊的呢？吳哲夫認為，薈要處於乾隆四十二年中期後由武英殿直接接辦，而到乾隆四十四年初期，又從武英殿歸併到四庫館。[26]這些解釋並不合理。另外，總裁作為統領全域的官員，他們是如何處理兩處四庫館的關係的呢？他們的主要辦公處所在哪一處呢？這些問題，以往的學者也較少關注。因此，筆者希望能在以往學者認識的基礎上，對各機構及館職關係作更加準確而詳盡的描述。

（2）關於位置

由於四庫館機構龐大，而且又涉及武英殿與翰林院兩處，機構所在的位置與其功能有著密切的聯繫，因此，對四庫館的研究，還需要進一步地細化。

陳垣說，在翰林院署設局，校勘《大典》在原心亭，校勘遺書在寶善亭，又以武英殿為繕書處。[27]其描述還是比較清楚的。郭伯恭說

---

25 黃愛平：《四庫全書纂修研究》（北京市：中國人民出版社，2001年），頁96。

26 吳哲夫：《四庫全書薈要纂修考》（臺北市：國立故宮博物院，1976年），頁10。

27 陳垣：〈編纂《四庫全書》始末〉，甘肅省圖書館編《四庫全書研究文集》（蘭州市：敦煌文藝出版社，2005年），頁3-10。

四庫館是在翰林院內迤西之一區房屋內[28]，但其中如何分配並不清楚。吳哲夫認為，查辦《四庫全書》專責機構的設置，此即日後通稱的《四庫全書》修書處，簡稱四庫全書館，館址設在翰林院衙門內的敬一亭。[29]明確指出館址之所在，值得重視，但其依據並不充分。黃愛平則更進一步指出校勘《大典》在原心亭，辦理內府書在西齋房，校勘遺書在寶善亭。[30]

相對來說，學者更重視翰林院四庫館的位置，而較少關注武英殿的機構分設情況。因此，武英殿繕書處中校書、繕書機構的具體分佈情況目前並不清楚。任松如認為，武英殿浴德堂是當時校書之所，那也只是一種推測。[31]

（二）關於四庫館的運作

1 關於辦書流程

郭伯恭《四庫全書纂修考》及楊家駱所編《四庫全書學典》，均有對館職職能的描述，如分校是負責校對謄錄之書的，纂修是負責撰寫提要並提出意見的，等等。這些論述的依據主要是職名表。任松如《四庫全書答問》介紹了四庫館辦理採書、校書、輯書、還書之基本程序，而且指出了館員中最重要的館職為總纂、纂修、總校、分校。[32]這些觀點對我們理解館職有參考價值。司馬朝軍《〈四庫全書總目〉研究》、《〈四庫全書總目〉編纂考》則在此基礎上進一步指出了辦書

---

28 郭伯恭：《四庫全書纂修考》（上海市：上海書店出版社，1992年），頁13。

29 吳哲夫：《四庫全書纂修之研究》，臺灣「故宮博物院」1990年版，第67頁。

30 黃愛平：《四庫全書纂修研究》（北京市：中國人民出版社，2001年），頁118。

31 任松如：《四庫全書答問》（上海市：上海書店出版社，1992年），「問五十六」，頁71。

32 任松如：《四庫全書答問》（上海市：上海書店出版社，1992年），「問四十七」，頁52、「問十二」，頁24。

過程的複雜性，其中重要的一點是交叉辦書的普遍存在。[33]

徐有富在〈辦理《四庫全書》組織管理工作述要〉一文中重點介紹了總裁、總閱官、總纂官、總校官的具體工作，還總結了四庫館的管理措施，具有參考價值。不過，該文認為提調官以下職責明確，毋庸考述，而且認為四庫館對每項工作都有周密的計劃，這些觀點值得商榷。[34]

此外，曹之對《四庫》底本校簽的分析，對四庫館編修的運作過程的描述[35]；陳清慧、董馥榮對於《四庫全書》編辦過程主要環節獎懲辦法的分析，「流程序」地展示其纂修工作中的管理體制[36]，均有一定的參考價值。

2 關於大典本的辦理

這方面研究代表著作有郭伯恭《永樂大典考》、顧力仁《永樂大典及其輯佚書研究》(1985)。郭書論述了《大典》的編修、重抄、流傳過程、《四庫》開館輯佚等方面的內容。顧書除了介紹《大典》的編修及流傳等情況外，還重點研究了有關《大典》輯本的問題。但郭書對《四庫》輯佚論述得較簡單，顧書則對大陸方面的材料（如清宮檔案）利用不夠，且分析也不夠深入。

最近幾年，陸續出現了五篇與本專題相關的博士論文，對本書而

---

33 司馬朝軍：《〈四庫全書總目〉研究》(北京市：社會科學文獻出版社，2004年)，頁372。

34 徐有富：〈辦理《四庫全書》組織管理工作述要〉，《南京大學學報》1995年第2期，頁94-99。關於組織機構的研究，還可參王緒林：〈淺談編撰〈四庫全書總目〉的組織管理〉，《雲南圖書館》1995年第1期，頁109-110。

35 曹之：〈四庫全書編纂考略〉，《圖書情報論壇》1994年第4期，第71-76頁。

36 陳清慧、董馥榮：〈編修《四庫全書》獎懲辦法管窺〉，《文獻》2006年第4期，頁159-168。

言，最有參考價值的是史廣超的博士論文《永樂大典輯佚研究》。[37]該論文第二章第三、四、五節分別為：《永樂大典》輯佚人員考、程序考、四庫館永樂大典輯本纂修人考，對筆者的研究尤其有借鑒與參考價值。筆者希望能在此基礎上進一步作修正補充。此外，陳智超〈《舊五代史》輯本的得失〉、〈論重新整理《舊五代史》輯本的必要與可能〉[38]及陳尚君之《舊五代史新輯會證》（上海市：復旦大學出版社，2005年），皆通過將輯本佚文還原回《永樂大典》中，從而分析輯本之產生經過，對我們考察四庫館之輯佚方法與程序，有一定的參考價值。

以上這些研究為我們開展對大典本的整體研究提供了堅實的基礎，但還有一些根本性的問題未能得到很好地解決：館臣簽輯大典本的程序如何？大典本纂修官為何都兼分校官？這些問題的存在極大地阻礙了對《四庫》及《大典》研究的推進。

（三）關於四庫館臣

1 關於人數

關於館臣的人數，最早是郭伯恭《四庫全書纂修考》的統計：館臣三百六十人。郭氏的統計，完全是據職名表。不過，郭氏也非常敏銳地覺察到職名表漏收的情況，指出尚有慶桂、張若溎、李友棠、鍾音、陸費墀五位副總裁未入職名表。[39]後來的學者大都沿襲郭氏的統計數，不察者徑稱四庫館臣有三百六十人，而細心者則會在提供這一

---

37 復旦大學二〇〇六年博士論文。另外四篇為：陳惠美《清代輯佚學》（2004年）、喻春龍《清代輯佚研究》（2006年）、郝豔華《《永樂大典》史論》（2006年）、郭國慶《清代輯佚考》（2007年）。

38 均收入《陳智超自選集》（合肥市：安徽大學出版社，2003年）。

39 郭伯恭：《四庫全書纂修考》（上海市：上海書店出版社，1992年），頁65-66。

數量的同時，還會說明這只是一個不完全的統計數（即其中有遺漏的現象）。更有心者，則會對其中的遺漏情況作考察，以為職名表之補充。例如，黃愛平認為職名表有很多遺漏，指出慶桂等副總裁、總閱官、總校官、纂修官、分校官等數十人不見於職名表。[40]另外，黃氏還認為，薈要館臣中，有相當一部分在職名表中沒有[41]，而吳哲夫認為這些四庫薈要館臣也應是四庫館臣。[42]這些論述均有助於補充原有的職名表。

劉鳳強依據檔案對館臣人數作了重新統計[43]：除職名表三百六十人外，據檔案可補一百三十一人。其所作的補充，有的是合理的，有的是不合理的，如他把七閣《四庫》修成後進行重校的人員（如詳校官），亦列入館臣名單，是不合適的。不過，劉氏據賞賜單開列日常在館人數（約一百八十多人），是非常有創意的。此外，劉鳳強指出，總纂官的人數也還存在著爭議，其中王太岳曾任總纂官，但職名表中未列入。

還有一些學者致力於考察某一類的館臣數量，如修世平據《清實錄》任命總裁的各個諭旨進行統計，得出正、副總裁三十一人。[44]遺憾的是，這一數量並未超過郭伯恭的統計數。

至於職名表漏收的原因，一些學者也發表了自己的看法，如郭伯恭認為，或係兼職，或係因故革職，或任職不長，可能實際並未任事，故不入職名表。[45]黃愛平認為，職名表有遺漏的原因，除郭氏所

40 黃愛平：《四庫全書纂修研究（北京市：中國人民出版社，2001年），頁102。

41 黃愛平：《四庫全書纂修研究（北京市：中國人民出版社，2001年），頁274。

42 吳哲夫：《四庫全書薈要纂修考》（臺北市：國立故宮博物院，1976年），頁21-24，據《四庫薈要》各冊所附校對官收錄了校對與總校的名字。

43 劉鳳強：《四庫全書館研究》（蘭州市：蘭州大學碩士論文，2006年），頁22-27。

44 修世平：《四庫全書館正副總裁的人數》，《文獻》1989年第4期，頁286-287。

45 郭伯恭：《四庫全書纂修考》（上海市：上海書店出版社，1992年），頁66。

提外，還有因年老退出，因病解任，因身故除名，或因陞轉，因調任，因丁憂回籍等，在館時間不長。[46]雖言簡意賅，但這些原因分析得非常全面。

事實上，職名表中各類館臣大都存在著或多或少的遺漏，我們可以依據檔案等材料作進一步補充。另外，要明確館臣的範圍，才好統計。如陸費墀，是乾隆四十九年才任為續辦三份《四庫》的副總裁，就不應入職名表副總裁之列。

對於遺漏原因，我們還可以作進一步分析。我們以往批評職名表的遺漏，總是歸罪於編排者的粗疏。其實，遺漏是很多複雜的原因造成的，其中最重要的一點是：四庫館是動態變化的，館臣館職的頻繁更換及兼職情況，在職名表中很難反映出來。例如，有很多館臣可能任過兩個甚至多個館職，而職名表難以把這些變化一一展示出來，只好簡單處理（如只標最後的館職），因而造成了許多漏收的情況。也就是說，職名表只能反映靜態的館臣情況，無法反映整個四庫館開館期間館臣的動態變化情況。因此，在統計館臣數量、分析館臣的工作與貢獻時，不能只據職名表來判斷。

另外，我們還需注意到，《四庫》職名表開列之後，人員、館職又有一些變化。到續繕三份全書時，變化更大。這些後來（尤其是續繕三份全書時）的館臣，是否應該與前述職名表中的館臣一起來作館臣統計呢？而且，在修《四庫》期間，也存在其它各書館（如方略館、三通館、國史館等），這些書館所編之書多收入《四庫》，他們的編校人員，是否也是館臣呢？[47]筆者認為，其它各館修書，與《四庫》的關係或遠或近，這些書雖多被列入《四庫》，但其中的人員，

46 黃愛平：《四庫全書纂修研究》（北京市：中國人民出版社，2001年），頁102。

47 吳哲夫將其歸入四庫館來考察。參吳哲夫《四庫全書纂修之研究》，第75頁。

都視為四庫館臣的話，似乎不太合理。當然，他們中有很多人是四庫館臣兼任的，這需另外對待。這些問題都需要我們在研究中進一步明確並解決。

還有，雖然館臣是變化的，前後在館之人總數很大，但一時在館之館臣則並沒有那麼多（如中間有陸續議敘離開的）。那麼，我們應該對其日常的在館人數，即四庫館常態下的館臣數量有一個統計與認識。

因此，本書計劃：提供更準確的館臣總數；指出日常在館的館臣數；對遺漏問題及遺漏的原因作出合理的解釋。通過對館臣遷轉問題的解釋，闡明開館期間館臣變化的複雜性。也就是說，對數量問題的考察，不僅僅是說明數量，而希望通過此來進一步瞭解四庫館的運作情況。

2 關於各館職的工作

總裁官：郭伯恭在《四庫全書纂修考》「正副總裁之出力者」一小節中介紹了于敏中等總裁官的貢獻。[48]司馬朝軍在其著作中也充分肯定了總裁的作用。[49]劉鳳強《四庫全書館研究》對總裁的工作做了較全面的概括，指出他們在擬定章程、人員選拔、裁正編纂中的問題、抽閱書籍、監督催促等方面均有實際貢獻，同時認為以往的學者對總裁的工作評價過低（如郭伯恭、周積明等）。徐慶豐利用書信材料對于敏中的研究，也是一個很好的個案研究範例。[50]對總裁官和珅

48 郭伯恭：《四庫全書纂修考》（上海市：上海書店出版社，1992年），頁66。

49 司馬朝軍：《〈四庫全書總目〉編纂考》（武漢市：武漢大學出版社，2005年），第3章，頁101-111。

50 徐慶豐：《〈于文襄手劄〉考釋——並論于敏中與《四庫全書》纂修》（北京市：北京師範大學碩士論文，2005年）。

的研究，唐文基與徐雙定的文章可以參考。[51]陳東輝對副總裁金簡的研究[52]，也有一定參考價值。但總體而言，以往的研究對總裁的個案考察不夠深入，對兼職總裁官如何兼顧行政工作與修書事務，還沒有較清楚的解釋。

纂修官：纂修官負責的是修書最基本、最重要的工作，應給予足夠的重視。目前關於纂修官的研究，多集中於其中的一些名人，如戴震[53]、朱筠[54]、周永年[55]等，以及有提要稿存世的邵晉涵[56]、余集[57]、翁方綱[58]、姚鼐[59]等幾位，發表的論文不少。在此基礎上，司馬朝軍

51 唐文基：〈和珅與四庫全書〉，《三明學院學報》2007年第1期，頁1-7；徐雙定：《試論和珅在編纂四庫全書中的作用》，甘肅省圖書館編：《四庫全書研究文集－2005年四庫全書研討會文選》（蘭州市：敦煌文藝出版社，2006年），頁235-240。

52 陳東輝：〈清代華籍韓人金簡對《四庫全書》的重要貢獻〉，《北京圖書館館刊》1999年第3期，頁101-114。

53 關於戴震的研究很多，其中與本書有較密切關係的有司馬朝軍：〈戴震與四庫全書總目〉，《圖書館雜誌》2006年第8期，頁68-71；蔡錦芳：〈錢載與戴震交惡之緣起〉，《上海大學學報》2006年第1期，頁92-98。

54 陳曉華：〈朱筠與四庫修書〉，《歷史文獻研究》總第27輯（上海市：華東師範大學出版社，2008年）。

55 張學軍：〈周永年對四庫全書的貢獻〉，《聊城大學學報》2006年第1期，頁102-111。

56 蘇虹：〈關於邵氏四庫全書提要分纂稿〉，《圖書館學刊》2005年第5期，頁130-131。

57 李祚唐：〈余集《四庫全書》提要稿研究價值淺論〉，《學術月刊》2001年第1期，頁79-81；〈余集《四庫全書》提要稿疏〉，《天府新論》2001年第2期，頁70-75。

58 關於翁方綱的研究非常多，與本書有較密切關係的主要有以下幾種：沈津：《翁方綱年譜》（臺北市：中央研究院文史哲研究所，2002年）；潘繼安：〈翁方綱四庫提要稿述略〉，《中華文史論叢》1983年第1期，頁213-220；沈津：《翁方綱與〈四庫全書總目提要〉》，《中國圖書文史論集》（北京市：現代出版社，1992年）頁153-169；吳格：〈翁方綱纂四庫提要稿發微〉，《古籍整理出版情況簡報》總第285期（1994年第8期）；司馬朝軍：《〈四庫全書總目〉編纂考》（武漢市：武漢大學出版社，2005年），第5章，頁191-568；樂怡：《翁方綱纂〈提要稿〉與〈四庫提要〉之比較研究》，《圖書館雜誌》2006年第4期，第74-77頁；樂怡：《翁方綱纂〈四庫全書提要稿〉研究》，復旦大學2002年碩士論文；何廣棪：《翁方綱與四庫全書》、黃愛平：《翁方綱與四庫全書》，分別載甘肅省圖書館編：《四庫全書研究文集－2005年四庫全書研討會文選》（蘭州市：敦煌文藝出版社，2006年），頁190-197、頁198-204。

通過進一步挖掘現存的提要稿，論述了更多纂修官的基本工作，為我們更充分地瞭解纂修官工作提供了參考。[60]黃愛平《四庫全書纂修研究》「進呈書籍的校閱」一小節，將辦理採進書纂修官的工作概述為：甄別、校閱（版本鑒別、辨偽、考證）、撰寫提要三個方面。[61]在這些研究基礎上，我們還可以進一步思考：纂修官有多種，他們之間的區別是什麼？是否都要校書？

分校官：郭伯恭《四庫全書纂修考》依據《四庫》檔案中的「功過處分條例」，對分校的工作有過較詳細的分析。[62]後來的研究基本也是以此條例為主要材料，如黃愛平《四庫全書纂修研究》「校訂」一小節。[63]總的來看，關於校勘的研究較多，但多關注校勘的結果、校勘的特點、校勘存在的問題[64]，對筆者的研究參考價值不大。還有一些研究關注校勘的組織與程序，如劉辰《四庫全書的校對》[65]，其中有一節討論「校對工作的組織與管理」，包括龐大的校對組織（還提到兼職校對官）、嚴格的責任制與考覈制度（增設復校、建立多層次的檢查制度、建立功過簿、建立三個月一考覈制度），較為全面準確地總結了四庫館的校勘組織與一般程序；魏芳華〈《四庫全書》專職校對隊伍分析〉一文對分校官的具體工作有較詳細的描述，不僅分析

59 李秋華：〈從《惜抱軒書錄》看纂前提要與纂後提要之差異〉，《圖書館工作與研究》1995年第5期，頁40-42。

60 參司馬朝軍：《〈四庫全書總目〉編纂考》（武漢市：武漢大學出版社，2005年），第1章，頁9-77。

61 黃愛平：《四庫全書纂修研究》（北京市：中國人民出版社，2001年），頁118。

62 郭伯恭：《四庫全書纂修考》（上海市：上海書店出版社，1992年），頁93。

63 黃愛平：《四庫全書纂修研究》（北京市：中國人民出版社，2001年），頁138。

64 李春光：〈四庫全書校勘芻議〉，甘肅省圖書館編：《四庫全書研究文集》（蘭州市：敦煌文藝出版社，2005年），頁244-248。

65 載甘肅省圖書館編：《四庫全書研究文集》（蘭州市：敦煌文藝出版社，2005年），頁249-258。

了校對人員的籍貫、學歷、官品、學問，而且分析了其校書態度、專職校對與兼職校對的不同，最後還繪製了一個簡單的四庫館組織機構示意圖。[66]由於本書主要探討分校官校勘的具體工作過程（日常工作），特別留意一些細節問題，因此，上述兩篇文章對筆者的研究有較大的參考價值。

其它館臣，例如總纂官方面。對紀昀的研究已很多[67]，但也存在爭論，即：紀昀是否對《總目》作過統稿，是否算其功勞最大？有學者認為，從對現存《總目》殘稿的考察來看，基本能證明紀氏刪定全稿頗費心血。[68]司馬朝軍對陸錫熊在四庫館的工作給予了充分的肯定。[69]以上研究均有參考價值，但總纂官之分工及日常工作，還需進一步考證。總校官方面。任松如《四庫全書答問》在「問十八」中，特別重點介紹了陸費墀的工作。[70]由於陸費氏不喜標榜，留下的著述不多，後人對其瞭解較少，因而這一介紹特別必要。一些學者則希望給陸費氏的工作予以恰當的評價，如郭伯恭認為，于敏中與陸費氏有特殊關係，陸費氏為於氏保舉，且又專任辦書。《四庫》書之錯，本為

66 載《中國出版》1998年第10期，頁52-54。另可參魏芳華：〈清代四庫全書館的責任校對和校對責任制〉，《中國出版》1996年第3期，頁20-21。

67 如孫致中等校點：《紀曉嵐文集》（石家莊市：河北教育出版社，1991年）冊3所收〈紀曉嵐年譜〉。還可參周佳林：〈紀昀與四庫全書的編撰〉，《科教文匯》2008年第6期，頁163；林驊：〈紀曉嵐與四庫全書〉，《懷化學院學報》2007年第10期，頁53-55；路拴洪：〈紀昀與《四庫全書》〉，《河北師範大學學報》1984年第3期，頁57-63。

68 丁芬、李國慶：〈四庫全書總目残稿及其文獻價值〉，《圖書館工作與研究》2008年第8期，頁54-55；李國慶：〈紀昀潤色四庫全書總目提要舉例〉，《山東圖書館季刊》2008年第3期，頁75-77；司馬朝軍：〈紀昀與四庫全書總目〉，《圖書館雜誌》2007年第2期，頁69-75。

69 司馬朝軍：《〈四庫全書總目〉編纂考》（武漢市：武漢大學出版社，2005年），第2章，頁78-100；司馬朝軍：《陸錫熊與四庫學》，《圖書・情報・知識》2005年第12期，頁56-58。

70 任松如：《四庫全書答問》（上海市：上海書店出版社，1992年），頁27。

陸費氏，而連累及於氏。[71]黃愛平則替陸費氏鳴冤說，乾隆讓陸費氏受罰獨重，把責任推到其一人身上是不公平的，有代於氏受過之嫌。[72]

此外，關於館臣的選派與管理方面，劉鳳強認為[73]：四庫館分工嚴密，選人合理。劉氏總結出人員遴選的幾個特點：總裁因品秩任命，有些年邁無堪用之徒充斥期間；網羅人才有局限性；重用受處分人才；館臣多漢學家少宋學家，多經學家少史學家。這些認識是頗有深度的，而且也是基本合理的。另外，吳哲夫〈四庫修書處工作人員之遴選與管理〉、〈四庫全書的人事管理〉二文[74]對四庫館人員的遴選與管理有較清晰的描述，有一定的參考價值。

總之，以往對館臣的研究，還存在一些基本的問題沒有解決，如工作流程、各館職的基本職責、相互之間的關係等。此外，還有一些現象需要更好地解釋，如翁氏辦書一千餘種，為何那麼多？是否能做到？他是如何辦書的？同時，以往的研究多關注館臣的館職工作，而四庫館臣是否還兼任其它行政工作呢？若是兼任，他們是如何兼顧的呢？以何者為重點呢？本書在前人研究基礎上，希望能清晰地描述出當時的工作流程、各館職的基本工作、職責，對其中存在的問題作合理的解釋，如交叉辦書、纂修兼分校、其它館臣兼纂修（即寫提要）等。

（四）關於四庫館謄錄

這方面研究已有不少成果可參考，如：

關於謄錄的數量，有不同的說法，最早是郭伯恭《四庫全書纂修

---

71 郭伯恭：《四庫全書纂修考》（上海市：上海書店出版社，1992年），頁159-160。

72 黃愛平：《四庫全書纂修研究》（北京市：中國人民出版社，2001年），頁107。

73 劉鳳強：《四庫全書館人員的遴選及其特點》，《圖書與情報》2006第5期，頁124-128。

74 分別載臺北《幼獅月刊》第46卷第5期；臺灣《國魂》1991年第542期。

考》的統計[75]：謄錄三千八百二十六人。後來學者基本沿襲他的說法，一般會泛稱三千八百多人。郭氏所說的謄錄數，是十四年間七份《四庫》及二份《薈要》共涉及的謄錄數。黃愛平則說，前四份《四庫》及二份《薈要》共有謄錄兩千八百四十一人，而十四年間歷任謄錄達三千八百四十一人。[76]

關於謄錄的選取。郭伯恭《四庫全書纂修考》「繕書處謄錄之選用」一節，對謄錄的保舉及人數有較詳細的論述。[77]黃愛平《四庫全書纂修研究》「繕錄」一小節，從繕錄來源、繕寫情形兩個方面對謄錄的論述較為全面，尤為重要的是其指出了謄錄來源中的一個方面：同鄉官的擔保，京官子弟可申請效力。[78]這一謄錄選取方式為館臣網羅同鄉、子弟等有關係的人員入館提供了方便之途，有助於形成在館的關係網。

（五）關於助校與錄副現象

1 助校

《四庫》開館，吸引著全國許多士子來北京投機，而館臣乘機延致士子於家中以助校勘。館臣得士子襄助，而士子亦得間接參與修書之事，雙方各得其宜。這種情況在當時非常普遍。助校的工作，不只是校書，還包括編書、整理書、著書立說、謄錄等，涵蓋《四庫》編修的各項工作。助校者出身不一樣，他們的出路也不一樣，有的中舉、中進士，有的出仕或做了館臣，有的看到前途無望就離京返鄉，

---

75 郭伯恭：《四庫全書纂修考》（上海市：上海書店出版社，1992年），頁75。

76 分別參黃愛平《四庫全書纂修研究》（北京市：中國人民出版社，2001年），頁136、頁150。

77 郭伯恭：《四庫全書纂修考》（上海市：上海書店出版社，1992年），頁71。

78 黃愛平：《四庫全書纂修研究》（北京市：中國人民出版社，2001年），頁113。

有的則在京苦苦等待。這些助校者，以修書為契機，一方面與館臣相互切磋學問，往復商榷，既有利於校書，又推進了學術交流與研究；另一方面可以借助其與館臣結成的關係網為自身的科舉考試與入仕提供方便。

可惜的是，到目前為止四庫學研究者甚少關注助校現象，只有任松如《四庫全書答問》「問十一」指出，丁傑就是當時的一位助校者[79]；魏芳華指出：「浙江歸安丁傑，字升衢，一生肆力於經史，旁及六書音韻及算學，長於校讎，與翁方綱、朱筠、戴震等著名學者相友善。《四庫》開館，丁傑雖然未入館員之列，但在翁、朱、戴的邀請下，參與了助理校勘之事。從廣義上來說，丁氏可被視為『外校』。」[80]她所說的「外校」，即是典型的助校現象。

2 錄副

四庫館開館期間，通過調取、個人進呈、地方採進等方式從全國各地及內府徵集了大量的珍本秘笈，而且又從《永樂大典》中輯出了一批佚書，這些圖書對當時的士大夫具有很強的吸引力。因此，隨著《四庫》修書的進行，四庫館中出現了普遍的私家錄副現象。

四庫學研究者對錄副現象基本沒有專門的關注，而相關的材料及記錄多散見於舊藏書家書目對這類錄副本的著錄中，如傅增湘《藏園群書經眼錄》、《藏園群書題記》，繆荃孫等撰《嘉業堂藏書志》，等等。另外，今人在研究《四庫全書》抄本及其流傳的文章中也會間或提及有關的內容，如王世偉《傳抄自《永樂大典》的清抄稿本《尚書全解》〈多方〉及附錄考略》。[81]

---

79 任松如：《四庫全書答問》（上海市：上海書店出版社，1992年），頁23。

80 魏芳華：〈《四庫全書》專職校對隊伍分析〉，《中國出版》1998年第10期，頁52-54。

81 中國國家圖書館編：《《永樂大典》編纂600週年國際研討會論文集》（北京市：北京圖書館出版社，2003年），頁204-205。

(六)《武英殿聚珍版叢書》

《武英殿聚珍版叢書》與《四庫全書》是什麼關係？如何辦理？其種數一共有多少？其分校官、纂修官與《四庫》分校官、纂修官是什麼關係？這些問題到目前為止並未得到很好的解決。關於數量，陶湘《書目叢刊・武英殿聚珍版書目》有較為明確的論述，最有參考價值。黃愛平《四庫全書纂修研究》第八章〈《四庫全書》的刊刻與《武英殿聚珍版叢書》〉，對該叢書有較全面的介紹，可參考。[82]目前關於武英殿聚珍版書的論文雖有不少，但有深度的並不多，一般只是些簡單知識介紹。不過，向斯《清宮武英殿刻本》[83]提到了宮中所藏的兩種聚珍本目錄，可以用以分析聚珍本數量；朱賽虹〈「殿本」的發源地——武英殿修書處〉[84]，對修書處的機構組成與人員構成作了較詳細的論述，有助於筆者分析其與聚珍館的關係。此外，楊之峰〈《武英殿聚珍版叢書》零種的鑒定〉[85]、向斯《武英殿刻本之纂修》[86]、朱賽虹〈武英殿刻書數量的文獻調查及辨析〉[87]均有一定的參考價值。劉祥元的碩士論文《《武英殿聚珍版書》書前提要研究》[88]對聚珍本數量、校上年月、提要格式等問題有所論及，亦對本書有一定的參考價值。

由於我們以往主要是通過翻刻本來認識聚珍本，而翻刻本與原聚珍本在版式、校對者署名等方面多有不同，因而產生誤解也就在所難

---

82 黃愛平：《四庫全書纂修研究》（北京市：中國人民出版社，2001年），頁215-231。

83 《東方藝術》2006年第18期，頁11-21。

84 《出版史料》2003年第4期，頁58-63。

85 《圖書館學刊》2009年第1期，頁89-91。

86 《紫禁城》2005年第1期，頁46-52。

87 《故宮博物院院刊》1997年第3期，頁25-32。

88 劉祥元：《〈武英殿聚珍版書〉書前提要研究》，北京師範大學2007年碩士論文。

免。因此，本書主要依據乾隆間武英殿聚珍版書原本，再參以各種翻刻本，對聚珍本的校上年月、纂修官姓名、書口或卷尾署校者等作了全面的匯總列表，以便更準確地分析聚珍本的相關問題。

（七）其它

四庫學其它方面的研究成果，對本書的研究也有一定的參考價值，如黃雲眉〈從學者作用上估計《四庫全書》之價值〉，認為《四庫總目提要》實經紀氏增竄刪改而成，體現了「標榜漢學，排除宋學」的作用[89]；喬治忠、楊豔秋〈四庫全書本明史發覆〉[90]深入地分析了館臣對《明史》的勘改與修訂；來新夏認為《四庫》修書奠定了清學基礎，培育了專學人才[91]；等等。

此外，關於《四庫全書》著者與編者群體的研究，如 *Cheryl Boettcher TarsalaWhat is an Author in the Sikuquanshu？— Evidential Research and Authorship in Late Qianlong Era China, 1771-1795*（《四庫全書著者考》）（Ph.D. Dissertation, University of California, 2001）；關於《四庫》編修中學者與政治關係的研究，如 R.Kent Guy（蓋博堅）*The Emperors Four Treasuries: Scholars and the State in the Late Ch'ien-lung Period*（《四庫全書：乾隆晚期的文人與政治》）（Cambridge: Harvard University Press, Council on East Asian Studies, 1987）；關於乾嘉學派的研究，如陳祖武、朱彤窗《乾嘉學術編年》（石家莊市：河北人民出版社，2005年）、《乾嘉學派研究》（石家莊市：河北人民出

---

89 甘肅省圖書館編：《四庫全書研究文集》（蘭州市：敦煌文藝出版社，2005年），頁107。

90 《清史研究》1999年第4期。

91 來新夏：〈四庫全書對傳統文獻的貢獻〉，收入甘肅省圖書館編：《四庫全書研究文集——2005年四庫全書研討會文選》（蘭州市：敦煌文藝出版社，2006年），頁153-155。

版社，2005年）等[92]；關於清代政治與文化的研究，如戴逸《乾隆帝及其時代》（北京市：中國人民大學出版社，1992年）、黃愛平《樸學與清代社會》（石家莊市：河北人民出版社，2003年）、Benjamin A. Elman（艾爾曼）*From Philosophy to Philology: Intellectual and Social Aspects of Change in Late Imperial China*（Mass: Council on East Asian Studies, Harvard University, 1984；中譯本為趙剛譯：《從理學到樸學：中華帝國晚期思想與社會變化面面觀》〔南京市：江蘇人民出版社，1995年〕）、向燕南〈從國家職能看明清官修史學〉（《求是學刊》2005年第4期）等；關於清代史館的研究，如王記錄《清代史館與清代政治》（北京市：人民出版社，2009年），均對本書的寫作有一定的參考價值。

綜上所述，以往學者對四庫館的研究已經取得了可觀的成果，為筆者的研究提供了堅實的基礎：其一，在相當多的問題上都達成了共識，或者有了重大的推進。例如，關於館臣數量，認為並非是職名表所能完全體現的；關於大典本的輯佚，其程序複雜，成就很大，但也有不少錯誤。其二，研究態度越來越客觀，較少受早期排滿、民族主義等因素的影響，不是一味地批評或拔高《四庫》。其三，四庫館研究越來越重視對材料的佔有與分析，不作無端的揣測。其四，越來越重視在以往研究基礎上的推進。例如，近些年對四庫學研究的不斷總結就是其具體表現。其五，不斷開拓出新的研究領域及思路。在這些研究中，尤其值是重視的是：郭伯恭《四庫全書纂修考》具有開創性，其所論到現在還是我們探討四庫館的基礎；黃愛平《四庫全書纂修研究》在前人研究的基礎上對四庫館研究作了重大的推進，全面闡述了《四庫》編纂過程及相關問題；吳哲夫《四庫全書纂修之研

---

92 另可參林香娥：〈乾嘉考據學熱潮成因新探〉，《江西社會科學》2007年第5期，頁188-191。

究》、《四庫全書薈要纂修考》，對臺灣所藏檔案的利用，尤其是對四庫薈要館的研究，是目前做得最好的；司馬朝軍《〈四庫全書總目〉研究》、《〈四庫全書總目〉編纂考》對《總目》編纂過程的研究，開發出了不少新材料，也提出了不少具有啟發性的觀點。以上這些代表性專著涉及層面廣，可以從多個方面為筆者的研究提供參考。

當然，目前關於四庫館的研究，還存在著諸多不足。例如，四庫館準確的開館和閉館時間、四庫館機構系統的構成及位址、各類館臣的準確統計數、館中普遍存在的助校與錄副現象等基本問題未得到解決。這些問題的存在，使我們不但難以準確地描述出四庫館的基本情況（如日常如何管理與運作），而且難以合理解釋《四庫全書》錯誤繁多、館臣效率低下、四庫館書錄副本數量眾多、四庫館中學術紛爭等諸多現象，從而極大地阻礙了四庫學研究的深入發展。這些問題的存在，有資料方面的原因（如資料不夠、查找不便等），也有受傳統思維定式局限的原因（如輕視細小的、基礎的問題）。因此，本書希望在充分挖掘、佔有材料的基礎上，突破傳統思維定式的局限，通過對細小而又是基本問題的探討，重點闡明四庫館的基本構成及運作情況，從而推進四庫學的研究。

四　寫作思路

本書的寫作並不以展示四庫館的完整性、全面性為目的，而是以問題為中心，就涉及四庫館的一些基本問題展開討論，故章節及篇幅也不可能做到平均分配。

本書主要圍繞四庫館的兩大機構系統及其職能、館臣數量及其工作職責、謄錄，以及四庫館中助校、錄副、《武英殿聚珍版叢書》的印行等重要現象來開展研究，分為以下九個專題：

一、四庫館開、閉館時間研究。通過對相關《四庫》檔案及館臣文集等材料的梳理分析，從根本上解決到目前為止尚未清晰的四庫館設立與關閉的具體時間。

二、四庫館的兩大系統及其職能研究。以《四庫》職名表及《四庫》檔案為基礎，分別論述四庫館翰林院系統與武英殿系統的設置及職能。

三、四庫館的運作流程研究。主要圍繞採進書與大典本的辦理程序，深入探討其運作過程。

四、館臣數量研究。重新統計館臣數；以纂修官數量為突破口，分析造成以往館臣數量統計遺漏的主要原因。

五、館臣的主要工作研究。館臣有多種，主要選取目前存在有較大爭議且在四庫館中起重要作用的總裁、纂修官、分校官、黃簽考證官為研究對象，分別從人選、職責等方面作論述。

六、四庫館謄錄研究。利用檔案及人物傳記材料，重點探討謄錄的基本工作、來源等問題，也論及謄錄特殊的議敘與後來的任職情況等。

七、助校現象研究。探討四庫館中助校現象存在的普遍性，分析助校現象對《四庫》修書的影響。

八、錄副現象研究。指出四庫館中私家錄副者，錄副本的傳播與整理，並深入分析研究錄副現象的諸多意義。

九、《武英殿聚珍版叢書》研究。澄清聚珍本數量、辦理程序、印行時間等問題，分析聚珍本與四庫館書的關係、相關纂校人員與四庫館館臣的關係。

最後，對全書作總結，並對四庫館的運作提出一些新思考。集體修書是一項複雜的工程，而且書越大越複雜。集體修書，更需要那些默默無聞的奉獻者。就《四庫》編修而言，謄錄及助校就是那些默默無聞的奉獻者。有鑑於此，本書特別重視揭示以往較忽視的下層館員及館外助校人員對修書的貢獻[93]。另外，本書還希望對館臣入館的真正動機與目的作更為深入的分析。總之，四庫館的運作，有許多方面值得我們很好地總結，從而為我們今後集體修書提供一些參考與借鑒。

本書擬突破的難題

一、明確提出四庫館的機構分為兩大系統：其一為翰林院系統，專司《四庫》的校閱與編修；其二為武英殿系統，專司《四庫》的繕寫、校對與裝印。兩者涇渭分明，但又互相配合，統歸於總裁官掌控。四庫館中各館職分工清晰，統屬明確，環環相扣，構成一個有機的整體，有利於四庫館的良性運作，保證《四庫》編修的順利完成。

二、對館臣數量作相對準確的統計，對現存《四庫》職名表作較大修正及補充。由於開館時間較長且期間館臣任職多有變化等，要對館臣數量作完全準確的統計，現在來看是不太可能的。但是，通過對相關材料的分析，筆者有信心擬訂出較現存職名表準確得多的館臣統計數及名錄。

三、全面揭示出四庫館中普遍存在的助校現象。從助校現象可看出：其一，館臣的工作延伸至館外。也就是說，《四庫》修書的工作並非完全是在館中進行的。其二，館臣之外的助校者也為《四庫》修書默默無聞地做了大量的工作。

四、首次揭示四庫館中普遍存在的私家錄副現象。四庫館中諸多館臣及辦事人員因各種原因千方百計錄副四庫館書。這些錄副本，經由士人們的輾轉傳抄與刊行，廣為傳播，為清代圖書文化的傳播及學術發展起到了重大的推動作用。

---

93 Cheryl Boettcher Tarsala 認為，應該關注四庫館中占大多數的、名氣不大的，但對《四庫》編修有實際貢獻的館臣。參 Cheryl Boettcher Tarsala, *What is an Author in the Sikuquanshu 彝 — Evidential Research and Authorship in Late Qianlong Era China, 1771-1795*, Ph.D. Dissertation (California: university of California, 2001), p.173。

五、展示四庫館詳細的辦書流程。

六、首次深入分析《四庫全書考證》的成書、內容及價值。

七、首次從校對者署名、校上時間等角度分析四庫館開館期間聚珍本的數量、辦理程序、纂校人員等問題。

五　研究方法

民國以來，研究者基本上是以文獻學的角度來研究四庫學。[94]有的學者嘗試用文化史、比較分析等方法來研究四庫學，取得了一定的成績。本書在借鑒前人研究方法的基礎上擬採用以下的研究方法：

其一，由於本書並不是對四庫館全面而系統的研究，因而採用的是分專題研究的方法。

其二，依靠傳統的文獻考證方法，在深入分析材料的基礎上提出新觀點。

其三，利用圖表的方式，如《四庫》館臣表（修訂版）、四庫館館職示意圖等，全面、直觀地展示四庫館的機構組成與人員構成。

其四，人物研究與文獻研究的相互結合。

其五，個案研究與整體分析的相互結合。

六　資料來源

近年，隨著《纂修四庫全書檔案》等檔案材料及館臣文集的大量整理、影印出版，新發現並可供檢閱的《四庫》底本、副本、稿本及

94 陳東輝：〈民國時期「四庫學」之得失〉，收入甘肅省圖書館編：《四庫全書研究文集——2005年四庫全書研討會文選》（蘭州市：敦煌文藝出版社，2006年），頁162-172。

其它《四庫》材料越來越多，尤其是隨著搜集到的臺灣所藏有關《四庫》檔案的增多，為我們解決上述基本問題提供了充分的資料保障。

一、館臣著作的搜集，包括文集、筆記、日記等。這主要通過《續修四庫全書》、《清人詩文集總目提要》、《清人別集總目》、《中國古籍善本書目》、各大圖書館所編古籍目錄及其網頁、目前四庫學研究的前期成果等來查找。

二、《四庫》檔案的搜集。《辦理四庫全書檔案》、《纂修四庫全書檔案》是研究《四庫》的最主要檔案材料，尤其是後者，所輯檔案始於乾隆三十七年，終於嘉慶九年（1804），共計一千五百八十件、一百五十餘萬字，幾乎涵蓋了《四庫》編修方方面面的內容。除上述兩書外，筆者還利用影印檔案和網路等途徑，從中國第一歷史檔案館、臺灣「故宮博物院」圖書文獻館、臺灣史語所等搜集到新的《四庫》檔案材料。

三、《四庫》底本、稿本及錄副本的搜集。《四庫》底本主要藏於中國國家圖書館、北京大學圖書館、中國科學院圖書館等幾家大圖書館。四庫館書錄副本收藏雖較分散，但北京各大圖書館收藏也不少。至於《四庫》稿本，主要是大典本稿本，總數不多，大多收藏於中國國家圖書館。

四、國外相關著作及資料的搜集。筆者利用二〇〇八年一月至八月在美國訪學的機會，到美國國會圖書館等地搜集到一些有關《四庫》底本、《永樂大典》的新材料。

第一章
四庫館開、閉館時間

《四庫全書》是什麼時候開始編修的？又是什麼時候修成的？四庫館是何時開館？何時閉館？目前學界對這些問題有多種不同的說法。筆者認為，《四庫》始修時間應定為乾隆三十八年二月二十一日，開館時間應定為乾隆三十八年二月底；《四庫》修成時間應定在乾隆四十九年十一月，而四庫館閉館，則應該是在乾隆五十年正月。至於其他說法，都是不準確的。

第一節　四庫館開館時間

目前來看，四庫館的開館並沒有一個正式的聲明或儀式，因而要確定具體在哪一天開館是十分困難的。不過，我們可以依據現有的材料來推斷大致的開館時間。一般來說，始修時間就是開館時間。那麼，我們可以先來考察一下《四庫》始修時間。

一　《四庫》開始編修的時間

王巍提到始修時間有三種：

其一，乾隆三十六年（1771）。持此說的有郭永芳。[1]

其二，乾隆三十七年（1772）。持此說的除中華書局之外，還有

1　郭永芳：〈續修四庫提要纂修考略〉，《圖書情報工作》1982年第5期，頁15-21。

鄭鶴聲、鄭鶴春、王紅元、大中、王達人等。[2]

其三，乾隆三十八年（1773）。持此說的有蕭一山[3]等。這一說法較為通行。現在較多的專著與論文採用這一觀點。

王巍也是乾隆三十七年始修的主張者。他在考辨各種說法時說：乾隆三十七年正月四日（1772年2月7日），弘曆為「稽古右文」再次頒詔求書。十月十七日又一次降諭嚴飭訪書，徵書之舉才付諸實行。這是《四庫全書》纂修計畫的第一步。他又說：至於具體組織人力、物力、設置四庫館，從事這項工程編書工作，乃至將這部叢書命名為《四庫全書》，卻是乾隆三十八年二月的事。他總結說：由於材料的徵集工作在乾隆三十七年（1772）[4]已正式開始，所以把始修時間定在乾隆三十八年（1773）是不當的。[5]

李錫初提到始修時間有四種：

其一，乾隆三十年（1765）。《中國叢書綜錄》第一冊第九百六十二頁。

其二，乾隆三十二年（1767）。杜定友在《圖書分類法》〈史略〉中說：「……到清代乾隆三十二年（1773）編四庫全書的時候，更加確定了。」這裡說乾隆三十二年，卻注為一七七三年，而一七七三年，則是乾隆三十八年。估計杜定友應該是說乾隆三十八年。因此，

---

2 分別見《四庫全書總目提要》（北京市：中華書局，1965年影印本）「出版說明」；鄭鶴聲、鄭鶴春：《中國文獻學概要》（臺北市：臺灣商務印書館，1973年），頁188；王紅元：〈我國最大的一部叢書——「四庫全書」〉，《圖書館工作》1957年第4期；大中：〈《四庫全書》的點點滴滴〉，《光明日報》1961年4月8日；王達人：〈我國古籍之最（三）〉，《書林》1980年第3期（1980年2月）。

3 蕭一山：《清代通史》（上海市：商務印書館，1928年），中冊，頁46

4 原文寫作乾隆三十八年。但據其上下文意思，此處應是乾隆三十七年。否則，整句話不通，而且也不符合其觀點。

5 王巍：〈四庫全書纂修時間考辨〉，《徐州師範學院學報》1986年第2期，頁142-144。

乾隆三十二年的說法，應該是一個筆誤造成的。後來的一些著者不細加考察，沿襲了杜氏的錯誤，如武漢大學圖書館學系《圖書分類學》、白國應《圖書分類學》第八十六頁。

其三，乾隆三十七年（1772）。如《辭海》（文化、體育分冊）第十七頁、余嘉錫「論《四庫全書總目》和《簡明目錄》」。

其四，乾隆三十八年（1773）。《四庫全書》「從一七七三－一七八二年（清乾隆三十八－四十七年）完成。」（錢亞新：〈浙江圖書館的「三最」〉）。

他指出：儘管第三種說法較普遍，但第四種說法更合理，因為乾隆三十七年未真正開館，總裁、總纂未任命，能說開始編纂嗎？可見他同意乾隆三十八年始修。[6]

通過比較分析上述的各種說法，筆者認為，乾隆三十年、三十二年、三十六年的說法，是沒有任何根據的。至於乾隆三十七年的說法，其影響是比較大的，而且如今還有不少人採用，如有人認為乾隆三十七年正月初四乾隆就正式下令修《四庫》。[7]這一說法的主要依據是乾隆的上諭「諭內閣著直省督撫學政購訪遺書」（乾隆三十七年正月初四日）。[8]《四庫總目》將此上諭置於卷首第一篇，也清楚地表明其與《四庫》修書的密切關係。不過，筆者認為，此上諭只是就朝廷搜書而言的，當時還根本未有編修《四庫全書》的想法。杜澤遜亦曾就此指出，當時還沒有明確編一部大書的意向。[9]儘管此次徵書成為後來編修《四庫》的一個遠源或誘因，但此次徵書只是如前代王朝一

6　李錫初：〈四庫全書編纂時間〉，《圖書館學刊》1984年第4期，頁81-82。

7　胡露、周錄祥：〈四庫全書簡明目錄淺論〉，《重慶社會科學》2005年第5期，頁57-62。

8　此上諭也載為張書才主編：《纂修四庫全書檔案》（上海市：上海古籍出版社，1997年），第一篇，署「諭內閣著直省督撫學政購訪遺書」。

9　杜澤遜：〈乾隆皇帝與四庫全書〉，《山東圖書館季刊》2004年第4期，頁123-125。

樣的例行徵書，並無編一套叢書之想法，因此並不能說《四庫》編修就從這個時候已開始。

到目前為止，《四庫》始修於乾隆三十八年的說法，是比較多被學界接受的觀點。其實，許多《四庫》編修當事人都認為《四庫》始修於乾隆三十八年，例如，乾隆《御製詩五集》卷九〈題文津閣〉曰：「儒臣繼晷以焚膏，十載功成亶厥勞。」自注云：「自癸巳春開館輯《四庫全書》，至辛丑第一部告成。」[10]按：癸巳年即乾隆三十八年（1773）。如果再具體一點，那麼，《四庫》始修應是在乾隆三十八年二月。[11]

乾隆三十七年發佈徵書諭旨，安徽學政朱筠因此上奏提出從翰林院所藏《永樂大典》中輯佚書的建議。乾隆覺得這一建議不錯，立即派軍機大臣議奏，並讓軍機大臣去翰林院查看《大典》。大臣們商議後覺得這條建議可行，隨即著手進行輯佚。

在商議輯佚《大典》和徵書的過程中，大臣們已有編輯《四庫》及《四庫總目》的初步想法。據「大學士劉統勳等奏議復朱筠所陳採訪遺書意見摺」（乾隆三十八年二月初六日）載：「……俟各省所採書籍全行進呈時，請勅令廷臣詳細校定，依經、史、子、集四部名目，分類匯列，另編目錄一書，具載部分卷數，撰人姓名，垂示永久，用昭策府大成，自軼唐宋而更上矣。」[12]他們認為，各省遺書徵集上來後，先經校定，然後分別按經、史、子、集來排列，並編成一部書

10 〔清〕紀昀等總纂：《文淵閣四庫全書》（臺北市：臺灣商務印書館，1982-1986年影印本），冊1309，頁384上。

11 楊晉龍〈「四庫學」研究的反思〉認為是乾隆三十八年二月庚午始修，又說二月開始「給劄授餐」，開館「輯《四庫全書》」。戚福康〈《四庫全書》乾隆諭旨評議〉云：「《四庫全書》於乾隆三十八年（1773）二月正式開館編纂。」以上分別見甘肅省圖書館編《四庫全書研究文集》（蘭州市：敦煌文藝出版社，2006年），頁30、頁113。

12 張書才主編：《纂修四庫全書檔案》（上海市：上海古籍出版社，1997年），頁54。

目。後來編修《四庫》及《四庫總目》就是按這一思路進行的。

乾隆在隨後頒佈的諭旨中，對大臣們的上述建議予以了肯定，據「諭內閣《永樂大典》體例未協著添派王際華裘曰修為總裁官詳定條例分晰校核」（乾隆三十八年二月十一日）載：「……朕意從來四庫書目，以經史子集為綱領，裒輯分儲，實古今不易之法。是書（按：指《大典》）既遺編淵海，若准此以採擷所登，用廣石渠金匱之藏，較為有益。」[13]所以，當劉統勳他們在十天後再上奏提到彙編之書時，乾隆即批示定名為《四庫全書》。據「大學士劉統勳等奏議定校核《永樂大典》條例並請撥房添員等事摺」（乾隆三十八年二月二十一日），當日即「奉旨：是。依議。將來辦理成編時，著名《四庫全書》。欽此」。[14]

另據於敏中詩曰：「分標四庫錫嘉名（輯書之始，即以嘉名為請，命以四庫全書名之），開元部庋徵輪輅（書分經史子集四部始於唐開元時），永樂編儲命校衡（翰林院貯有《永樂大典》，中多世不經見之書，特命內廷大學士等為總裁，掄選翰林分司校擇，以備金匱石室之儲），流雜緇黃嚴別擇。臣於敏中。」[15]可以看出，輯書之始，應大臣的請求，乾隆賜給《四庫全書》名稱。也就是說，輯書之始，已有編一部叢書之想法，而且需要一個叢書名稱，乾隆正是回應這一需求，將其定名為《四庫全書》。

可見，乾隆三十八年二月，已開始輯佚《大典》的工作。乾隆三十八年二月二十一日，乾隆將輯佚工作作了定性，即編輯《四庫全書》。從嚴格意義上說，定名的這一天即是正式編修的開始。

---

13 張書才主編：《纂修四庫全書檔案》（上海市：上海古籍出版社，1997年），頁57。

14 張書才主編：《纂修四庫全書檔案》（上海市：上海古籍出版社，1997年），頁60。

15 〔清〕弘曆《御製詩四集》卷17〈匯輯四庫全書聯句〉。載〔清〕紀昀等總纂：《文淵閣四庫全書》（臺北市：臺灣商務印書館，1982-1986年影印本），冊1307，頁538下。

二　開館時間

如前所述，一般而言，始修時間就是開館時間。但是，因為開館需要有相關的手續，如任命總裁及相關人員，確定館址，正式公文行文中使用四庫館之名義，等等，因此，正式開館可能會較始修稍為晚一些。我們先來看看關於開館時間的不同觀點：郭伯恭指出，四庫館開館在乾隆三十八年二月。[16]後來學者大都認同此一觀點，但也有人認為開館是在閏三月，例如吳哲夫與劉鳳強。[17]這兩種不同觀點的根本區別在於：前者認為《四庫》始修，即為開館；後者認為《四庫》始修並未正式開館，正式開館應是在閏三月。

筆者認為，乾隆三十八年二月《大典》輯佚開始，隨後乾隆作指示要編《四庫全書》，即意味著《四庫》編修的正式開始，緊接著就應該設立四庫館，其依據有：

其一，前引「大學士劉統勳等奏議定校核《永樂大典》條例並請撥房添員等事摺」（乾隆三十八年二月二十一日）載：「但現在並非另行開館，其派出之翰林官等，俱毋庸請支桌飯銀兩。」因非另行開館，故不與飯食銀。可見，到二月二十一日，還未算是正式開館。但是，沒過幾天，乾隆三十八年二月二十八日即下諭旨：「現在查辦《四庫全書》之翰林官等，著照武英殿修書處之例，給與飯食。即交

16 郭伯恭：《四庫全書纂修考》，頁77載：「是年（乾隆三十八年）二月四庫館組織成立。」

17 吳哲夫：《四庫全書薈要纂修考》（〔臺北市：國立故宮博物院，1976年〕，頁2）認為，乾隆三十八年閏三月正式開館。劉鳳強《四庫全書館研究》（〔蘭州市：蘭州大學碩士論文，2006年〕，頁8）認為，乾隆三十八年閏三月十一日，正式任命《四庫》正、副總裁，並以辦理四庫全書處名義奏事，為正式開館之標志。

福隆安派員經理。欽此。」[18]對原規定作了修改。與前引奏摺相對，這「給與飯食」可能即意味著另行開館了。

其二，四庫館開館，其機構應有正式的名稱，並以此行文。據「諭內閣陸蓉等有願效力者准其在四庫全書處謄錄上行走」（乾隆三十八年三月二十三日）載：「此次考列二等之陸蓉等十四名內，有願在辦理四庫全書處效力者，准其在謄錄上行走。欽此。」這是檔案中第一次正式出現辦理四庫全書處。[19]辦理四庫全書處，是四庫館的正式名稱（參下章所述）。可見，三月已有四庫館的正式名稱，而且在上諭中已使用。

其三，總裁的任命，也是四庫館正式設立的標誌之一。乾隆三十八年二月輯佚《大典》時，已有總裁之設，據「諭著派軍機大臣為總裁官校核《永樂大典》」（乾隆三十八年二月初六日）載：「……著即派軍機大臣為總裁官，仍於翰林等官內選定員數，責令及時專司查校，將原書詳細檢閱，並將《圖書集成》互為較核，擇其未經採錄而實在流傳已少，尚可裒綴成編者，先行摘開目錄奏聞，候朕裁定。」[20]其時軍機大臣為劉統勳、劉綸、於敏中、福隆安四人，可知此四人為辦理《大典》輯佚書的總裁。到二月二十一日，又添派了校辦《大典》的總裁，據「諭內閣《永樂大典》體例未協著添派王際華、裘曰修為總裁官詳定條例分晰校核」（乾隆三十八年二月十一日）載：「著再添派王際華、裘曰修為總裁官，即會同遴簡分校各員，悉心酌定條

18 「諭著福隆安派員經理四庫全書處人員飯食」（乾隆三十八年二月二十八日），載張書才主編《纂修四庫全書檔案》（上海市：上海古籍出版社，1997年），頁63。

19 張書才主編：《纂修四庫全書檔案》（上海市：上海古籍出版社，1997年），頁66-67。前引「諭著福隆安派員經理四庫全書處人員飯食」（乾隆三十八年二月二十八日），較此諭時間早，但其標題是編者擬的（參張書才主編《纂修四庫全書檔案》「凡例」第三條，頁1），原文並無「四庫全書處」，故以此諭為最早。

20 張書才主編：《纂修四庫全書檔案》（上海市：上海古籍出版社，1997年），頁55。

例。」[21]以上這六位總裁，雖為辦理《大典》總裁，但隨著乾隆批示在輯佚《大典》的基礎上編修《四庫》，這六位總裁實即變為了《四庫》總裁官。因此，乾隆三十八年三月二十八日只是任命了四庫全書處副總裁，而沒有再任命總裁。[22]否則，如果沒有總裁，怎麼可能只任命副總裁呢？後來，原來的總裁改稱為正總裁，據「諭著劉統勳等為四庫全書處正總裁張若溎等為副總裁」（乾隆三十八年閏三月十一日）載：「現在辦理《四庫全書》，卷冊浩繁，必須多派大臣董司其事。劉統勳、劉綸、於敏中、福隆安、王際華、裘曰修，俱著為正總裁。英廉、慶桂外，並添派張若溎、曹秀先、李友棠為副總裁。欽此。」[23]也就是說，在三月份上諭任命四庫全書處副總裁時，已經實際上將以前任命校辦《大典》的總裁均視為四庫全書處總裁（即後來的正總裁）了。

綜上所述，四庫全書館（辦理處，設於翰林院）的正式設立應該是在二月底。正因如此，館臣祝德麟在其《悅親樓詩集》卷十《紀事》中云：「乾隆癸巳二月吉，詔開館局編叢帙。」[24]

---

21 張書才主編：《纂修四庫全書檔案》（上海市：上海古籍出版社，1997年），頁57。

22 「諭內閣著英廉充四庫全書處副總裁官」（乾隆三十八年三月二十八日）載：「英廉著充四庫全書處副總裁官。欽此。」又可參「內務府總管英廉奏謝充四庫全書處副總裁片」（乾隆三十八年三月三十日）載：「奴才英廉謹奏，為恭謝天恩事。乾隆三十八年三月二十九日，由內閣抄出奉上諭：英廉著充四庫全書處副總裁官。欽此。伏念皇上修輯《四庫全書》，網羅百代，籠罩古今，其書為千載未有之奇編，其事乃百僚莫遘之榮遇。奴才庸陋空疎，毫無知識，幸當右文之盛際，得廁編輯之清班，榮幸實為逾分，慚惶愈覺難勝。為此，恭謝天恩，伏冀聖鑒。謹奏。等因。繕片於三月三十日具奏。」以上分別見張書才主編《纂修四庫全書檔案》（上海市：上海古籍出版社，1997年），頁69、頁71。

23 張書才主編：《纂修四庫全書檔案》（上海市：上海古籍出版社，1997年），頁73。

24 續修四庫全書編委會編：《續修四庫全書》（上海市：上海古籍出版社，1996-2003年影印本），冊1462，頁603下。

那麼，為何有學者認為開館是在閏三月呢？

其一，閏三月時任命正、副總裁，為正式開館；之後以辦理四庫全書處名義奏事。其實，如前所述，總裁的任命三月已有，而且正式公文中出現四庫處也是在三月。

其二，據「辦理四庫全書處奏遵旨酌議排纂《四庫全書》應行事宜摺」（乾隆三十八年閏三月十一日）[25]，四庫館制定纂辦《四庫》條例是在閏三月。其實，此奏內所列事項甚多，說明其時已廣泛開展編修《四庫》的工作，並取得了一定進展。這是早已開館之證明。而且，此奏主要是針對武英殿辦理《四庫》書而言的，意味著武英殿四庫館的正式運作是從閏三月開始的。而翰林院四庫館的工作，在這之前早已開展。

其三，永瑢等在乾隆四十三年五月廿六日奏摺中說：「本年二月內，臣等辦理《永樂大典》五年期滿，請將謄錄供事人等從優敘錄，……。查《四庫全書》自乾隆三十八年閏三月開館，扣至本年三月，《薈要》自三十八年五月扣至本年五月，均屆五年期滿。」[26]這裡明確說乾隆三十八年閏三月開館，為什麼呢？其實，這裡所謂開館，是指武英殿四庫館（繕書處）而言的（關於四庫館分為翰林院與武英殿兩處，可參下文），因此，閏三月是指武英殿四庫館正式開始運作及選用謄錄而言的。據「辦理四庫全書處奏遵旨酌議排纂《四庫全

25 張書才主編：《纂修四庫全書檔案》（上海市：上海古籍出版社，1997年），頁74-78。

26 「奏為《四庫全書》及《薈要》自乾隆三十八年閏三月開館迄今均屆五年期滿該謄錄人等俱屬黽勉勤奮相應請旨加恩議敘由」，出自臺灣故宮博物院藏軍機處奏摺存檔，文獻編號為：039946。此段引文又見吳哲夫：《四庫全書薈要纂修考》（臺北市：國立故宮博物院，1976年），頁29、頁31，吳哲夫：《四庫全書纂修之研究》（臺北市：國立故宮博物院，1976年），頁193，但吳哲夫《四庫全書薈要纂修考》將其出處誤注為王重民編：《辦理四庫全書檔案》（北京市：國立北平圖書館，1934年鉛印本），上冊，頁32。

書》應行事宜摺」(乾隆三十八年閏三月十一日)載:「……謄錄一項,前經臣等奏明酌取六十名在館行走,僅供寫錄《永樂大典》正副本之用。今恭繕《四庫全書》陳設本一樣四分,卷帙浩瀚,字數繁多,必須同時分繕成編,庶不致汗青無日,而其字畫均須端楷,又未能日計有餘,非多派謄錄人員不能如期蕆役。臣等公同酌議,令現在提調、纂修各員於在京之舉人及貢監各生內擇字畫工致者,各舉數人,臣等復加閱定,共足四百人之數,令其充為謄錄,自備資斧效力。」[27]再參以前引永瑢等奏摺可看出,謄錄是分三處來分別議敘的:其一為翰林院四庫館的謄錄,乾隆三十八年三月已有,到乾隆四十三年二月為五年期滿;其二為武英殿四庫館的謄錄,乾隆三十八年閏三月才有,到乾隆四十三年三月為五年期滿;其三為武英殿薈要處的謄錄,乾隆三十八年五月才有,到乾隆四十三年五月為五年期滿。總之,乾隆三十八年二月是開始校輯《大典》時間,應為《四庫》編書之始,翰林院四庫館(辦理處)開館之始;閏三月是武英殿四庫館(繕書處)設立之始;五月是薈要處設立之始。

第二節　四庫館閉館時間

四庫館是臨時性的修書館,故書成即撤。[28]那麼,要知道四庫館何時閉館,我們就必須知道《四庫》修成的時間。目前,研究者雖間或論及開館時間,但絕少談及閉館時間,其原因即在於《四庫》成書時間的不確定性。為什麼說其成書時間不確定性呢?因為《四庫》從

27 張書才主編:《纂修四庫全書檔案》(上海市:古籍出版社,1997年),頁77。

28 〔清〕穆彰阿、潘錫恩等纂修《(嘉慶)大清一統志》卷四云:「外如四庫、文穎諸館,書成即撤。」翰林院四庫館校辦大典處,就設在原來的文穎館。《續修四庫全書》(上海市:上海古籍出版社,1996-2003年影印本),冊613,頁73上。

第一部修成到最後七閣全部完成，前後經歷了三十多年的時間[29]，在這期間起碼可以分為第一部抄完、前四部抄完、七部抄完、初次重校完、二次重校完、補空函完六個階段，到底以哪個階段作為《四庫》修書完成的標誌呢？

一　《四庫》修成時間

王巍提到，《四庫全書》纂修完成的時間有四種說法[30]：其一，乾隆四十六年（1781）；其二，乾隆四十七年（1782）；其三，乾隆五十三年（1788）；其四，乾隆五十五年（1790）。王巍認為：現代編著出版的書籍，若干時日後也可能需要重新修訂再版，但說到某書編著的時限，卻只能指從著手收集材料到付印稿完成的這段時間。與此相類似，《四庫全書》的纂修時限也只應該指從乾隆三十七年（1772）十月開始採訪天下遺書到乾隆四十六年（1782）年底第一部《四庫全書》編成的這段時間。他特別指出不能把重校理解為修書的一部分，因而認為第一部《四庫》修成的時間即是《四庫》編成的時間。其分析是有一定的道理的，筆者同意其所說的不能把重校也算成修書。

黃愛平對《四庫》成書的各個階段有非常清晰的描述[31]，茲結合其論述及《四庫》檔案中的材料，簡述其基本情況如下：

乾隆四十六年十二月，第一份《四庫》抄成，據「諭內閣全書第一分完竣所有總校等著總裁查明諮部照例議敘」（乾隆四十六年十二

29 對空函的補定到嘉慶十一年四月二日才最終完成。參楊晉龍〈「四庫學」研究的反思〉，載甘肅省圖書館編：《四庫全書研究文集》（蘭州市：敦煌文藝出版社，2006年），頁31。

30 王巍：〈四庫全書纂修時間考辨〉，《徐州師範學院學報》1986年第2期，頁142-144。

31 黃愛平：《四庫全書纂修研究》（北京市：中國人民大學出版社，1989年），頁145-146。

月初六日）載：「《四庫全書》第一分，現在辦理完竣，所有總校、分校人員等，著該總裁查明諮部，照例議敘。欽此。」「諭內閣《永樂大典》內散篇全數完竣該總纂等應予議敘」（乾隆四十六年十二月十七日）載：「四庫館辦理《永樂大典》內散篇全數完竣，該總纂等應予議敘。其復校、分校等官，著總裁等查明年限，分別諮部照例察議。欽此。」[32]

乾隆四十七年十一月，第二份抄成。

乾隆四十八年冬，第三份抄成。

乾隆四十九年十一月，第四份抄成，據「多羅質郡王永瑢等奏遵旨議敘四庫館各項人員摺」（乾隆五十年正月二十三日）載：「竊臣等辦理《四庫全書》第二、三、四分，督率提調、總校、分校、收掌、謄錄人等，上緊趕辦，每年呈覽一分。今第四分全書，於上年十一月二十五日繕校全竣，恭摺奏聞，仰蒙恩旨賞給議敘，交臣等分別具奏。」[33]

正如永瑢等所說的，自第一份完成後，每年完成一份，到乾隆四十九年十一月，全部四份都已抄成，所以，「諭內閣全書四分告竣所有總裁總閱總纂等交部從優議敘」（乾隆四十九年十一月二十六日）載：「現在四庫館全書四分告竣，該館書籍每分三萬六千冊，卷帙浩繁。自第一分書成後，迄今甫屆三年，其二、三、四分俱以次呈進全完，辦理尚為迅速。所有總裁、總閱、總纂等俱著交部從優議敘。其

32 分別見張書才主編：《纂修四庫全書檔案》（上海市：上海古籍出版社，1997年），頁1446、頁1449-1450。另可參該書，頁1520，「軍機大臣奏《關中勝跡圖志》已入《四庫全書》史部地類片」（乾隆四十七年二月二十八日）載：「遵旨查《關中勝跡圖志》已入《四庫全書》史部地類，並經繕寫第一分，現已陳設文淵閣史部架內。謹奏。」可見，第一份此時已陳設好。

33 張書才主編：《纂修四庫全書檔案》（上海市：上海古籍出版社，1997年），頁1849。

提調、總校、分校、收掌、謄錄人等，並著該總裁查明，分別具奏，諮部議敘。欽此。」[34]

由於「四份全書」是在四庫館成立時即作為《四庫》編修之目標[35]，所以，筆者認為，《四庫》之修成時間，即應以此四部之抄成為准。而且，四庫館即是為此四部之編修而設的，與此四部相始終，所以《四庫》修成應就是在乾隆四十九年。

至於續辦三份《四庫》，是在第一份完成後想到的，而且是重新設館辦理的，與原四庫館在館址、人員、辦書程式、議敘等方面均有明顯的不同[36]（關於這一點，可參本書第二章的相關論述）。所以，到乾隆五十二年四月，續辦三份同時告竣[37]，這一時間只能說是續辦三份的告成時間，不是《四庫》之修成時間，不應與最初的「四份全書」相混談。

此後，《四庫》又經歷過兩次大的重校（內廷四閣《四庫》初次重校完是在乾隆五十五年，再次重校完是在乾隆五十七年。南三閣《四庫》自乾隆五十二年起也經歷過兩次復校），而且原來留空函之書，在此期間還陸續補入，一直到嘉慶十一年才最後結束。[38]

本書談的四庫館，是指編修前四部《四庫》的四庫館，不包括續

34 張書才主編：《纂修四庫全書檔案》（上海市：上海古籍出版社，1997年），頁1822。

35 據〔韓〕林基中編《燕行錄全集》卷40，韓國東國大學出版部2001年，頁241，嚴璹《燕行錄》載：「……以書曰：《四庫全書》奉旨十年，《永樂大典》今年卒功。」在《四庫》修書之始，即以十年為期。自乾隆三十八年始修，至四十九年完成，基本上是按計劃完成的。

36 黃愛平《四庫全書纂修研究》（北京市：中國人民大學出版社，1989年），頁147對續繕《四庫》有論述，認為所選派的人與原來四庫館有很大的區別，如選任（選錄的條件降低了）、館職（沒有纂修）、謄錄（是雇用的）等。

37 黃愛平：《四庫全書纂修研究》（北京市：中國人民大學出版社，1989年），頁150。

38 黃愛平：《四庫全書纂修研究》（北京市：中國人民大學出版社，1989年），頁249。

辦三份《四庫》的四庫館。因此，自前四部《四庫》抄完後的續抄、重校、補繕等工作，都是在原有基礎上的補充，不能視為《四庫》之編修。其完成時間也不能視為《四庫》之修成時間。

二　閉館時間

如前所述，《四庫》設館編修是以前四部《四庫》為目標的，四部修成，自然就應撤館。事實上也是如此。乾隆五十年，因四部抄成，永瑢等提請對有關人員進行議敘，即前引的「多羅質郡王永瑢等奏遵旨議敘四庫館各項人員摺」（乾隆五十年正月二十三日）。此奏標誌著四庫館散館：分校、供事、謄錄等均作了處理，有的議敘，有的分派參與續辦《四庫》，等等。另據「質郡王永瑢等奏請令議敘謄錄內現任及候補知縣各官分繳養廉以為雇人繕書發價摺」（乾隆五十三年五月十七日）載：「竊查《四庫全書》，自四閣全分進呈後，所有謄錄、供事人等，俱已分發銓選回籍，並無在館之人。是四庫館早經完竣，而現有應行繕寫之書，斷未便再設謄錄，致滋冒濫。」[39]可以看出，四份全書辦完後，四庫館即行撤館，其時間大概是在乾隆五十年正月。

到乾隆五十一年，汪輝祖就說四庫館撤館已久，據其《病榻夢痕錄》卷上載：「（乾隆五十一年）九月初三日，……己丑初至京師，詞館諸公從容茶話，論藝手談，羸馬敝車，風裁高雅。自壬辰四庫館開，奔忙日甚，規模亦復奢麗。聞遲舟言，諸城劉文正公嘗至翰林院云：本衙門向耐清苦，今因館務熱鬧，將來館停，諸君恐難為繼。今

39 張書才主編：《纂修四庫全書檔案》（上海市：上海古籍出版社，1997年），頁2124。

撤館已久，而既奢不能復儉，惜文正公未及見也。」[40]

但是，需要注意的是，由於還有續辦三份全書及補繕的工作，《四庫》總裁、總纂這些館職並未撤銷，他們還一直保留到七部全部抄成。至於四庫館未完之事（如原四庫館未辦完之書、補繕之書及需要修正之書），後來則統歸武英殿接管，據「軍機大臣和珅等為奉旨全書內書寫錯誤事致武英殿四庫館函」（乾隆五十年六月初八日）載：「本日面奉諭旨：凡清漢合璧諸書，漢字應照清字，自左而右，方合體制。今《四庫全書》內《御製三合切音清文鑒》提要，仍照漢字，自右而左書寫，則開首第一頁轉系提要末篇，從來無此寫法，殊屬錯誤。著交武英殿四庫館改正，並查明文津閣內似此者一體更正。其《薈要》二分及文淵、文源、文溯三閣所貯《四庫》並現辦三分書，亦著一體更改，以歸畫一。欽此。」[41]「諭內閣所有武英殿國史館等承辦空函各書著派八阿哥等督飭趕辦」（乾隆五十三年十月十五日）載：「……所有武英殿、國史館、方略館、三通館、翻書房承辦各種書籍，著派八阿哥、彭元瑞、金簡會同該管總裁，督飭纂修、謄錄等上緊趕辦。其四庫館應辦各書，現在該館已撤，即交武英殿辦理，應用繕書之費，在於議敘謄錄等罰交項下按數支用。惟各館分投趕辦，稽察為難，並著軍機大臣定立限期，隨時查核，以期迅速完竣。欽此。」[42]

---

40 北京圖書館編：《北京圖書館藏珍本年譜叢刊》（北京市：北京圖書館出版社，1999年），冊107，頁134-135。

41 張書才主編：《纂修四庫全書檔案》（上海市：上海古籍出版社，1997年），頁1880-1881。

42 張書才主編：《纂修四庫全書檔案》（上海市：上海古籍出版社，1997年），頁2137。

本章小結

綜上所述,《四庫全書》是乾隆三十八年二月二十一日正式開始編修的,稍後四庫館正式開館(約在乾隆三十八年二月底);前四部《四庫》修成時間是在乾隆四十九年十一月,隨後四庫館正式閉館(約在乾隆五十年正月)。

本書所談的四庫館,是指編修前四部《四庫》的四庫館,包括翰林院四庫館與武英殿四庫館兩部分。四部全書抄完後,四庫館即撤去,而武英殿仍舊承擔著一些與《四庫》有關的工作。不過,其時武英殿的工作已和辦理四份全書時有很大的區別:分校、謄錄已散;補空函的書,由各修書館自己的謄錄來抄,武英殿只是負責裝潢、修補等。此外,散館後雖還有四庫館總裁官、總纂,但他們也只是做一些協調、修補及與續抄三份全書有關的工作。因此,本書討論四庫館位置、機構的組成與運作、館臣數量等問題,均是以乾隆三十八年二月始修《四庫》至乾隆五十年正月四庫館散館作為時間範圍的。

第二章
四庫館的機構

四庫館規模龐大，歷時長，其組織機構是比較複雜的。目前關於這方面的研究，主要是依據《四庫》職名表展開的，但是，到目前為止，學界對四庫館組織機構的描述還不夠清晰與準確，尤其是沒能很好地區分翰林院四庫館與武英殿四庫館的關係。因此，筆者希望能在以往學者研究的基礎上，盡可能對各機構及館職關係作更加準確而詳盡的描述。

第一節　關於名稱

一　四庫全書處（全書處）與四庫全書館（四庫館）

四庫全書處，即辦理四庫全書處，是官方的正式名稱，是指辦理《四庫全書》的官方機構，早期的文移都是這樣使用的。其機構所在地是翰林院，即四庫館總裁、總纂處理事務的所在，所以，它在四庫館中有統領全館的作用。除此之外，還有武英殿四庫館，包括繕寫處、武英殿收掌處、監造處、聚珍館（處）和薈要處，其中繕寫處最重要，所以一般也以繕寫處指代武英殿的四庫館。翰林院四庫館與武英殿四庫館，既有統屬關係，又有相對獨立的關係。

我們通過《纂修四庫全書檔案》可以發現，四庫館最早的稱呼就是辦理四庫全書處（全書處），而不是四庫全書館（四庫館）。例如，「諭內閣陸蓉等有願效力者准其在四庫全書處謄錄上行走」（乾隆三十八年三月二十三日）載：「此次考列二等之陸蓉等十四名內，有願在辦理四庫全書處效力者，准其在謄錄上行走。欽此。」[1]這是檔案中第一次正式出現辦理四庫全書處，可以看做官方的正式名稱。在此之後，早期檔案中就較多使用辦理四庫全書處，而不是四庫全書館。

由於四庫全書處在四庫館中處於領導作用，所以，四庫全書處有時可以包括武英殿四庫館，例如，「諭著金簡充四庫全書處副總裁」（乾隆三十八年十二月初十日）載：「金簡前曾派在四庫全書處經管紙絹、裝潢、飯食、監刻各事宜，今已授為總管內務府大臣，著即充四庫全書處副總裁。所有原派承辦事務，仍著照舊專管。欽此。」[2]這裏的四庫全書處，即四庫館，包括武英殿四庫館，因為金簡所管的這些都是武英殿的事情。又如，「多羅質郡王永瑢等奏明募選額外供事情形摺」（乾隆三十九年十二月初四日）載：「查四庫全書處供事一項，上年初辦時，翰林院設供事二十名，武英殿繕寫處設供事十二名，薈要處設供事四名，聚珍版處設供事十二名，俱以次奏請荷蒙允准在案。」[3]這說明四庫處是包括翰林院等四個地方的。

但是，在古代，官方修書必開館是大家的普遍印象，可以說，一般的辦書機構，都可稱書館。所以，由四庫全書處主持修《四庫全書》，也就是開館修書，這個書館就自然可以稱為四庫全書館。[4]例如，「辦理四庫全書處奏遵旨酌議排纂《四庫全書》應行事宜摺」（乾隆三十八年閏三月十一日）載：「……此外，並查有郎中姚鼐，主事

1 張書才主編：《纂修四庫全書檔案》（上海市：上海古籍出版社，1997年），頁66-67。

2 張書才主編：《纂修四庫全書檔案》（上海市：上海古籍出版社，1997年），頁189。

3 張書才主編：《纂修四庫全書檔案》（上海市：上海古籍出版社，1997年），頁305。

4 處和館，常混稱，例如，張書才主編《纂修四庫全書檔案》（上海市：上海古籍出版社，1997年），頁1674，「滿本堂為查無拔貢副榜舉人以上出身人員事致典籍廳移付」（乾隆四十七年十一月初六日）載：「滿本堂為移付事。準四庫全書處文稱，本館奉旨續繕《四庫全書》三分，應派分校官六十員。」這裏的四庫處，即續辦四庫處，下文又稱本館。非單四庫處如此，聚珍處也可稱聚珍館。

程晉芳，任大椿，學政汪如藻，原任學士降調候補之翁方綱，亦皆留心典籍，見聞頗廣，應請添派為纂修官，令其在館一同校閱，悉心考覈，方足敷用。」[5]這是檔案（指《纂修四庫全書檔案》）中第一次稱館（實指四庫館），而且此奏內多處提到在館辦書，可見，這是辦理四庫全書處總裁對四庫處的泛稱。至於檔案中第一次稱四庫全書館，即是「安徽學政朱筠奏購訪遺書情形並進獻家中故籍摺」（乾隆三十八年五月十六日）所載：「……臣程晉芳現在四庫全書館與充纂校之事。」[6]「四庫全書館」其實也是一種非正式的表述。

隨著修書的進行，四庫館的說法更多地被用來稱呼辦理《四庫全書》機構，尤其是在非正式的表述中，這主要是因為：其一，如前所述，稱館更符合一般人的習慣，是俗稱。其二，如果稱四庫處，會被理解為只是指翰林院的辦理四庫全書處，而不包括武英殿四庫館。而如果稱館，就可以避免這種誤解。也就是說，四庫全書處一般是單指設在翰林院的辦理四庫全書處，而四庫館還包括設在武英殿的四庫館（其中以繕書處為最重要），所以，吳長元《宸垣識略》卷五就說：「乾隆癸巳年特開四庫全書館，翰林院為辦理處，武英殿為繕寫處。」[7]

後來，四庫館的提法越來越多，正式公文中也較多採用四庫館之稱，以至於處與館相互混稱，幾乎沒有什麼區別了。例如，「軍機大臣奏將《小學義疏》一部交館其餘九部繳進片」（乾隆四十年四月二十日）載：「蒙發下尹嘉銓所進《小學義疏》十函，奉旨：交四庫全書處。欽此。臣等檢查，每函係一部。擬將一部交館，其餘九部應行

5　張書才主編：《纂修四庫全書檔案》（上海市：上海古籍出版社，1997年），頁77。

6　張書才主編：《纂修四庫全書檔案》（上海市：上海古籍出版社，1997年），頁115。

7　〔清〕吳長元：《宸垣識略》（北京市：古籍出版社，1983年），頁87。又可參〔清〕徐錫齡、錢泳《熙朝新語》（上海市：古籍出版社，1983年影印本），卷13，頁3載：「乾隆三十八年奉旨特開四庫全書館，翰林院為辦理處，武英殿為繕寫處。」

繳進，以備陳設之用。謹奏。」[8]前面說要交「處」，下文直稱交「館」，可見館和處是一樣的。

本書也沿用習慣的說法，主要使用四庫館而不是四庫處的名稱。

二　四庫處（館）與續繕四庫處（館）、詳校四庫處

乾隆四十七年開始的續辦三份全書，其辦理機構稱為辦理四庫全書處或續繕四庫全書處，也可稱為續辦四庫全書館或簡稱四庫館，如魯九皋《山木居士外集》附陳煦《魯山木先生行狀》載：「……續繕三分四庫全書館總校、欽賜舉人、候補光祿寺署正受業甥陳煦謹狀。」[9]

從永瑢等奏定續辦全書館的章程及相關檔案可以明顯看出[10]，除總裁、總纂還保留外，續辦全書館與原四庫館有著很大的區別：其一，館址已變，不在翰林院，而在東華門外及地安門內兩處，分設四局。[11]其二，謄錄不一。原來謄錄是自備資斧，按年限及成績議敘的；續辦全書館的繕寫人員是朝廷發內帑召募的，不給議敘。其三，

8 張書才主編：《纂修四庫全書檔案》（上海市：上海古籍出版社，1997年），頁380。

9 《續修四庫全書》（上海市：上海古籍出版社，1996-2003年影印本），冊1452，頁695下。

10 張書才主編：《纂修四庫全書檔案》（上海市：上海古籍出版社，1997年），頁1588-1589，「諭內閣著交四庫館再繕寫全書三分安置揚州文匯閣等處」（乾隆四十七年七月初八日）；頁1613-1617，「多羅質郡王永瑢等奏遵旨酌定雇覓書手繕寫全書章程摺」（乾隆四十七年八月二十日）；頁1766-1767，「質郡王永瑢等奏辦理江浙三分全書亟需校對請於生監中召募分校摺」（乾隆四十九年二月初一日）。

11 張書才主編：《纂修四庫全書檔案》（上海市：上海古籍出版社，1997年），頁1703，「戶部為再行酌定續辦《四庫全書》事致稽查房移會（附黏單）」（乾隆四十七年十二月二十九日）載：「……伏查原奏按經、史、子、集，設局四處分辦，今臣等查勘得東華門外云神廟、風神廟二處及地安門內簾子庫、官房二處，堪以分設四局。」

分校、總校、提調、收掌人員與原四庫館多不同，續辦書館的這些人是另派的。他們大多從未入過原四庫館，有的雖曾入過原四庫館，但已完成原四庫館的工作，不在原館中兼職。例如，孫梅，原為四庫館分校，後來又選為續辦全書分校。[12]其四，校辦程序不同。原四份全書需要總裁、總閱、總校、分校等層層把關，反覆磨勘，而續辦三份全書只是由分校、總校分別校過一次。可見，續辦四庫書館是另行開館，與原四庫館不同，其辦理官員也不能視為四庫館（指辦理四份全書的四庫館）館臣。

乾隆五十二年開始重校（詳校）各閣書時，其辦理機構稱為詳校四庫全書處或辦理四庫全書處，如「移付《遼史》、《金史》底本事」（乾隆五十二年六月初一日）載：「文淵閣辦理四庫全書處為移付事。前經本處移付貴處查取遼、金、元三《史》底本，等因在案。今本處止需遼、金《史》底本二種校對，其《元史》毋庸送交本處。相應付知貴處查照可也。」「奏為借用《江西通志》事」（乾隆五十二年六月二十八日）載：「文淵閣辦理四庫全書處現奉旨核校本閣書籍，希將貴館存貯《江西通志》六套計六十本暫行借給查對，俟完竣之日即行送還可也。」[13]顯然，它們與原來的四庫館也不是一回事。

---

12 張書才主編：《纂修四庫全書檔案》（上海市：上海古籍出版社，1997年），頁1678-1679，「滿票簽為開送分校人員名單事致典籍廳移付」（乾隆四十七年十一月初九日）。又可參該書，頁1704，「戶部為再行酌定續辦《四庫全書》事致稽查房移會（附黏單）」（乾隆四十七年十二月二十九日）載：「……伏查原奏應派分校六十員，臣等行文各衙門諮取。現據內閣、翰林院等處陸續送到者三十六員。查武英殿所辦四分全書處原設有分校九十員，現在頭分、二分均已校竣，其三分、四分正在校勘。今續添三分全書，甫經辦理，其分校原毋庸過多，現送到之三十六員內，臣等揀選得可充分校者共有二十四員，先行盡數派充校閱。俟武英殿所辦之三分、四分陸續校畢，臣等即將前設分校隨時撥添校閱續辦三分，更覺妥便。」

13 以上分別見國家清史編纂委員會「國家清史工程數位資源總庫．錄副檔」，第40、45號。

因此，本書所談的四庫處（館）不包括續繕四庫處（館）和詳校四庫處。

第二節　四庫館的機構

四庫館分為翰林院與武英殿兩大系統：翰林院四庫館，即是辦理四庫全書處，而武英殿四庫館，主要是指繕寫四庫全書處。從兩者的名稱即可看出它們的不同職能：辦理處是纂辦圖書的，即下文所說的勘閱編輯；繕寫處是繕寫圖書的，即下文所說的繕寫校正。也就是說，四庫館的圖書，由翰林院辦理處辦好後，送到武英殿繕寫處繕寫、校對。這是四庫館機構的大致構成及運作模式。《清朝文獻通考》卷二二四《經籍考》對此有一概括性的論述：「……命開四庫全書館於翰林院，遴選儒臣詳審編核。又設局於武英殿，專司繕錄之事。」[14]

殿本《四庫總目》職名表的表述則更清楚、具體[15]：首先開列正總裁、副總裁，然後按機構所在地的不同而把四庫館分成兩大系統：翰林院、武英殿，再分別按館職高低、分工層次由上至下排列。至於聚珍館與薈要處，可以視為武英殿四庫館的附設機構，與四庫館有統屬關係，又有相對獨立的關係。茲以殿本《四庫總目》職名表為主，再參以浙本《四庫總目》職名表[16]、《四庫全書薈要》職名錄等，將四庫館的機構及館職構成列表如下：

14 〔清〕嵇璜等纂：《清朝文獻通考》（臺北市：臺灣商務印書館，1936年編印《十通》本），頁6870。

15 本書所用的殿本《四庫總目》，為四庫全書研究所整理本《四庫全書總目》（北京市：中華書局，1997年）。

16 本書所用的浙本《四庫總目》，為海南出版社一九九九年版《四庫全書總目提要》。

四庫館機構示意圖：

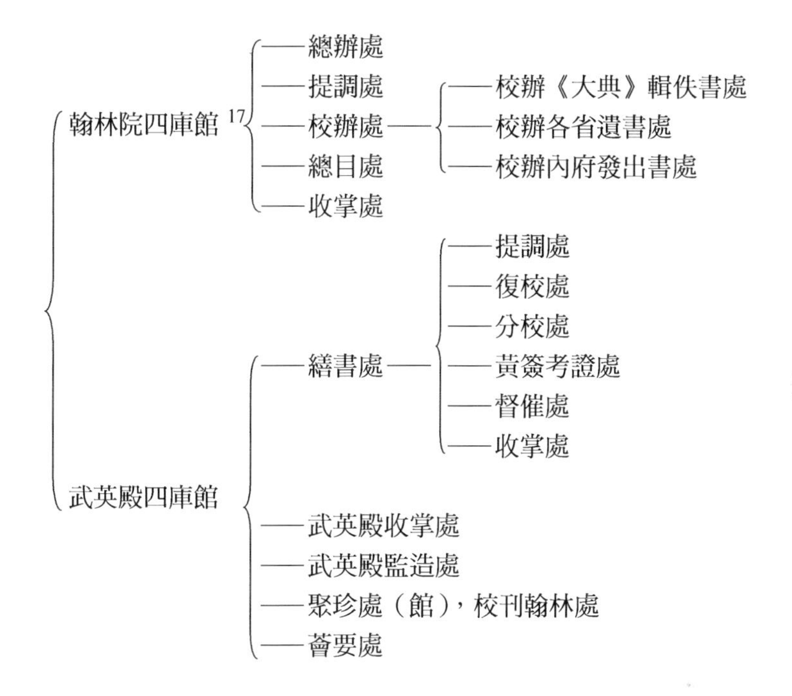

17 又可稱四庫全書館、辦理四庫全書處、四庫全書處。

四庫館館職示意圖：

- 正總裁——副總裁——
  - 翰林院四庫館館職—勘閱編輯官員
    - 總纂官
    - 提調官
    - 協勘總目官
    - 纂修官[18]
    - 天文算法纂修官[19]
    - 收掌官[20]
  - 武英殿四庫館館職
    - 繕寫校正官員
      - 總閱官
      - 總校官[21]
      - 提調官
      - 復校官[22]
      - 分校官
      - 篆隸分校官
      - 繪圖分校官
      - 編次黃簽考證官[23]
      - 督催官
      - 收掌官
    - 武英殿收掌官
    - 武英殿監造官
    - 聚珍處任事諸臣、聚珍本校對官
    - 薈要處任事諸臣

18 浙本職名表分為「校勘《永樂大典》纂修兼分校官」及「校辦各省送到遺書纂修官」。

19 浙本職名表作「天文算學纂修兼分校官」。

20 文淵閣本《總目》職名表對各職各名的層級關係往往通過低一、二格另起的方式標示，但「收掌官」一職在職名表中與「翰林院勘閱編輯《四庫全書》官員」之內的一個層級，因為：其一，若是與「翰林院勘閱編輯《四庫全書》官員」同級，應該會將職名標示為「翰林院收掌官」，如同下文的「武英殿收掌官」與「武英殿繕寫校正《四庫全書》官員」為並列關係一樣。其二，「武英殿繕寫校正《四庫全書》官員」與「翰林院勘閱編輯《四庫全書》官員」應為同級，但較後者高一格寫，因而「收掌官」也可能是錯寫高了一格。

21 殿本職名表作「總校兼提調官」。

22 殿本職名表作「繕書處總校官」。

23 浙本職名表作「黃簽考證纂修官」。

據以上兩表可知，翰林院系統，是負責纂辦《四庫全書》的，以纂修官為代表。武英殿系統，是負責繕寫、分校、刊印、裝潢《四庫全書》的，以分校官為代表。兩大系統涇渭分明，互相配合，又統轄於正總裁與副總裁。另外，據「多羅質郡王永瑢等奏明募選額外供事情形摺」（乾隆三十九年十二月初四日）載：「……如翰林院辦書，自總裁以下官至七十餘員，各有所司之事，皆需供事供役。……又武英殿及薈要處共謄錄六百餘名，校閱各官七十餘員，所有收發書籍，綜覈字數，登記各種檔案，日久益繁。」[24]可知，總裁在翰林院四庫館主事，所以翰林院四庫館又有統轄武英殿四庫館的地位。

總之，四庫全書館包括兩大系統，分別在兩個地方：其一在翰林院，為勘閱編輯《四庫全書》處；其二在武英殿，主要為繕寫校正《四庫全書》處，而聚珍處、薈要處也附屬於此。關於這兩大系統的劃分，朝鮮人嚴璹在《燕行錄》中也有明確的記載：乾隆三十九年三月，他去拜訪了當時任職四庫館的館臣邱廷瀣與許兆椿，談起了《四庫》修書之事，「（嚴璹）問：《四庫全書》修於闕中耶？在於外廷耶？（邱、許）答：有在翰林院衙門者，有在內廷武英殿者，職司不同」。[25]可見，當時因工作性質的不同，《四庫》館分翰林院衙門與內廷武英殿兩處，分別辦理《四庫》，其相應的官員也不同。

一　翰林院系統

（一）總辦處

負責閱書的總裁，按規定應是經常要到翰林院四庫館指導、檢查

24 張書才主編：《纂修四庫全書檔案》（上海市：上海古籍出版社，1997年），頁305。

25 〔韓〕林基中編：《燕行錄全集》（首爾市：東國大學校出版部，2001年），卷40，頁241。

工作的，據乾隆說：「……其餘總裁，每日到館。」[26]「諭著舒赫德查明遺失《永樂大典》實情並各省書籍毋許攜往私家」（乾隆三十九年六月二十六日）亦載：「……至在館之總裁，朝夕共事，亦不應漫無覺察若此。」[27]例如，王際華，就常入四庫館辦事。而作為總裁的永瑢也曾到翰林院視察，據法式善《槐廳載筆》卷十二載：「翰林院堂不啟中門，云啟則掌院不利。癸巳開四庫全書館，質郡王臨視，司事者啟之。俄而掌院劉文正公、覺羅奉公相繼逝。」[28]又據王嘉曾《聞音室詩集》卷三〈喬鷗村宰滿城贈五花馬一匹名云滿身，既賦詩志謝兼令畫師作圖〉載：「……今年天子盛文昌，集賢清秘生輝光。親王宰相領書局，登瀛列仗如馬行。我坐桃花朝進院，桃花紅落駿驔汗。……曉上天橋碧玉流，晚隨禁樹紅牆遠。……」[29]也提到親王作為總裁到翰林院視察。此外，總纂官為四庫館實際的負責人，更應該每天到館辦事。因此，閱書之總裁與總纂官在翰林院四庫館中應該有一個辦事處所。[30]筆者認為，其辦事處即為總辦處，可能是設在翰林院西齋房。

據「大學士劉統勳等奏議定校核《永樂大典》條例並請撥房添員等事摺」（乾隆三十八年二月二十一日）載：「查翰林院衙門內，現有迤西房屋一區，從前修輯《皇清文穎》及《功臣傳》各書，皆在此纂

26 「諭內閣聖祖集詩內錯字未校出總裁王際華等交部察議」（乾隆三十九年二月二十一日），載張書才主編《纂修四庫全書檔案》（上海市：上海古籍出版社，1997年），頁199。

27 張書才主編：《纂修四庫全書檔案》（上海市：上海古籍出版社，1997年），頁216。

28 〔清〕法式善撰，沈雲龍主編：《槐廳載筆》（臺北市：文海出版社，1969年，《近代中國史料叢刊》本），頁456。

29 《續修四庫全書》（上海市：上海古籍出版社，1996-2003年影印本），冊1447，頁242下至頁243上。

30 總閱是後來設置的，主要是為了助總裁抽閱圖書，應該不會在翰林院四庫館中有專門的辦事處所。

辦。今奉旨校核《永樂大典》，應請即將此項房屋作為辦事之所，於檢查較為近便。」[31]這裏是指總的辦事之處，並不是說具體的輯佚《大典》處所，所以總裁、總纂辦公之處所應就在此。

（二）校辦處

翰林院四庫館具體的辦書處所分為三處。據翁方綱《復初齋詩》附注載：「乾隆癸巳開四庫館，即於翰林院藏書之所，分三處：凡內府秘書，發出到院為一處；院中藏書《永樂大典》，內有摘抄成卷，彙編成部者為一處；各省採進民間藏書為一處。每日清晨，諸臣入院，設大廚，供茶飯。午後歸寓，各以所校閱某書應考某典，詳列書目，至琉璃廠書肆訪之。」[32]《翁氏家事略記》亦載：「自癸巳春入院修書，時於翰林院署開《四庫全書》館，以內府所藏書發出到院，及各省所進民間藏書，又院中舊貯《永樂大典》內，日有摘抄成卷、彙編成部之書。合三處書籍，分員校勘。」[33]那麼，這三處分別在翰林院什麼地方呢？又分別是校辦何類書的呢？據《欽定日下舊聞考》卷六十四載：「乾隆三十八年，於（翰林）院署置欽定四庫全書館，原心、寶善二亭及西齋房皆為校讎之所。」[34]又據乾隆《御製詩四集》卷十七《匯刻四庫全書聯句》中正總裁王際華的聯句：「局諮長貳綱都領，廳判東西力眾擎（校勘《永樂大典》者，於原心亭列席；校勘遺書者，於寶善亭列席）。」[35]結合上面翁方綱的記載，可以推知，翰

31 張書才主編：《纂修四庫全書檔案》（上海市：上海古籍出版社，1997年），頁59。

32 孫殿起：《琉璃廠小志》（北京市：古籍出版社，1982年），頁32。

33 翁方綱：《翁氏家事略記》，清抄本，藏中國國家圖書館善本部。

34 〔清〕于敏中等編：《欽定日下舊聞考》（北京市：古籍出版社，1981年）（以下若不另標明，均用此版本），頁1056。

35 〔清〕紀昀等總纂：《文淵閣四庫全書》（臺北市：臺灣商務印書館，1982-1986年影印本），冊1307，頁539上。祝德麟《悅親樓詩集》卷7〈紀事〉載：「乾隆癸巳二月

林院校辦《四庫全書》的三處地方及各自所辦之書分別為：校辦《永樂大典》輯佚書於原心亭[36]，校辦各省遺書於寶善亭[37]，校辦內府發出書於西齋房。而據《欽定日下舊聞考》等記載，翰林院這三個地方還比較大，完全可以作為校書之場所。

1 原心亭

《欽定日下舊聞考》卷六十四載：「先師祠，祠南為西齋房，又南為原心亭。」[38]鄂爾泰、張廷玉等纂《詞林典故》卷六下載：「先師祠之南有門，門內為西齋房，凡五楹，南向，以編校《皇清文潁》，置館於此。館之南為原心亭，凡三楹，北向。」[39]可見，原心亭有三開間。另據《蘇齋編纂四庫全書紀略》封面墨筆題記：「又取原心亭京中各家所進遺書冊二本，於初三日亦交館。」京中官員所獻之書，應該也是藏在原心亭。

2 寶善亭、敬一亭

據蕭穆〈記《永樂大典》〉載：「又翰院內有寶善亭三間，內貯多

吉，詔開館局編叢帙。……牙籤鈿軸滿槐廳，列幾分曹司校閱。……辰趨酉退恪襄事，或冀姓名掛卷末。」(《續修四庫全書》〔上海市：上海古籍出版社，1996-2003年影印本)，冊1462，頁603下至頁604上〕也是描述當時分幾處校書情況的。

36 據乾隆三十八年二月二十一日「大學士劉統勳等奏議定校核《永樂大典》條例並請撥房添員等事摺」載，劉統勳等希望把翰林院「迤西房屋一區」作辦事處，從翰林中酌選三十員來專司校辦《永樂大典》佚書。原心亭即位於翰林院西部。載張書才主編《纂修四庫全書檔案》(上海市：上海古籍出版社，1997年)，頁59。

37 寶善亭位於翰林院東部。

38 〔清〕于敏中等編：《欽定日下舊聞考》(北京市：古籍出版社，1981年)，頁1056。

39 〔清〕紀昀等總纂：《文淵閣四庫全書》(臺北市：臺灣商務印書館，1982-1986年影印本)，冊599，頁605。

書，凡書之出入皆辦事八翰林主之，其它編檢無權也。」[40]可見，寶善亭有三間房子，可以用來校書。當時不少館臣留有在此校書的記錄，如：

《蘇齋編纂四庫全書紀略》封面墨筆題記：「五月二日取原心亭紀、勵諸公校《永樂大典》冊子三本，即於寶善亭校迄，交魚門手。」此外，《蘇齋編纂四庫全書紀略》還載：「五月初八日於寶善亭分看外省遺書，每人分廿四部。」前引《翁氏家事略記》記其「在寶善亭與同門程魚門、姚姬川、任幼植諸人對案」辦書，亦可證。韋謙恒《傳經堂詩鈔》卷八《寶善亭校書呈同館諸公》載：「熙朝右文古未有，四庫卷軸連云霞。……感恩唯有揩兩眼，別風淮雨勤摎爬。……」[41]祝德麟《悅親樓詩集》卷七〈三哀詩〉〈太子太保尚書新建裘文達公〉載：「近因書局開，公來綜條理。大庭接言笑，心醉飲醇醴。……奈何寶善亭（校書之所），忽斷尚書履。」[42]均明確提到它是校書之所。

至於各省採進書的收藏地，大概是在敬一亭。敬一亭也有三間之大，據《翁同龢日記》載：咸豐十一年七月初六日，「到署檢書，見《永樂大典》。是書藏敬一亭，久無人問矣。亭屋三椽，中設寶座，旁列書架十二。」[43]另據「辦理四庫全書處奏遵旨酌議排纂四庫全書應行事宜摺」（乾隆三十八年閏三月十一日）載：「……翰林院衙門現辦《永樂大典》，所有房屋俱已充滿，將來各省送到書籍，俱應匯歸

40 蕭穆：〈書記〉，沈雲龍主編：《敬孚類稿》（臺北市：文海出版社，1969年《近代中國史料叢刊》本），卷9，頁3-5。

41 《續修四庫全書》（上海市：上海古籍出版社，1996-2003年影印本），冊1444，頁487下。

42 《續修四庫全書》（上海市：上海古籍出版社，1996-2003年影印本），冊1462，頁605下。

43 陳義傑整理：《翁同龢日記》（北京市：中華書局，1997年），頁127。

書局，收存檢辦，更無餘地可容。查署內有敬一亭，其房間頗為寬敞，向係武英殿將各種書版交到收貯。今擬將此項書板查明，暫行移貯詹事府，交該衙門檢點稽查，即將空出之敬一亭為收辦各項書籍之用。俟《四庫全書》辦竣，仍將書板取回原處收貯。」[44]可知，敬一亭在四庫館開館期間是用來存貯各省採進之書的。至於翁同龢於咸豐年間在此看到《永樂大典》，大概是四庫館閉館後才移入的。

3 西齋房

據前引《詞林典故》卷六文可知，西齋房有五間之大，皇清文穎館亦曾設於此。

（三）提調處

清秘堂，亦名東齋房，與西齋房相對。據《欽定日下舊聞考》卷六十四載：「自劉井而東為清秘堂，堂前為瀛洲亭。」[45]鄂爾泰、張廷玉等纂《詞林典故》卷六下載：「自劉井而東有門，門之內為清秘堂，凡三楹，南向。」[46]

另據《梧門先生年譜》載：「乾隆四十六年，散館，授職檢討，旋派幫辦翰林院清秘堂事，充《四庫》提調。同事則王公仲愚、德公昌、百公齡、瑞公保、五公泰、汪公如藻、許公兆棠、陸公伯焜。」[47]以上所列諸人，均為翰林院四庫館提調。可見，翰林院四庫館提調處應該是設在清秘堂。

---

44 張書才主編：《纂修四庫全書檔案》（上海市：上海古籍出版社，1997年），頁77。

45 〔清〕于敏中等編：《欽定日下舊聞考》（北京市：古籍出版社，1981年），頁1056。

46 〔清〕紀昀等總纂：《文淵閣四庫全書》（臺北市：臺灣商務印書館，1982-1986年影印本），冊599，頁604下。

47 另可參法式善《清秘述聞自序》載：「乾隆辛丑，法式善散館，蒙恩授職檢討，充四庫全書館提調官。凡夫史氏掌記，秘府典章，獲流覽焉。」〔清〕法式善：《清秘述聞》上冊，中華書局1982年版，第8頁。

(四) 總目處、收掌處

按照當時的習慣，四庫館屬下的各部門均可稱處，那麼，四庫館翰林院系統還應有協勘總目處（或稱總目處）、收掌處。收掌處的情況不太清楚，至於總目處，據「質郡王永瑢等奏劉權之協同校辦《簡明目錄》可否遇缺補用片」（乾隆四十七年七月十九日）載：「至派辦總目處謄錄二十二名、供事八名，……均繫自備資斧效力行走，可否照此次《永樂大典》之例，給予議敘，出自皇上天恩。」[48]可見，總目處還有單獨的謄錄、供事多人。

此外，為了館臣辦書的方便，翰林院中還設有大廚，供給館臣飯食，如前引《翁氏家事略記》載：「每日清晨入院，院設大廚，供給桌飯。」館臣用餐要畫押，據曾燠輯《江西詩徵》卷八十三「國朝」曾廷槤〈假滿入都留別家兄舍弟暨親友次陶適齋贈行韻〉載：「綠窻引燭攤書滿，紅粟傳餐押款稀（四庫館官飯設簿畫押。予入直未久，遂請假歸）。」[49]看來真正在館中用餐的館臣並不多。不過，其時因開館之故，館臣濟濟一堂辦書，人來人往，頗為熱鬧，故汪輝祖《病榻夢痕錄》卷上云：「乾隆五十一年，……已丑初至京師，詞館諸公從容茶話，論藝手談，羸馬敝車，風裁高雅。自壬辰四庫館開，奔忙日甚，規模亦復奢麗。」[50]

---

48 張書才主編：《纂修四庫全書檔案》（上海市：上海古籍出版社，1997年），頁1604。

49 《續修四庫全書》（上海市：上海古籍出版社，1996-2003年影印本），冊1689，第729頁下。

50 北京圖書館編：《北京圖書館藏珍本年譜叢刊》（北京市：北京圖書館出版社，1999年），冊107，頁134-135。

二　武英殿系統

武英殿辦理《四庫全書》的機構，也可泛稱為武英殿四庫館，例如，「軍機大臣為臨雍一切制度儀注等補入《會典》等書事致武英殿四庫館交片」（乾隆四十九年七月十六日）載：「交武英殿四庫館：現在奉旨建立辟廱，明歲仲春舉行臨雍大典，所有一切制度、儀注、樂舞，講書，俱應詳悉補入《會典》、《國子監志》、《日下舊聞考》等書，並續寫入《四庫全書》，以彰盛典。合行片交該館，即行遵旨添入可也。」[51]武英殿四庫館主要包括：繕書處、武英殿收掌處、武英殿監造處、聚珍處和薈要處。其中繕書處是主體，後兩者可以說是附設的，與四庫館既有統屬關係，又相對獨立。

（一）繕書處

繕書處的工作包括謄錄、分校、總校、收掌、提調等。由於圖書一般是發下謄錄帶回去自己抄錄的，所以謄錄工作在武英殿中不需要占太多的地方。

至於分校，原來規定應該是在殿辦書的，據「辦理四庫全書處奏遵旨酌議排纂《四庫全書》應行事宜摺」（乾隆三十八年閏三月十一日）載：「其分校各員到殿辦事時，亦照武英殿翰林給與飯食。」[52]所以四庫館分校官也可以稱為《四庫全書》武英殿分校，如阮元「敕授承德郎吏部稽勳司主事沈君墓誌銘」載：「……（沈叔埏）充方略館、《一統志》、《通鑒輯覽》分校，及《歷代職官表》協修官，又充

51 張書才主編：《纂修四庫全書檔案》（上海市：上海古籍出版社，1997年），頁1786-1787。

52 張書才主編：《纂修四庫全書檔案》（上海市：上海古籍出版社，1997年），頁776。

《四庫全書》武英殿分校。」[53]其具體的辦書地點，可能是在武英殿中的浴德堂，因為浴德堂是武英殿修書處的一部分，一直是作為修書、校書之所的，據《四庫全書問答》載：「浴德堂，在武英殿西北，屋三間，以白色煉瓦造成，人聲回應，劃然有聲。堂為詞臣校書之所，舊稱為修書處。」[54]吳省欽《白華前稿》卷五十六〈湞州試院浴戲示少林同年〉載：「回憶校書藜火晚，浴堂只在殿西頭（武英殿浴堂，今為藏書地）。」[55]葉觀國《綠筠書屋詩鈔》卷九〈奉題巡撫寶岡余公品古圖小像長卷〉載：「……而我譾陋故無匹，尚記西清校梨棗（御刻《西清古鑒》，皆繪大內所儲古器，余為編修時，直浴殿，得與校訂之役）。……」[56]

如前所述，分校要在殿中校書，所以需要像翰林院四庫館那樣提供飯食（其實此應是指飯食銀，不可能是在武英殿中開火）。不過，後來由於分校可以帶書回家校辦，所以自然就不用給他們飯食（銀）了，據「戶部為再行酌定續辦《四庫全書》事致稽查房移會」（乾隆四十七年十二月二十九日）所附黏單載：「……一、提調、督催、收掌等官，俱照四庫全書館之例，毋庸給與公費銀兩，但每日在館辦事，似應查照武英殿纂修飯食之例，每月每員折給銀四兩八錢，令其在館自備。此項銀兩即於平餘項下支銷。」[57]也就是說，每日在武英殿辦事的館臣只是提調、督催、收掌官，沒有包括分校。

53 〔清〕沈叔埏：《頤綵堂文集》附，《續修四庫全書》（上海市：上海古籍出版社，1996-2003年影印本），冊1458，頁533下。

54 任松如：《四庫全書答問》，頁45。

55 《續修四庫全書》（上海市：上海古籍出版社，1996-2003年影印本），冊1448，頁337下。

56 《續修四庫全書》（上海市：上海古籍出版社，1996-2003年影印本），冊1444，頁354下。

57 張書才主編：《纂修四庫全書檔案》（上海市：上海古籍出版社，1997年），頁1705。

據《欽定日下舊聞考》卷七十一載：「其繕寫之事，以武英殿總裁及提調等總其成。」[58]可見，在武英殿中，權力最大的是武英殿總裁及提調。在四庫館開館期間，武英殿總裁一般由四庫館總裁或副總裁兼任，因此，武英殿辦理《四庫全書》的工作其實是歸四庫館總裁掌管的。負責武英殿事務的四庫館總裁及副總裁，要經常入直武英殿，如王際華，據其《王文莊日記》乾隆三十九年二月二十六日載：「直武英。張總憲、李少空皆在，同膳而出（不過吃飯而已，可笑）。」[59]張若溎（總憲）、李友棠（少空）均為《四庫》副總裁，但並非武英殿總裁，也在武英殿辦事，顯然也是需要入直的。

不管是提調還是武英殿總裁，在武英殿中應有一個辦事處所，筆者認為，這辦事處所應該是在武英殿中的恒壽齋，據《欽定日下舊聞考》卷十三載：「（殿）東北為恒壽齋，今為繕校《四庫全書》諸臣直房。」[60]另據李鈞簡編《青城山人年譜》（譜主：關槐）載，乾隆四十六年，「……（關槐）充《四庫全書》提調官兼武英殿提調。殿東北隅恒壽齋為修書直廬，自茲從事編校無虛日。」[61]

如前所述，四庫館屬下的各部門均可稱處，那麼，武英殿繕書處下面又可分：提調處、分校處、復校處、黃簽考證處、督催處、收掌處等。據「掌云南道監察御史朱依魯奏參修書處督催供事乖謬刁玩摺」（乾隆四十七年五月初九日）載：「竊照武英殿辦理《四庫全書》

58 〔清〕于敏中等編：《欽定日下舊聞考》（北京市：古籍出版社，1981年），收入〔清〕紀昀等總纂：《文淵閣四庫全書》（臺北市：臺灣商務印書館，1982-1986年影印本），冊498，頁131上。

59 劉家平、蘇曉君主編：《中華歷史人物別傳集》（北京市：線裝書局，2003年），冊40，頁564下。

60 〔清〕于敏中等編：《欽定日下舊聞考》（北京市：古籍出版社，1981年），頁173。

61 北京圖書館編：《北京圖書館藏珍本年譜叢刊》（北京市：北京圖書館出版社，1999年），冊117，頁547。

提調、督催二處，各派供事承值，而督催處稽查功課，按季奏報，向由提調處供事開送。」[62]這裏就提到武英殿四庫館有提調、督催二處。此外，據本書第三章「武英殿的辦書流程」一節可知，四庫底本要分派至分校處、復校處校閱，因此，武英殿四庫館還應有分校處與復校處。

（二）武英殿收掌處

與繕書處下屬的收掌處不同，武英殿收掌處主要負責收藏、管理武英殿四庫館校畢繕定之書（指《四庫全書》正本）。

（三）武英殿監造處

監造處，很多人會以為就是聚珍處（館），其實這一理解是錯誤的。監造處在武英殿中是管理、督辦《四庫》書裝潢、刻印的地方，其官員（監造官）有劉淳等八人（參看附錄一「四庫館館臣表」）。

武英殿原有修書處，是負責刊印內府圖書的機構，由監造處和校刊翰林處組成，前者是負責刊印的；後者是負責校對的。四庫館選定的那些應刻之書，自然也由此一機構承辦，據乾隆三十八年閏三月十一日「辦理四庫全書處奏遵旨酌議排纂《四庫全書》應行事宜摺」載：「所有原辦絹板、紙片、界畫、裝潢及飯食各項事宜，派武英殿員外郎劉淳、永善經管總辦。其四庫全書處所有交到應刊各書，亦即令該員等監刻，以專責成。」[63]可見，監造官負責監刻應刊之書的工作。不過，自乾隆三十九年用活字印刷應刊之書起，又新成立了聚珍館（處），這些刊印工作自然就由聚珍館承辦，而四庫館原來的監造官可能就只是負責四庫館繕定之書的裝潢等其它事宜了，因此，永瑢

62 張書才主編：《纂修四庫全書檔案》（上海市：上海古籍出版社，1997年），頁1579。
63 張書才主編：《纂修四庫全書檔案》（上海市：上海古籍出版社，1997年），頁76。

等「奏為奏聞事」(乾隆四十三年六月十一日)載:「……至管理武英殿事務劉□、監造伊靈阿二員,派辦紙張、印格、裝訂、匣套一切事務及管束各項匠役,亦俱實力勤慎,已滿五年,應列為一等。」[64]劉□,應為劉淳,他與伊靈阿均為《四庫》職名表開列的武英殿監造官。這裏已經沒有提及他們兼管《四庫》應刊各書的監刻事宜了。

至於武英殿修書處在四庫館開館期間還刊印過其它書籍,這些刊印事宜是否歸劉淳等八位監造官管理,則不太清楚。

(四)聚珍館(處)

據《欽定日下舊聞考》卷七十一載:「乾隆三十八年設四庫全書館,……又奉旨創制活字板式,錫名聚珍,凡四庫全書館奉旨刊刻之書,以是版排印頒行。」[65]聚珍館,以往多以為是在武英殿中,這是不對的。據《(光緒)順天府志》卷十三〈京師志十三〉載:「乾隆三十八年創置活字版,錫名聚珍,置局西華門外北長街之東,排印各書。」[66]可見,聚珍館在北長街路東,並不在武英殿中。

儘管聚珍館不設在武英殿,但其應該是歸武英殿修書處管理的,可以視作為武英殿修書處的下設機構,其人員、材料等均與武英殿修書處有密切的聯繫。而且,此處離武英殿不遠,比較方便與武英殿相互配合辦理四庫館應刊之書。據朱賽虹〈「殿本」的發源地——武英殿修書處〉載:「(修書處)下分設若干作房和事務機構:……聚珍館。這是乾隆三十八年(1773),應金簡的提議而設立的。地點在西

64 張升編:《四庫全書提要稿輯存》(北京市:圖書館出版社,2006年),冊4,《江蘇採進遺書目錄》卷首所收上諭、奏摺。

65 〔清〕于敏中等編:《欽定日下舊聞考》(北京市:古籍出版社,1981年),《文淵閣四庫全書》(臺北市:臺灣商務印書館,1982-1986年影印本),冊498,頁131上。

66 〔清〕繆荃孫等纂:《(光緒)順天府志》(北京市:古籍出版社,1987年),頁339。

華門外北長街路東，設有擺書房和供事辦事值房，專門負責排印木活字版書籍。」[67]可見，朱賽虹是把聚珍館看做武英殿修書處的下設機構的。

如前所述，武英殿修書處由監造處和校刊翰林處組成，其中後者是負責校對的。聚珍館成立後，館址雖在武英殿外，但校對還是由校刊翰林處負責，在武英殿中進行，而且，這些分校是「校刊」，與在武英殿分校《四庫》及《薈要》的「校繕」是不同的，因此，「管《四庫全書》刊刻等事務金簡奏酌辦活字書版並呈套板樣式摺」（乾隆三十八年十月二十八日）載：「……其書頁行款大小式樣，照依常行書籍尺寸刊作木槽版二十塊，臨時按底本將木字檢校明確，擺置木槽版內，先刷印一張，交與校刊翰林處詳校無誤，然後刷印。」「大學士于敏中等奏請添派《四庫全書薈要》校對摺」（乾隆四十年五月十六日）載：「查聚珍版各書，前奏派翰林四員，專司校刊，嗣因辦理《薈要》，需員分校，而翰林人數不敷選派，即以所派校刊之員，兼司其事，但日久書多，未免顧此失彼。臣等亦擬添派四員，俾校繕與校刊，各專其責。以上二項，共擬添派校對八員。臣等公同選得原充全書校對今授翰林修撰之吳錫齡，庶起士嚴福、於鼎，候補監丞侍朝，並新授庶起士陳崇本、陳文樞、吳錫麟、徐如澍充補。又分校中書馮培，派在軍機司員上行走，所遺之缺，擬以庶起士曾廷櫄頂補。仍與原派各員，統行酌量，視其孰宜校刊，孰宜校繕，分別派辦，庶責成既專，程功較為詳密。」[68]這些負責校刊的分校，應該就是聚珍本校對官。

---

67 朱賽虹：〈「殿本」的發源地──武英殿修書處〉，《出版史料》2003年第4期，頁58-63。

68 以上分別見張書才主編《纂修四庫全書檔案》（上海市：上海古籍出版社，1997年），頁177、頁392-393。

金簡是主管武英殿四庫館刊印、裝潢事宜的官員，而聚珍本印刷就是由金簡建議並施行的，而且也一直是由他負責的，據前引「管《四庫全書》刊刻等事務金簡奏酌辦活字書版並呈套板樣式摺」（乾隆三十八年十月二十八日）載：「竊臣奉命管理《四庫全書》一應刊刻、刷印、裝潢等事，臣惟有敬謹遵循，詳慎辦理。」除金簡外，據「四庫全書處總裁王際華等奏請再領刻字刊書銀兩並給擺版供事分例飯食摺」（乾隆三十九年四月二十六日）載：「……至此項書籍，既經頒發，嘉惠藝林，必須排列精審。現在已責成原任翰林祥慶、筆帖式福昌，專司其事。」[69]「四庫全書處副總裁金簡奏核銷制刻活版木字器具實用工料銀兩並請為定例摺」（乾隆三十九年五月十二日）載：「臣督同原任翰林祥慶、筆帖式福昌敬謹辦理，今已刊刻完峻。」「四庫全書處副總裁金簡奏請旨排印聚珍版刻法摺」（乾隆四十一年十二月二十二日）載：「臣遵旨辦理聚珍版事務，所有印出各書，業經陸續呈進。其中刻字、置櫃、擺版、刷印等事，臣率同承辦字版之原任編修祥慶等，悉心講求，務期工簡事速，以仰副我皇上嘉惠士林之至意。」[70]前引永瑢等「奏為奏聞事」（乾隆四十三年六月十一日）載：「……再查原任編修祥慶，前經奏請專辦聚珍版一切事務，已閱五年，頗能實心經理。」可見，聚珍館官員還有祥慶、福昌，他們負責聚珍館的刻字、擺印等事宜。祥慶在四庫館中為督催官，福昌則不見於《四庫》職名表中。據此亦可推測，聚珍館並不是由四庫館監造處主管的。

---

69 張書才主編：《纂修四庫全書檔案》（上海市：上海古籍出版社，1997年），頁205。另據〔清〕王際華《王文莊日記》乾隆三十九年二月二十三日載：「奏請國子貢生十人，祥慶管擺字；又供事六人。」劉家平、蘇曉君主編：《中華歷史人物別傳集》（北京市：線裝書局，2003年），冊40，頁564下。

70 以上分別見張書才主編：《纂修四庫全書檔案》（上海市：上海古籍出版社，1997年），頁208、頁563。

綜上所述，聚珍館的層級關係大致可以描述如下：四庫館（總裁，應為王際華）——武英殿四庫館（副總裁金簡）——聚珍館（祥慶、福昌，負責聚珍本印刷）、校刊翰林處（聚珍本分校官，負責聚珍本校對）。

另外，需要注意的是，聚珍館雖然是因刊印四庫館應刊之書而成立的，但它所刊印之書並非都收入《四庫》中；在四庫館散館後，聚珍館依然存在並陸續刊印過一些書籍；《四庫全書》是指七閣繕寫之本而言的，聚珍館所印行的聚珍版書，只是《四庫》修書的衍生物，因此，儘管我們習慣上把聚珍館看做四庫館的附屬機構，但是，它與四庫館其實是既有從屬又有相對獨立的關係。關於這一點，筆者會在本書第九章中再予論證。

（五）薈要處

《四庫全書薈要》也是《四庫》修書的衍生物。乾隆三十八年五月，四庫館開始編纂《四庫全書薈要》，由于敏中與王際華負責[71]。薈要處即設在武英殿。據《王文莊日記》所載，其時王際華較為頻繁地入直武英殿，應與其負責《薈要》的編修有關。

翰林院四庫館發下需抄錄之書，若被選入《薈要》者，則先抄成《薈要》本，再抄成《四庫》本。《薈要》有自成系統的參修人員（還有自己的一套謄錄及供事）[72]，其中雖多與《四庫》任事諸臣相

---

71 吳哲夫：《四庫全書纂修之研究》（臺北市：國立故宮博物院，1976年），頁192載，于敏中為主管《薈要》纂修之人，但於乾隆四十四年卒後，因乾隆發現其有不少問題，故在《薈要》職名表中將其剔出，而易以金簡、董誥。

72 例如，張書才主編：《纂修四庫全書檔案》（上海市：上海古籍出版社，1997年），頁633，「大學士于敏中等奏請旨添設供事額缺褶」（乾隆四十二年七月十一日）載：「查辦理四庫全書處原設供事十二名，薈要處供事四名。」

同，但也有與《四庫》任事諸臣不同的。和聚珍館與四庫館的關係相似，薈要處與四庫館的關係，也是既有從屬，又有相對獨立的關係。[73]

第三節　四庫館各館職的職能[74]

一般來說，正總裁是總攬館事、統領全域者。從大的方面說，總裁需要對如何辦書，禁燬書的處理，人員的調配、選派、舉薦、考覈，四庫館的管理，等等，進行統籌安排；從小的方面說，總裁要對纂修官校辦之書進行審核，對總校官校閱過的書進行抽查。副總裁則是全面（包括大、小兩方面）襄助正總裁的工作。以往學者多認為總裁（包括副總裁）中，掛名者多，實際任事者少。其實，從《纂修四庫全書檔案》看，絕大多數總裁官均參與了《四庫》修書的實際工作，即便如一般認為掛名的首席正總裁皇六子永瑢，也是具體管事的，據《翁方綱題跋手劄集錄》「致王贊善」載：「……再山谷尚別有《別集》，是史季溫所注。其書不多，不過薄薄一本，未知現在那位老先生名下所校，並懇六哥（案：即皇六子）飭令供事一查，歸於此《前集》、《後集》一同校辦，將來刻入《全書》。」[75]至於于敏中、王際華這樣的正總裁，更是事必親躬，籌謀擘畫，對《四庫》編修貢獻尤多。

總裁官是兼管翰林院四庫館與武英殿四庫館的。翰林院四庫館是四庫館的中樞，所以總裁常駐的是翰林院。但是，因分工或工作的需

---

73 關於薈要處的詳細情況，可參吳哲夫《四庫全書薈要纂修考》（臺北市：國立故宮博物院，1976年）一書。

74 四庫館中實際的統領者當然是乾隆皇帝，這是大家都清楚的，不用也不可能出現在職名表中。另外，本節所論各館職不包括薈要處、聚珍處任事諸臣。

75 沈津輯：《翁方綱題跋手劄集錄》（桂林市：廣西師範大學出版社，2005年），頁506。

要，有的總裁也經常需要入直武英殿，如王際華、金簡、董誥等。

以下主要據殿本職名表對兩大系統各館職職能作一簡單介紹：

一　翰林院系統

翰林院系統，是負責校閱與編輯《四庫全書》的。其館臣系統為：總纂官－提調官、協勘總目官－纂修官、天文算法纂修官－收掌官。具體來說，纂修官將各處採進、移送之書（包括採進本、內府本等）以及簽抄出的《大典》佚書進行初步的校閱，擬定意見（刊、抄、存或不存），撰寫提要稿。總纂官對上述工作作進一步的審核。經翰林院系統　校閱可以繕寫入《四庫》之書（除大典本外），則移送至武英殿，由武英殿系統的館臣負責接下來的繕寫、分校、裝潢工作：「伏思各省所進遺書，奉旨令翰林院鈐蓋印信，並奏派總纂、纂修諸臣校正，然後移送武英殿發繕。」[76]

總纂官，對翰林院校閱、編輯工作負全責，包括《四庫全書》相關書籍的校辦、《四庫全書總目》提要的修訂與編輯。例如，錢大昕《封通議大夫日講起居注官文淵閣直閣事翰林院侍讀學士加三級陸公》載：「（陸錫熊）以博洽通儒，承天子知遇，由郎官入詞垣，領袖四庫書局，洊登學士，遂列九卿。」[77]認為總纂官（陸錫熊）是「領袖」四庫館的。

提調官，負責翰林院中所有編修《四庫全書》相關書籍的調配、分發、提取，據「諭著舒赫德查明遺失《永樂大典》實情並各省書籍

---

76 張書才主編：《纂修四庫全書檔案》（上海市：上海古籍出版社，1997年），頁1153，「武英殿總裁王杰參提調陸費墀等遺失底本並請另選翰林充補摺」（乾隆四十五年三月初九日）。

77 陳文和主編：《嘉定錢大昕全集》（南京市：江蘇古籍出版社，1997年），冊9，頁755。

毋許攜往私家」（乾隆三十九年六月二十六日）載：「……至館中設有提調人員，稽查乃其專責。攜書外出，若曾經告知提調，即當與之同科；或纂修私自攜歸，該提調亦難辭失察之咎。」「寄諭四庫全書處總裁各省進到遺書及翰林院貯書不許私攜出外」（乾隆三十九年七月十八日）載：「所有翰林院存貯各書，著總裁等交該提調照各省進到書單，造成檔冊。纂修等領辦之書，即於冊內填注，仍每日稽查，毋許私攜出外。」[78]

協勘總目官，又稱總目協勘官，協助總纂官負責《四庫全書總目》提要的修訂與編輯。

纂修官，對所負責校閱的圖書進行文字、內容上的校正、增刪，提出意見（刊、抄、存或不存），寫成提要稿。在纂修官中，大典本纂修官是比較特殊而重要的一類，因而較之一般的纂修官來說，其工作更為複雜，主要包括：將《大典》輯佚散片盡可能地按原書體例黏連成冊，有時還要進行或多或少的補輯，然後進行校勘並撰寫提要。

天文算法纂修官，專門負責天文算學類書籍的校辦。由於天文算學類書籍專業性較強，需有關專業人士負責辦理，故單標天文算法纂修官，以區分於一般的纂修官。據「多羅質郡王永瑢等奏令郭長髮在《四庫全書》分校上行走摺」（乾隆三十九年二月二十三日）載：「臣等辦理《四庫全書》，內有天文算法等書，必須專門之人分校。查有算學館助教郭長髮，留心算法，堪司校閱，理合奏明，令其在《四庫全書》分校上行走。」[79]這裏所說的分校工作，實際上是纂修官所負責的校辦工作。當然，這些天文算法纂修官後來也均兼分校官。

收掌官，負責翰林院所有編修《四庫全書》相關書籍（包括《永

---

78 以上分別見張書才主編《纂修四庫全書檔案》（上海市：上海古籍出版社，1997年），頁216、頁227。

79 張書才主編：《纂修四庫全書檔案》（上海市：上海古籍出版社，1997年），頁201。

樂大典》、各省採進書、內府本等）的收藏管理。

綜上所述，翰林院系統的工作，是《四庫》修書中最基礎的，也是最重要的工作。

二　武英殿系統

武英殿系統的主要工作是繕寫、校正翰林院系統所校辦移送之書。其館臣系統為：總閱官—總校兼提調官—提調官、復校官—分校官、篆隸分校官、繪圖分校官、編次黃簽考證官—督催官—收掌官，武英殿收掌官，武英殿監造官。據「吏部為議處分校官鄭爔等人事致稽察房移會」（乾隆三十九年八月）所附黏單載：「所有謄錄應繳每日功課，先經酌定，責令各該分校官催收校畢，送復校官復閱，由復校官交提調驗明，裝訂成書，登記檔冊，俟臣（指總裁官）稽查進呈。」[80]這一工作流程是針對《四庫全書薈要》的繕寫校正工作而言的，《四庫全書》的相關工作也大致如此。參考《纂修四庫全書檔案》中的有關記載，武英殿系統的工作流程可概括如下：翰林院發下到武英殿繕寫之書，由武英殿繕書處收掌官保管，再由提調官發下給分校校對，再交謄錄抄寫，再上交分校官校畢，交復校官復校，交總校官審閱，交提調官匯總，再交總閱官或總裁官抽查，然後進呈乾隆皇帝御覽。不過，這只是大致的流程，在實際操作中會有一些變化。

（一）繕書處

總閱官，是後來根據特定的需要而增設的。據「諭著永瑢等充任四庫全書館正總裁謝墉等充總閱」（乾隆四十四年二月初一日）載：

80 張書才主編：《纂修四庫全書檔案》（上海市：上海古籍出版社，1997年），頁247。

「謝墉、周煌、達椿、汪廷璵、錢載、莊存與、胡高望、竇光鼐、曹文埴、金士松、李汪度、朱珪、倪承寬、吉夢熊俱充《四庫全書》館總閱，書成時與總裁一體列名。」[81]可知，直到乾隆四十四年二月才有總閱之職。而且，從檔案可看出，總閱官一職，實際上是專門為輔助總裁抽閱工作而設的，主要是為了更大範圍地檢查復校官[82]的工作，以避免錯誤。也就是說，原先只有總裁官（包括副總裁）抽閱復校官所校閱過的圖書，後來又增設了總閱官，讓其與總裁官一起抽閱復校官校閱過的圖書（總閱官、總裁官抽閱的書是不重複的）。[83]可以說，總閱官、總裁官均是對復校官的監督。總閱官所帶的官銜（出任館職時原來的官銜），一般較復校官為高，較總裁官為低。總之，總閱官的職責比較單一，主要是抽查復校官校閱之書，而不是全面負責四庫館之工作。[84]

總校官，儘管其在職名表中的排序是在總閱官之後，但實際上是武英殿校書之總負責者。殿本職名表中總校官一項只有陸費墀一人，而陸費墀也是文淵閣《四庫全書》每篇提要後所署之唯一總校官。[85]陸費墀作為武英殿校書的總負責者，其地位與職責比較特殊，如「多

81 張書才主編：《纂修四庫全書檔案》（上海市：上海古籍出版社，1997年），頁998-999。

82 殿本職名表作復校官，而浙本職名表作繕書處總校官。為與下文的總校官陸費墀相區別，此處用復校官之稱。

83 可參張書才主編《纂修四庫全書檔案》（上海市：上海古籍出版社，1997年），頁1185-1202，「全書處匯核四至六月繕寫全書訛錯及總裁等記過清單」（乾隆四十五年七月）。

84 總閱官屬繕書處，一般而言只審閱繕書處繕寫之書，但是後來大典本的量也比較多，總閱官也審閱大典本。

85 與此相對應，翰林院系統的總負責者是總纂官紀昀、陸錫熊、孫士毅，所以文淵閣《四庫全書》每篇提要後所署之總纂官為此三人。另外，陸費墀還曾擔任《四庫全書薈要》處「總校兼編纂官」。參黃愛平《四庫全書纂修研究》（北京市：中國人民大學出版社，1989年），頁273。

羅郡王永瑢等奏議添派復校官及功過處分條例摺」（乾隆三十八年十月十八日）載：「該處雖設有總校之翰林一員，專司收發督催，稽考字體、課程及款式、篇頁諸事。」「諭內閣所有進過書籍訛錯之處著軍機大臣每三月查核一次奏請交部議處」（乾隆四十二年三月二十四日）載：「其總纂官紀昀、陸錫熊，總校官陸費墀，所辦書籍既多，竟應免其處分。」「浙江巡撫琅玕奏復傳令陸費墀賠辦文瀾閣書籍緣由摺」（乾隆五十二年七月十二日）載：「《四庫全書》總校諸臣內，費墀受恩最深，超遷最速，且又一手始終其事。」[86]正因如此，在後來查核校書訛錯的報告中，許多總裁官、總閱官、復校官紛紛被記過的情況下，作為總校官的陸費墀卻總能免責。從這也可看出，陸費墀擔任的總校官，與其它總校官是不一樣的。[87]另外，由於陸費墀還兼任提調一職，因而其在武英殿系統中更像是一名總管者，據「辦理四庫全書處奏遵旨酌議排纂《四庫全書》應行事宜摺」（乾隆三十八年閏三月十一日）載：「（武英殿分校時）其應行酌改字樣，必須折衷畫一，應令武英殿提調翰林陸費墀董司其成。」「寄諭琅玕等傳令陸費墀賠辦江浙三閣書籍工價並著鹽政織造常川查察」（乾隆五十二年六月十三日）亦載：「因思此事發端於于敏中，而承辦於陸費墀，……是以于敏中奏充武英殿提調，令專辦《四庫全書》一切事宜，眾人進退，皆出其手。……而陸費墀曾充提調、總校，三閣書籍，皆其經辦。」[88]

---

86 以上分別見張書才主編《纂修四庫全書檔案》（上海市：上海古籍出版社，1997年），頁168、頁576、2042。

87 浙本職名表將其它總校官稱為「繕書處總校官」，排序遠在「總校官」陸費墀之後。殿本職名表則把負責覆查工作的繕書處總校官改回原來的稱謂--「復校官」，以突出其與具有總管性質的總校官的區別。

88 以上分別見張書才主編《纂修四庫全書檔案》（上海市：上海古籍出版社，1997年），頁75-76、頁2029。

提調官，主要是負責對繕寫、校對之書的提取、分發工作，亦兼管其它雜事。據「武英殿總裁王杰奏請增提調收掌以專責成摺」（乾隆四十五年三月初九日）載：「至武英殿全書處事務，更覺繁重，原設提調二員，既專司進呈書籍並查點裝潢諸事，又經管各項補缺、議敘、定稿、行文事件，頭緒頗為紛雜，於一切收發書籍，稽查功課，實難兼顧。……似應於現在館中行走人員內派撥四員，分辦提調事務。」[89]可見，提調官還兼管各項補缺、議敘、定稿、行文等雜事。

復校官，主要負責對分校官所校對之書的覆查，同時也被鼓勵校正原書（底本）的錯誤。原先武英殿繕書處只設有總校與分校，但由於總校工作量過大，難於稽核，所以又增設復校。據「多羅質郡王永瑢等奏議添派復校官及功過處分條例摺」（乾隆三十八年十月十八日）載：「每於分校交書後，令復校之員，細加復勘。」[90]後來，又將原來的復校官均改為分校，另增設六名總校官。[91]這些總校官，即是浙本職名表中所開列的繕書處總校官。他們所承擔的工作，其實等同於原來的復校，因而殿本職名表還是保留了復校官的名稱。

分校官，既校原本，也校繕寫本。[92]關於分校官，需要注意兩點：其一，分校官是《四庫》職名表中人數最多的。但儘管如此，分校官的統計也是《四庫總目》職名表中遺漏最嚴重的。其二，纂修官

89 張書才主編《纂修四庫全書檔案》（上海市：上海古籍出版社，1997年），頁1155。

90 張書才主編：《纂修四庫全書檔案》（上海市：上海古籍出版社，1997年），頁168。

91 分別參張書才主編《纂修四庫全書檔案》（上海市：上海古籍出版社，1997年），頁488-490，「大學士于敏中等奏請將《薈要》復校改為分校並添設總校二員折」（乾隆四十年十二月初九日）；第757頁，「諭內閣嗣後四庫館校閱各書著照程景伊所奏章程辦理」（乾隆四十二年十一月二十五日）。

92 〔清〕張塤：《竹葉庵文集》（《續修四庫全書》〔上海市：上海古籍出版社，1996-2003年影印本〕，冊1449，頁147上），卷6〈分校四庫全書二首〉其二云：「……一字關心常不放，前生經眼再來看。天留世外消閒事，我樂平生本分官。半歲遝名休沐暇，也教灼灼著長安（時予在假）。」

多兼任分校的工作，尤其是校勘《永樂大典》纂修官，一般均兼任分校官。

篆隸分校官、繪圖分校官，專門負責有關篆隸、繪圖方面的校對。由於篆隸、繪圖的校對處理，需要有專業人士，所以從分校官中單分出篆隸分校官、繪圖分校官，以顯示其特殊性。據「軍機大臣奏請令門應兆在《四庫全書》校對上行走俾校勘圖樣片」（乾隆四十一年十二月二十八日）載：「該員精於繪畫，……俾校勘圖樣，似屬人地相宜。」[93]《翁方綱題跋手劄集錄》〈致友人〉云：「又值辦理一門書稿完竣，□此門將來謄繕正本，仍交來填寫篆書並校辦正本，皆所不辭。」[94]可見，填寫篆隸、校勘繪圖，四庫館中均有專人負責。

編次黃簽考證官，主要負責將纂修官、分校官、復校官等用黃簽簽貼於原書之上的有關考證文字彙編加工，形成後來的《四庫全書考證》一書。

督催官，負責對繕寫、分校工作進行督查、催辦。

收掌官，此指繕書處收掌官，負責對發下武英殿謄抄的底本及武英殿繕寫本的收發。有的收掌官是直接由謄錄改任的，據「武英殿總裁王杰奏請增提調收掌以專責成摺」（乾隆四十五年三月初九日）載：「……並請於現在謄錄中酌派收掌四人，凡正本、底本匯齊之後，分送總校、總裁校對抽閱，令其專司登記，既不致互相推諉，又可以彼此稽核，於公事當為有裨。……其收掌四名，擬即於謄錄中選擇明白謹慎之人，仍令自備資斧，效力期滿，免交繕寫字數，照例議敘，如有貽誤，亦即諮革。」[95]

---

93 張書才主編：《纂修四庫全書檔案》（上海市：上海古籍出版社，1997年），頁564。
94 沈津輯：《翁方綱題跋手劄集錄》（桂林市：廣西師範大學出版社，2005年），頁479。
95 張書才主編：《纂修四庫全書檔案》（上海市：上海古籍出版社，1997年），頁1155-1156。

（二）武英殿收掌官

武英殿收掌官，負責武英殿校畢繕定之書（指《四庫全書》正本）的收藏管理。

（三）武英殿監造官

武英殿監造官，主要負責刊刻、印刷、裝訂事宜。據「辦理四庫全書處奏遵旨酌議排纂《四庫全書》應行事宜摺」（乾隆三十八年閏三月十一日）載：「其交到書篇（引者案：指經校訂繕成者），隨時交武英殿裝潢，歸庫收貯。……所有原辦絹板、紙片、界畫、裝潢及飯食各項事宜，派武英殿員外郎劉淳、永善經管總辦。其四庫全書處所有交到應刊各書，亦即令該員等監刻，以專責成。」「多羅質郡王永瑢等奏議添派復校官及功過處分條例摺」（乾隆三十八年十月十八日）載：「繕成校畢後，匯交武英殿查檢裝潢，以備隨時呈覽。」[96]劉淳在職名表中正是武英殿監造官。從上述可知，監造官主管之事是相當繁雜的，相當於武英殿的後勤總務。不過，由於應刊之書的工作後來由聚珍館承辦，監造官的主要工作可能就只是負責裝潢等事宜了。

綜上所述，四庫館的機構分為兩大系統：其一為翰林院系統，專司《四庫全書》的校閱與編修；其二為武英殿系統，專司《四庫全書》的繕寫、校對、裝訂與收掌。兩者各有專司，但又互相配合，統歸於總裁官掌控。四庫館中各館職設置合理，分工明確，層級關係清楚，環環相扣，展現出了一個複雜而成熟的書館體系。當然，由於四庫館歷時較長，中間人員與規定又多有變化，一些館職的職能也會有

96 以上分別見張書才主編《纂修四庫全書檔案》（上海市：上海古籍出版社，1997年），頁76、頁168。

臨時性的調整，以上描述的只是大致情況（如大典本的辦理情況就較特殊）。關於各館職的具體工作，還可參看本書第五章的相關部分。

本章小結

四庫全書處是官方正式機構用名，而四庫館是對其泛稱或俗稱。後來，四庫館的說法更多地（正式或非正式）被用來稱呼辦理《四庫全書》機構，因為四庫全書處一般是單指設在翰林院的辦理四庫全書處，而四庫館則既包括翰林院四庫館（辦理處），還包括武英殿四庫館（其中以繕書處為最重要）。

本書所談的四庫處（館）不包括續繕四庫處（館）和詳校四庫處。

四庫館分為翰林院與武英殿兩大系統：翰林院四庫館，即是辦理四庫全書處，而武英殿四庫館，主要是指繕寫四庫全書處。翰林院系統，是負責纂辦《四庫全書》的，以纂修官為代表。武英殿系統，是負責繕寫、分校、刊印、裝潢《四庫全書》的，以分校官為代表。兩大系統涇渭分明，互相配合，又統轄於正總裁與副總裁。

四庫館中各館職分工清晰，統屬明確，環環相扣，構成一個有機的整體，有利於四庫館的良性運作，保證《四庫全書》編修的順利完成。

第三章
四庫館的運作

如前所述，四庫館是分為兩處的：其一在翰林院，為辦理處；其二在武英殿，為繕寫處。正因如此，四庫館的運作，也應該分兩處來分析。另外，館臣在翰林院中校辦的圖書主要有三類：內府書、採進書及大典本，其中內府書、採進書與大典本的辦理程序是不一樣的，因此，下文將此兩類書的辦理情況分別進行論述。

第一節　翰林院四庫館的辦書流程——採進書與內府書

一　提調派書

翰林院四庫館提調，多則七八人，少則五六人，負責將採進書等分派給相應的纂修官來辦理，據「武英殿總裁王杰奏請增提調收掌以專責成摺」（乾隆四十五年三月初九日）載：「竊查翰林院纂輯《永樂大典》及辦理各省遺書，向來即以辦事翰林作為提調，多至七八員，少至五六員不等，誠以卷帙浩繁，非一二人所能辦理。」[1]

提調的派書，一般是均勻分派的，故各纂修官看書量應差不多。[2]由於採進書送進較晚，大概到乾隆三十八年五月館臣才開始校辦採進

1　張書才主編：《纂修四庫全書檔案》（上海市：上海古籍出版社，1997年），頁1155。
2　如〔清〕翁方綱：《蘇齋編纂四庫全書紀略》（稿本）載：「五月初八日於寶善亭分看外省遺書，每人分廿四部。」

書，據「大學士劉統勳等奏遵議給還遺書辦法摺」（乾隆三十八年五月十八日）載：「……伏查鹽政李質穎交館之書已七百七十餘種，現在派令纂修等分別校查。」[3]《于文襄手劄》第二通亦載：「昨奉有各家進到之書，擇數種錄單呈閱之旨，已寄公信中，希與同事諸公趕辦為囑。……五月廿四日（乾隆三十八年五月廿四日）。」到乾隆四十年時，每位纂修所分配辦理的採進書已有一千三百多本，據《于文襄手劄》第三十九通載：「惟遺書卷帙甚多，每纂修所分，俱有一千三百餘本。……（乾隆四十年七月十一日）」

採進書的辦理進展很快，《于文襄手劄》在乾隆三十八年六月初九的信中已提到這些書的歸類問題：「接字悉種種，《吳中舊事》改入子部小說家極為妥合，武英殿東庫書自須先辦，僕於馬書來到時早已言之，可即回明王大人即行酌辦，勿致諸公曠日再三。」[4]從此信也可看出，內府書（即信中所說的武英殿東庫書）也應在此後不久開始辦理。

另據「諭內閣著四庫全書處總裁等將藏書人姓名附載於各書提要末並另編〈簡明書目〉」（乾隆三十九年七月二十五日）載：「……著通查各省進到之書，其一人而收藏百種以上者，可稱為藏古之家，應即將其姓名附載於各書提要末；其在百種以下者，亦應將由某省督撫某人採訪所得，附載於後。其官板刊刻及各處陳設庫貯者，俱載內府所藏，使其眉目分明，更為詳備。」[5]也提到採進書與內府書的處理意見：在採進書中，若獻書百種以上者，在《總目》中署為某某藏本；若在百種以下者，則署某某採進本。[6]官刻與內府舊藏，則均題內府藏本（其實也有題內府刊本者）。

---

3 張書才主編：《纂修四庫全書檔案》（上海市：上海古籍出版社，1997年），頁118。

4 〔清〕于敏中：《于文襄手劄》（北京市：國立北平圖書館，1933年影印本），第5通。

5 張書才主編：《纂修四庫全書檔案》（上海市：上海古籍出版社，1997年），頁229。

6 至於廷臣或個別地方官員（如李文藻）獻進之書，亦得在《總目》中署名。

二　纂修官辦書

纂修官對所辦之書寫出提要稿，提出處理意見（包括應刊、應抄、應存及毋庸存目四種）。若是最終定為應抄、刊之書，還要對其作進一步的校勘、整理。

關於圖書處理意見，四庫館並沒有制定一個統一的標準，只是隨辦隨定，這一點可以從于敏中信中關於此事之討論可知，據《于文襄手劄》載：「又分別應刊、應抄兩項，吾固早計及諸公嗜好不同，難於畫一。就二者相較，應抄者尚不妨稍寬其途，而應刊者，必當嚴為去取，即不能果有益於世道人心，亦必其書實為世所罕見及板久無存者，方可付梓流傳，方於藝林有益。非特辭章之類，未便廣收，即道學書亦當精益求精，不宜氾濫。經解亦然。與其多刻無要篇策，徒災棗梨，不如留其有餘，使有用之書廣傳不缺，更足副聖主闡揚經籍之盛意。是否，可與曉嵐先生商之，並告同事諸公妥酌，並於便中回明」、「《大典》內集湊之書，原不能指定何類，即集部較多，亦無妨耳。至各省送到遺書，必須各門俱備數種方成大觀。惟多者限數之說，似尚未妥。經部本多於他種，如果義有所取，注解十得三四，即不可棄，雖稍濫亦無礙。若膚淺平庸及數見不鮮者，則在所屏耳。並不妨與曉嵐先生酌商也」、「舊書去取，寬於元以前，嚴於明以後。……京城內交出之　書，與外省重複者，自不妨侭現本校辦。但外省交到者，俱有全單總數，且係奉旨仍行給還者，似不便扣除。並有同係一書而兩本互異，又當擇其善者，止須於原單內注明重複，並於書局檔冊注明」。[7]

7　以上分別見〔清〕于敏中：《于文襄手劄》（北京市：國立北平圖書館，1933年影印本），第8、17、20通。另外，司馬朝軍曾據《于文襄手劄》提出了圖書處理之十一項標準，可參考。見其《四庫全書總目編纂考》，頁108-109。

纂修官對選定之書進行校正，也是其本職工作，據「諭內閣將文淵等三閣書籍應換寫篇頁及工價令紀昀陸錫熊分賠」（乾隆五十二年六月十二日）載：「……該謄錄等惟知照本繕寫，勢不能考訂改正，而纂校各員則係專司考訂之責，自應詳加細閱，方不致訛謬叢生，乃一任其襲謬沿訛，竟若未經寓目者。」[8]又據《于文襄手劄》載：「昨送到馬裕家書十種，內《鶡冠子》已奉御題，先行寄回，即派纂修詳細校勘。其書計一百三十餘頁，約計校勘幾日，似宜酌定章程。將來雖諸書紛集，辦之自有條理。其期不可太緩，致有耽延，亦不可太速而失之草率。書內訛舛甚多，頃隨手繙閱，記有三四條，將來纂修校勘後，可將校出誤處錄一草單寄來，不必楷書，以便印證愚見是否相合」、「《鶡冠子》蓀塘添出之處甚多，此番可謂盡心。但止寄簽出之條，無書可對，難於懸定，因將來單寄回足下，可並前日之單，回原書校勘，酌其去留，無庸再寄此間也」。[9]可以看出，纂修官的校正是要出簽記的，而且簽記有時還非常多。

三　總纂審閱

總纂對纂修官所提意見作裁定，然後交總裁進一步審閱。因為總纂所辦之書很多，其中有疏漏也是難免的，如「禮部尚書紀昀奏瀝陳愧悔並懇恩准重校賠繕文源閣明神宗後諸書摺」（乾隆五十二年六月十一日）載：「……當初辦之時，或與他書參雜閱看，不能專意研尋；或因謄錄急待領寫，不能從容磨勘，一經送武英殿繕寫之後，即

8 張書才主編：《纂修四庫全書檔案》（上海市：上海古籍出版社，1997年），頁2026。

9 以上分別見〔清〕于敏中：《于文襄手劄》（北京市：國立北平圖書館，1933年影印本），第7、19通。蓀塘，即纂修官勵守謙。

散在眾手，各趲功課，臣無從再行核校。」[10]

另外，《四庫》提要也是由總纂總其成的，據《于文襄手劄》第四十二通載：「提要稿吾固知其難，非經足下及曉嵐學士之手不得為定稿，諸公即有高自位置者，愚亦未敢深信也。」

四　總裁審閱

纂修官校辦好之書，經總纂審閱後，一般還要送總裁官審閱，據《于文襄手劄》第十九通載：「校對遺書夾簽，送總裁閱定，即於書內改正，此法甚好。可即回明各位總裁酌定而行。」在審閱時，總裁官也會將其意見通過夾簽體現出來，故纂修官的一些夾簽上，又可見有總裁官的批語。

有時候，總裁作出裁定時，也會提請總纂再為斟酌考慮，例如，《鶡冠子》一書為纂修官勵守謙（蓧塘）校辦，經于敏中審閱後，提出修改意見，並請總纂陸錫熊酌定，據《于文襄手劄》第十五通載：「蓧塘所校《鶡冠子》可為盡心，其各條內有應斟酌者俱已圈出（□其□一條，則竟駁去，未知當否，並酌），足下同為酌定之。愚所閱四條止一條相合，今複檢寄蓧塘，囑其更加詳勘。落葉之喻自昔有之，不必以此加意也。」

關於提要的撰寫，總裁也會審閱修正[11]，而且，于敏中還曾對提要撰寫原則及格式提出過具體建議，據《于文襄手劄》載：「愚見以

10 張書才主編：《纂修四庫全書檔案》（上海市：上海古籍出版社，1997年），頁2024。

11 可參沈津：〈校理《四庫全書總目提要》殘稿的一點新發現〉，《中華文史論叢》（上海市：上海古籍出版社，1982年），第1輯，頁133-180；黃燕生：〈校理《四庫全書總目》殘稿的再發現〉，《中華文史論叢》（上海市：上海古籍出版社，1991年），第48輯，頁199-219。

為提要宜加核實，其擬刊者則有褒無貶，擬抄者則褒貶互見，存目者有貶無褒，方足以彰直筆而示傳信」、「進呈書目提要，此時自以敘時代為正，且俟辦《總目》時再分細類，批閱似較順眼。其各書注藏書之家，莫若即分注首行大字下，更覺眉目一清，且省提要內附書之繁。惟各家俱進之書，若僅最初者，似未平允，若俱載又覺太多，似須酌一妥式進呈，方可遵辦耳」。[12]

五　乾隆審閱

對於翰林院四庫館所辦之書，乾隆的審閱主要有兩種情況：

其一，一些採進之書在纂修官校辦之前就送呈御覽，由乾隆審閱，提出處理意見。乾隆還對其中一些書作了御題詩。以上經過乾隆審閱之書，倘為擬抄、刊之書，復經纂修校辦，總纂、總裁審閱後，即發交武英殿謄錄。

其二，經纂修校辦過的採進書，在抄成定本之前，進呈御覽，據《于文襄手劄》載：「遺書目錄六月底又可得千種，甚好。若辦得即可寄來呈覽，但須詳對錯字，勿似上次之復經指謫也。……其應刊各種自應交武英殿錄副，其應抄各種亦應隨時辦理也」、「遺書總目續撰可得千種甚好，但必須實係各纂修閱訖，一經呈覽即可付刊、付繕方好，勿又似從前之耽擱也」。[13]

以上兩種情況主要是發生在開館之初，而且這些書是由翰林院四庫館呈送的。而在《四庫》編修後期，乾隆主要審閱武英殿呈送的《四庫》進呈本。

---

12 以上分別見〔清〕于敏中：《于文襄手劄》（北京市：國立北平圖書館，1933年影印本），第35、44通。

13 以上分別見〔清〕于敏中：《于文襄手劄》（北京市：國立北平圖書館，1933年影印本），第29、40通。

需要注意的是，于敏中信中提到採進書中各種應刊之書要交武英殿先錄副，然後再刊印，而對各種應抄之書則沒有提到要錄副，另據《于文襄手劄》第二十通載：「蓧塘不另復，遺書毋庸錄副，與愚前奏相合，至應抄之書，即交四百謄錄繕寫。」可見，應抄之採進書是不用錄副的。不過，那些經御題的《四庫》底本則是例外，需要先錄副，再發寫的，據「多羅質郡王永瑢等奏請將《四庫全書》底本匯交翰林院收貯摺」（乾隆五十一年十月二十六日）載：「……伏查各省藏書家送到各書，內奉有御題者，業經臣館隨時錄副，將原本敬謹發還本人，祗領珍藏；其餘選入抄錄項下者，俱即將送到之書充作底本，次第發寫。」[14]

綜上所述，筆者大致推測採進書、內府書在翰林院的辦書流程為：採進書、內府書送進翰林院後，由提調分給纂修辦理，纂修擬寫提要並提出處理意見；其中定為應刊、應抄者，經總纂、總裁乃至送呈御覽裁定，然後發回原纂修詳校；校勘後，要經總纂、總裁審閱，即於原書內改正；然後，發下武英殿校正，謄錄成正本。

第二節　翰林院四庫館的辦書流程——大典本

與採進本、內府本等其它《四庫》書不同，大典本從簽書到編纂到分校到謄抄成正本，都是在翰林院進行的，這主要是因為《大典》藏在翰林院，辦理大典本離不開《大典》，所以就只能是在翰林院辦理。也正因如此，大典本纂修官就多兼任分校，而其它《四庫》書的辦理在翰林院，繕寫與分校則在武英殿，故纂修與分校是分開的。

14 張書才主編：《纂修四庫全書檔案》（上海市：上海古籍出版社，1997年），頁1952。

據吳長元《宸垣識略》卷五載：「舊存明代《永樂大典》殘缺幾半，命辭臣分類纂出整書八十五種，散片（古書殘缺者曰散片）二百八十四種。分存書、存目二項纂輯提要，以該一書大旨，按期輪進，書之佳者皆蒙御製題詞以冠簡首。」[15]可見，《大典》中所收的佚書，其佚文有的是在一起的（即整部書都收在《大典》的某一處），有的是分散在《大典》各卷中的。前一種情況比較容易辦理，後一種情況相對複雜一些。《四庫》輯佚中的散片，就是指的後一種情況。[16]這裏主要談的是關於後一種情況的輯佚。因此，大典本的辦理程序大致為：簽出佚文——謄錄出散片——黏連成稿本——纂修官校對、補輯——謄錄出修改稿——原纂修校對——總纂校正——總裁校正——謄錄成正本。需要注意的是，與採進書直接由纂修官提出處理意見不一樣，大典本是由總纂、總裁來定是否應刊、應抄、應存目的。另外，大典本提要是在確定應刊、應抄、應存目後再撰寫的，而不是如採進書那樣在一開始辦理時就撰寫提要。

一　從簽佚書單看大典本的辦理[17]

如前所述，清乾隆中《四庫》開館期間輯佚《永樂大典》所做的最初步的工作是簽出佚書。所謂簽出佚書，是指四庫館輯佚《永樂大典》時，先將《大典》原本分派給纂修官，再由纂修官逐冊閱讀，用

15 〔清〕吳長元：《宸垣識略》（北京市：古籍出版社，1983年），頁87。

16 胡適致王重民（1945年7月30日）書說，「散篇」、「散片」之名，當時已成為《大典》內輯出書之泛稱。參北京大學信息管理係、臺北胡適紀念館編：《胡適王重民先生往來書信集》（臺北市：國家圖書館出版社，2009年），頁409。

17 此節可參拙作〈四庫館簽佚書單考〉，《中國典籍與文化》2006年第3期，頁61-66。該文經過修改後收入拙著《《永樂大典》流傳與輯佚研究》（北京市：北京師範大學出版社，2010年），頁125-133。本節所述，是在該文的基礎上修改、增刪而成的。

事先制好的簽條標明該冊所要輯佚的書名、頁碼及佚文條數，黏貼於各冊之上（這些簽條一般黏貼在《大典》封裏），然後交謄錄官謄錄。這些簽條，即為簽佚書單（也可簡稱簽單）。目前存世的《永樂大典》殘本中仍存有一些這樣的簽條[18]，為我們研究《大典》輯佚提供了非常珍貴的第一手材料。

簽條的格式及其主要內容包括：一、纂修官。各簽條的纂修官，是指負責檢閱該冊《永樂大典》原書而標記出其所收佚書情況的館臣。當時負責簽書的纂修官，在此項下面一般只填寫其姓氏。二、簽閱卷數（是指纂修官簽閱的該冊《永樂大典》原卷數）。三、佚書書名、佚文條數及各條佚文在該冊《大典》中的位置。四、簽出的佚書總種數、佚文總條數（是對該冊簽條著錄佚書種數及佚文條數的匯總。有個別的簽條未填此項內容，但絕大多數都填了）。五、發寫時間（即發下謄抄該冊《大典》所簽出佚文的時間。其中年份是固定的，各簽條均已事先印上乾隆三十八年，因而只需填寫月份與日期）。六、謄錄者姓名（是指該冊《大典》發下給哪位負責謄抄。但目前筆者所經眼的簽條中，不知為何，沒有一張署有謄錄者姓名）。[19]

一般來說，每冊《大典》，用一張簽條填寫上述各項內容。但是，如果一冊《大典》中所簽出的佚書較多，在一張簽條上填寫不下，就需用兩張甚至三張填寫，一起貼於本冊封裏上。

茲據目前所收集到的簽條，對其略作解讀，以探討大典本的辦理程序。

---

18 據〔清〕于敏中：《于文襄手劄》（北京市：國立北平圖書館，1933年影印本）第十八通載：「《永樂大典》內湊集散片，原如雞肋，但既辦輯多時，似難半途而廢。此時各纂修自俱採完，何人所採最多，或竟有全無所得者，便中約敘草單寄閱。（乾隆三十八年七月十三日）」可見，並不是每冊《大典》均有簽書單。

19 簽條上署謄錄之名，應是為了統計、考查其工作。當時可能有其它統計、考查方式，所以不在此處填寫。

(一)纂修官簽書

我們知道，負責簽出《永樂大典》佚書的纂修官從一開始就確定為三十人。據乾隆《御製詩四集》卷十七〈匯輯四庫全書聯句〉載：「《永樂大典》每十冊為一函，共一千一百餘函，翰林三十人，匀派分閱，按日程功。」[20]鄒炳泰《午風堂叢談》卷二亦載：「乾隆癸巳二月，上命大學士劉統勳等將《大典》內散篇纂集成書，總纂則紀編修昀、陸刑部錫熊，纂修三十人，余時為庶常，亦膺是選。」[21]而且，這三十名簽書纂修官是從翰林（包括庶起士）中選取的，據「大學士劉統勳等奏議復朱筠所陳採訪遺書意見摺」（乾隆三十八年二月初六日）載：「……容臣等就各館修書翰林等官內，酌量分派數員，令其陸續前往，將此書內逐一詳查。其中如有現在實無傳本，而各門湊合尚可集成全書者，通行摘出書名，開列清單，恭呈御覽。」「大學士劉統勳等奏議定校核《永樂大典》條例並請撥房添員等事摺」（乾隆三十八年二月二十一日）載：「今奉旨校核《永樂大典》，……臣等謹遵旨於翰林等官內，擇其堪預分校之任者，酌選三十員，專司查辦，仍即令辦事翰林院。」[22]

那麼，這三十人都是誰呢？史料中沒有明確記載。現存簽條上的纂修官姓氏，無疑是我們考查這三十位纂修官的重要線索。茲據簽條上所出現的纂修官姓氏，並結合其它材料，可考得這三十位纂修官大概出自以下這些人：陳昌圖、陳昌齊、陳初哲、陳國璽、陳科錞、劉

20 〔清〕紀昀等總纂：《文淵閣四庫全書》（臺北市：臺灣商務印書館，1982-1986年影印本），冊1307，頁538下。

21 續修四庫全書編委會編：《續修四庫全書》（上海市：上海古籍出版社，1996-2003年影印本），冊1462，頁186上。

22 以上分別見張書才主編：《纂修四庫全書檔案》（上海市：上海古籍出版社，1997年），頁53-54、頁59。

湄、劉校之、劉躍雲、王嘉曾、王爾烈、王坦修、王增、王汝嘉、黃軒、黃壽齡、黃良棟、莊承籛、莊通敏、鄒炳泰、鄒玉藻[23]、林澍蕃、蕭九成、蕭廣運、蕭際韶、姚頤、閔思誠、李堯棟、李鎔、吳典、吳壽昌、秦泉、藍應元、徐天柱、范衷、莫瞻菉、平恕、孫辰東、俞大猷、彭元琉、沈孫璉、周厚轅、周興岱、張家駒、黎溢海、蘇青鼇、潘曾起。

據前引乾隆《匯輯四庫全書聯句》可知，《大典》是勻派給三十名纂修官分閱的。也就是說，當時《大典》還剩九千八百八十一冊[24]，每位纂修官約分得三百三十冊。[25]但是，實際上各纂修官的簽閱總量卻並不相同，甚至還會差距很大，例如，從現存簽條看，負責簽閱卷

23 據《永樂大典》卷五五二所附簽條可知，其簽書纂修官為「侍講鄒」。該鄒氏應是指鄒奕孝，因為鄒玉藻與鄒炳泰當時都不曾任職侍講。但是，據「辦理四庫全書處奏遵旨酌議排纂《四庫全書》應行事宜摺」（乾隆三十八年閏三月十一日）載：「《四庫全書》集藝苑之大成，考覈宜歸精當。今所辦《永樂大典》內摘出各書舊本頗多，而各省所採遺書，現奉特旨令各督撫實力經理訪求，自必廣搜博取。即內府舊儲書籍，卷帙亦甚為浩博，現有之纂修三十員，僅敷校辦《永樂大典》，其餘各種書冊並須參考分稽，需員辦理。臣等公同酌議，於翰、詹兩衙門內除各書館有專辦之事難于謙顧各員外，選得侍講鄒奕孝，洗馬劉權之，贊善王燕緒，候補司業劉亨地，編修金蓉、黃瀛元、鄭際唐、朱諾，檢討蕭芝、左周等十員，令其作為纂修，分派辦理。」（張書才主編：《纂修四庫全書檔案》〔上海市：上海古籍出版社，1997年〕，頁76-77）可知，鄒奕孝是於乾隆三十八閏三月才任纂修官的，因此，他應該不是最初的三十位簽書纂修官之一，而有可能是後來作補簽的纂修官。不過，據該摺所載，鄒氏應是採進本或內府本纂修官，可他為何參與補簽大典本呢？從本書附錄二「《武英殿聚珍版叢書》纂校表」可看出，鄒氏早在乾隆三十八年六月即已參與了大典本的辦理，可見，鄒氏的工作在隨後應該是有所調整。

24 「軍機大臣奏遵查《永樂大典》存貯情形並將首卷黏簽呈覽片」（乾隆五十九年十月十七日），載張書才主編：《纂修四庫全書檔案》（上海市：上海古籍出版社，1997年），頁2372。

25 陳垣〈編纂《四庫全書》始末〉認為，翰林三十人，勻派分閱，每人約閱三百七十冊。載甘肅省圖書館編：《四庫全書研究文集》（蘭州市：敦煌文藝出版社，2006年），頁3。這是誤認為當時《大典》還有一萬一千餘冊而計算得出的。

一四三八一的蕭姓纂修官，他最多只可能簽閱卷一四〇五七－一四四六〇這部分《大典》（因為其相鄰的兩位纂修官中，前一位至少已簽閱到卷一四〇五六，後一位至少已簽閱到卷一四四六一），共約一百二十餘冊。[26]為什麼會出現這種情況呢？推想可能原先是勻派好的，後來因為人員變動、簽書進度快慢等原因而有些變化。

（二）簽出佚書佚文

各纂修官所簽書單中著錄佚書書名及佚文出處的方式大體是一致的，但也有一些細微的差別。例如，若一張簽條所簽只有一卷《大典》，則該卷簽出的佚書書名按出現順序依次開列在簽條中即可。若一張簽條所簽有兩卷或三卷《大典》，則一般會分別標明各卷所簽出的佚書。但是，纂修官有時為貪圖方便，只在簽條第一行中填寫所簽閱的《大典》卷次，以下則通過分行另起著錄的方式，來區別不同卷次中簽出的佚書書名。

從《大典》中簽出的佚書書名，一般沿用《大典》引用時的名稱。但是，《大典》在引書名時多用省稱，如《周禮復古編》，省稱《復古編》；別集，多稱某人集，而不用原名，如《大隱居士詩集》，稱《鄧紳伯集》。因此，纂修官在簽寫中有時也會根據自己的瞭解作一些改動，以改回通用的名稱，但這種情況並不多。

各簽條簽出的佚書書名下，往往會標明其佚文在本卷《大典》中的第幾頁、共有幾條，如鄒姓纂修官所簽《大典》卷四八九的簽條載：「敬齋泛說二，三頁一，七頁一。」是指本卷有佚書《敬齋泛說》中的佚文兩條，分別為第三、七頁各一條；劉姓纂修官所簽《大

---

26 此冊數是據《永樂大典存目》推算得出。《永樂大典存目》，原載《北平圖書館館刊》1932年第6卷第1號，現收入張升編：《《永樂大典》研究資料輯刊》（北京市：圖書館出版社，2005年）。

典》卷九〇一的簽條載：「胡祗遹集一條，一頁內至三頁內。」是指《胡祗遹集》的佚文一條，在本卷第一頁至第三頁內；等等。有時，為方便起見，該佚書在一頁中只有一條佚文時，則單標頁數，而不標條數，如蕭姓纂修官所簽《大典》卷二九四八的簽條載：「石林燕語一。」是指《石林燕語》的一條佚文在本卷第一頁中；又載：「晉史揮麈五。」是指《晉史揮麈》的一條佚文在本卷第五頁中；等等。倘若該佚書在一頁中有兩條以上的佚文時，則要將條數標出，以防謄錄者漏抄，如前引簽條載：「馬明叟實賓錄七，二條，又二十四頁一條。」是指《實賓錄》的兩條佚文在本卷第七頁中，還有一條佚文在本卷第二十四頁中。

因為有的佚文是出自於《大典》引文的小注中，為方便謄錄者查找出處，纂修官還會將其詳細出處標明，如藍姓纂修官所簽《大典》卷五二四五的簽條載：「一統志七頁小注一，八頁小注二。」是指《元一統志》的一條佚文，在本卷第七頁小注中，另兩條佚文在本卷第八頁小注中。

如果該冊《大典》所收內容全部為某部佚書的佚文，則只簡單標明佚書書名及該冊《大典》所收的卷數即可，如李姓纂修官所簽《大典》卷一九四一七的簽條僅寫「經世大典一卷」；所簽《大典》卷一九四一八——九四一九的簽條僅寫「經世大典二卷」；等等。

纂修官在簽佚書佚文時，其判定佚書的標準是什麼呢？也就是說，當時纂修官是憑什麼標準來確定哪些書是自己要簽出的佚書呢？筆者認為，當時四庫館對佚書的選取應有大致的標準，其標準應該就包含在「校核《永樂大典》條例十三條」[27]中。儘管這十三條條例現

---

27 参「大學士劉統勳等奏議定校核《永樂大典》條例並請撥房添員等事摺」（乾隆三十八年二月二十一日），載張書才主編：《纂修四庫全書檔案》（上海市：上海古籍出版社，1997年），頁59。

已不存，具體內容也不太清楚，但是，四庫館總校官陸費墀所作的〈初擬校閱《永樂大典》條例〉仍然存世，可以在一定程度上幫助我們瞭解當時簽輯佚書的標準：「一、經部內除各經傳箋注疏及唐宋以來諸儒經說現今列在學官者，毋庸再採取外，其有先儒經解向尠流傳，而實在有裨學術者，並為詳覈甄收。至關係禮儀、音樂，及字書、小學等部，如有可採者，亦均依舊例歸入經門。一、史部內除歷代正史及《通鑑綱目》、古史、《路史》、《冊府元龜》等部毋庸再採外，其中如有編錄事實，釐訂掌故，足資考證之書，而現無傳本者，自宜並為採錄。至於識小之流，叢談雜說，什一流存，亦足沾溉後人，似並當別擇蒐存，以廣博綜之用。一、子部內除各種子書應查明現無其本者，分別採錄外，又如醫卜、藝術等部，是書原目採掇頗多，此等方技雜家，古人原在子部著錄之列，似亦當擇其精醇者酌量採取，以備四庫分儲。至凡釋典、道書，俱欽遵聖訓，毋庸再加採錄。」[28]以上分別為經部、史部和子部書的輯佚標準。因為陸費氏此文最後有殘缺，故關於集部的輯佚標準闕如。不過，據此可以看出，當時纂修官簽書確實是有一定的依據和標準，如佛經、道經不必簽輯。

據陸費氏〈初擬校閱《永樂大典》條例〉所載，這些簽出的佚書，還要先彙編成書目，確定應輯之書，才能發寫：「一、《永樂大典》原書體例未協，是以排纂次第錯雜無章，其間有全載本書，未經

28 〔清〕陸費墀：《頤齋文稿》，國家圖書館編：《國家圖書館藏鈔稿本乾嘉名人別集叢刊》（北京市：國家圖書館出版社，2010年影印本），冊12，頁441-445。陸費墀（？-1790），陸費，複姓，字丹叔，號頤齋，浙江桐鄉人。乾隆三十一年進士，授編修，充《四庫全書》總校官。乾隆五十二年，因《四庫全書》訛謬甚多，受罰獨重；革職後，於乾隆五十五年鬱鬱而死。死後猶將原籍家產抄出，作為添補江南三閣辦書之用。儘管〈初擬校閱《永樂大典》條例〉是其替總裁官擬訂的，最後未必完全採用，但從實際情況看，其中有一些建議確實曾被採用。關於該條例的問題比較複雜，筆者擬另作專文予以探討。

分析者；亦有將本書散入各韻內，割裂分載者。雖菁華可備蒐羅，而去取尚資抉擇。今擬通行檢核，先將所採書名開齣目錄：以全載本書者列為一單，其本書散見各韻而前後校覈尚可湊成全部者列為一單。若止係單詞片語，不能復湊全書者，即毋庸列入單內，以省繁冗。一、原書分韻隸事，顛倒乖離，毫無義例，今欽奉諭旨，以經、史、子、集四部為綱領，用定排校法程，寔屬不易之準則。謹擬於開齣目錄內，即依四部名目以類相從，仍分別核定。於各門中又分三項，以現有刊本通行傳播者為一項，以詞意淺近、無關體要者為一項，俱毋庸再請採錄外，至其中有流傳已少，實應採取之書，即另為一項，於單內注明撰人時代名氏，摘敘簡明略節，開寫進呈，恭請聖訓辦理。」可見，按規定，館臣要將簽條中所收之書，匯總為引書目錄，分為兩大部分：整書的，開一單；散片的，開一單。然後，再將這些書目按經、史、子、集四部排列，每部又下分三類：一、通行的；二、詞意淺近的；三、可採的。前兩類不用抄出佚文，後一類要抄出佚文，而且要在書單內注明撰人、時代、簡明提要。筆者推測，以上這些工作的安排有可能是這樣的：提調負責匯總，總纂和總裁負責審定何書應採輯，纂修官負責寫出應輯之書的簡明提要等。至於應輯之書的書目，還需進呈御覽，經乾隆允准後，才能真正開始抄出佚書佚文。

又據「諭內閣傳令各督撫予限半年迅速購訪遺書」（乾隆三十八年三月二十八日）載：「……近允廷臣所議，以翰林院舊藏《永樂大典》，詳加別擇校勘，其世不經見之書，多至三四百種，將擇其醇備者付梓流傳，餘亦錄存匯輯，與各省所採及武英殿所有官刻諸書，統按經、史、子、集編定目錄，命為《四庫全書》。」[29]當時已有三四百種佚書的印象，說明已有初步據簽書單彙編而成的佚書書目。其時，

29 張書才主編：《纂修四庫全書檔案》（上海市：上海古籍出版社，1997年），頁67。

在《大典》輯佚當中，將所簽出之書錄出匯總，以備審定，是很正常的，據四庫館總裁官于敏中在五月十八日信中說：「《永樂大典》五種已經進呈，所辦下次繕進之書可稱富有，……細閱所開清單，如《竹品譜》之列於史部，《少儀外傳》之列於子部，皆未解其故。」在七月二十二日信中說：「若所集四百餘種，未必盡能湊合成書，亦未必盡皆有用，……」[30]可見，這些繕進的書單，還作過初步的分類，與陸費氏所擬條例中規定的書目相類。因此，筆者認為，諸如《永樂大典書籍散篇目》一卷、《永樂大典書目（殘本）》、《永樂大典纂出書目》[31]，應該就是匯輯上述的應輯之書的書目而成的。

（三）發寫時間

如前所述，簽條最後一行還要填寫該冊《大典》發下謄抄所簽出佚文的時間，其中各簽條均已事先印上乾隆三十八年，只需填寫月份和日期。據此我們也可推知，按照四庫館的計劃，發寫工作應該是在乾隆三十八年年內就要完成的。

筆者推測，每張簽條由簽書的纂修官填寫好後，貼於《大典》封

30 以上分別見〔清〕于敏中：《于文襄手劄》（北京市：國立北平圖書館，1933年影印本），第1、22通。

31 趙萬里在〈《永樂大典》內輯出之佚書目〉（原載《北平北海圖書館月刊》第2卷第3、4號，現收入《國立北平圖書館館刊》合訂影印本，頁903-947）中所作識語說：「清乾隆間四庫館臣王際華等曾撰《永樂大典採輯書目》，目中獨遺《四庫全書》存目諸書（《四庫目錄標注》載《永樂大典書籍散篇目》一卷，云何子貞有鈔本，四庫館原輯，未知內容如何）。」《永樂大典書籍散篇目》一卷，存世與否不詳。《永樂大典書目（殘本）》，國家圖書館古籍部藏有兩部，其一為民國二十九年邵鋭抄本，其二為清道光戊申（二十八年，1848）顧沅請張應麐所抄的本子。《永樂大典纂出書目》，即《辦理四庫全書歷次聖諭》不分卷附《永樂大典纂出書目》，現存於上海圖書館。參史廣超：《《永樂大典》輯佚述稿》（鄭州市：中州古籍出版社，2009年），頁65。

裏，交回四庫館提調處。提調官將簽單中的佚書書目匯總後，分類編排，提交總纂、總裁官審定，再進呈御覽允准後，即可將簽條分發給謄錄抄寫，而隨分發時填上發寫時間。[32]發寫是陸續進行的。從筆者所見簽條中所列「發寫時間」看，發寫從乾隆三十八年八月一直持續至十一月。但是，由於目前所見簽條有限，上述發寫時間並不能代表全部簽條的發寫時間。據《武英殿聚珍版叢書》所收大典本的提要可知，早在乾隆三十八年四月，已經有一些大典本被整理出定本並寫有提要。[33]因此，《大典》簽條最初的發寫時間，當在乾隆三十八年四月甚至更早。

至於其發寫的截止時間，據「多羅質郡王永瑢等奏黃壽齡遺失《永樂大典》六冊交部議處折」(乾隆三十九年六月二十五日）載：「臣等遵旨纂辦《永樂大典》內散篇各書，所有應行採錄諸條，現在陸續摘抄將竣，因派令各纂修等將已經理清黏出副本，查對原書，遂一分頭詳細校勘，以便迅速編排成帙。」[34]也就是說，乾隆三十九年六月二十五日，謄錄《大典》佚文的工作即將完成。由於發寫是謄錄之前的一項工作，因而發寫的工作在此之前就應結束了。

需要注意的是，據《纂修四庫全書檔案》「辦理四庫全書處奏遵旨酌議排纂《四庫全書》應行事宜摺」(乾隆三十八年閏三月十一日）載：「《永樂大典》內所有各書，現經臣等率同纂修各員逐日檢閱，令其將已經摘出之書迅速繕寫底本，詳細校正後即送臣等復加勘定，分別應刊、應抄、應刪三項。……今所辦《永樂大典》內摘出各

32 目前發現，有個別簽條貼錯了地方（即貼於不是所簽閱的該冊《大典》)。筆者推測，其時謄錄摘抄時，將所負責抄寫的《大典》簽條均一起揭下。在抄好佚文後，再往回貼時，未用心核對，造成了錯貼。

33 如《乾坤鑿度》、《春秋辨疑》、《漢官舊儀》、《魏鄭公諫續錄》、《帝範》等，收入《武英殿聚珍版叢書》，清同治年間福建刻本。

34 張書才主編：《纂修四庫全書檔案》(上海市：上海古籍出版社，1997年)，頁213。

書舊本頗多，……現有之纂修三十員，僅敷校辦《永樂大典》。」[35]可見，摘抄出佚文後，要趕快編成輯佚底本，然後交總纂、總裁等再審核，以決定其應刊、應抄或應刪。

綜上所述，纂修官簽出之書，先要匯總成佚書目，由總纂、總裁、乾隆審核後，確定應抄之書。抄出之佚書底本，再經總裁審核後，才能確定何者為《四庫》著錄或存目之大典本。因此，由於有這兩次審核（刪汰）過程，簽條所反映的佚書數量當然與《四庫》所著錄和存目的大典本數量會有較大的差距。

（四）補簽

儘管當時有大典本簽閱條例可參考，但是由於沒有一個統一佚書目錄，佚書的判定與選取並不好把握，館臣只能各自憑經驗判斷，所以《大典》中同一佚書的佚文，有的被簽出，有的則未被簽出，這就自然造成大量該簽出的佚書佚文沒有簽出，漏簽現象較嚴重。為了避免輯佚的遺漏，有的館臣在確定佚書後，只好重新翻檢全部的《大典》。如周永年，在館數年期間，「無間風雨寒暑，目盡九千巨冊，計卷一萬八千有餘」，從中輯出十餘家著述。[36]九千冊、一萬八千餘卷，這是指當時《大典》的全部內容。當然，要求各位大典本纂修官都像周永年那樣做是不現實的，不過，當時應該也有不少纂修官進行過補簽，如戴震、鄒奕孝等。

據大典本稿本《朱申句解》可知，謄錄在據簽單謄抄佚文時，會將各條逐一抄出，而且在每條上注明簽書纂修官的姓氏。例如，此書

---

35 張書才主編：《纂修四庫全書檔案》（上海市：上海古籍出版社，1997年），頁74。

36 〔清〕章學誠：〈周書昌別傳〉，《章學誠遺書》（北京市：文物出版社，1985年），卷18，頁181-182。

每條佚文前均標有「纂修官戴」，說明其是戴震所簽出的。[37]又如，大典本稿本《彭氏禮記纂圖注義》佚文上亦著錄有纂修官戴、纂修官陳，這說明簽出該大典本佚文的纂修官起碼有戴、陳兩人。[38]戴應為戴震，陳則不詳。戴震是五徵君之一，入館較遲，約在乾隆三十八年八月，其時簽書早已開展，因此，戴震可能只是參與了後來的補簽。關於這一點，也可以從戴震所簽的範圍可以看出，例如，《朱申句解》、《彭氏禮記纂圖注義》都收有《大典》卷一〇四七七的佚文，其前均標有「纂修官戴」，而據現存簽條可知，吳姓纂修官所簽的範圍是包括該卷的，也就是說，同一卷有兩位纂修官簽閱，一般來說是不應該的，因此，其中必有一位是後來的補簽者。因為戴氏較晚入館，所以他應該是後來的補簽者。現存簽條中有一些旁注「補」字，可能即是指該簽條是後來補加的。

二　從辦書單、銜名單等看大典本的辦理

史廣超在上海圖書館發現了四庫館輯《永樂大典》本《中興百官

37 若戴震僅是此書的纂修官，不參與簽書，則不用每條佚文都注明「纂修官戴」。在每條佚文上注明纂修官，既可以作為其工作之證明，亦可以為分派校辦作參考，即將佚書分派給原簽出此書佚文較多的纂修官辦理。大典本稿本《朱申句解》之攝影本現藏國家圖書館古籍部，一冊，每條佚文前標「纂修官戴」，後注出處。

38 參史廣超：《《永樂大典》輯佚述稿》（鄭州市：中州古籍出版社，2009年），頁122。其引《續修四庫提要》所收「抄本《彭氏禮記纂圖注義》十三卷」提要云：「是書有題纂修官戴，纂修官陳者。」一般一部大典本是交由一位纂修官纂辦的，該書有兩位纂修官，正說明他們應該均是簽書官。大典本稿本《彭氏纂圖注義》之攝影本現藏國家圖書館普古籍部，二冊，每條佚文前署「纂修官戴」或「纂修戴」，後注出處，有些出處下端還用蘇州字碼注明本條字數，應為謄錄統計字數之用。此書應該是最初的抄輯稿本，未經編排過。因此攝影本是殘本，故沒有標注「纂修官陳」所簽出的佚文。

題名》卷首所附的兩個單子[39]（筆者姑且稱前一單子為辦書單，後一單子為銜名單），這兩個單子均與大典本輯佚程序有關，因轉引於此，並作考述。

(一) 辦書單

共*一十八*頁計□萬*九*千*五*百□十□字
*七*月*初二*日發寫　　　*七*月*初七*日寫完
□月□日由提調送原纂　□月□日校完
□月□日由提調送總纂　□月□日閱完
□月□日由提調呈□堂共酌定□十□簽（內新附案語共添入□□□字）
□月□日發寫正本　　　□月□日寫完正本
□月□日送原纂校定　　　　□日校完正本
□月□日送校勘復校應修補□十□簽
□月□日發謄錄修補　　□月□日修補完竣銷簽
謄錄官*阮光晉*

說明：斜體字是手寫填入的；□是表示需填寫而未填寫的地方；其它字均為原單已印上的。

從辦書單可看出，大典本的纂校程序是這樣的：

其一，大典本佚文被簽出後，由謄錄抄出，再交纂修官整理成大典本，然後再發交謄錄抄寫。此辦書單所述之流程，應是指的從這一步開始的。謄錄共接到十八頁纂修官整理出的大典本稿本（這也應是由提調發交的）。這十八頁共九千五百字。

---

39 分別載史廣超：《《永樂大典》輯佚述稿》（鄭州市：中州古籍出版社，2009年），頁70、頁88。

其二，謄錄接到任務後，自七月初二起，至初七寫完，共用五天時間。其抄完後，又交回提調處。

其三，提調將此一稿本交原纂修官校勘。校完後應再交回提調處。

其四，提調再將此一稿本交總纂審閱。總纂閱完後，又交回提調處。

在以上校閱中，纂修官和總纂都會酌加校簽，總纂官的校記，有時會直接寫在纂修官的原簽上。

其五，提調再將此稿本呈送總裁官審閱。總裁官除審查全書外，還需裁定總纂和纂修官的校簽，在上面作標記，表示同意與否（即酌定的校簽）。然後再交回提調官。「內新附案語共添入□□□字」，是指初次分校時所加的簽記，在得到總裁確認後，需要計算出共添多少字，以便謄錄抄入正本。

其六，提調發交　謄錄，依據以上校改謄成正本，再交回提調。

其七，提調將謄好正本再交原纂修官校定，校完後再交回提調。

其八，提調將校完的正本發下給翰林院大典本分校官復校。復校校出的問題，再加簽記，然後再交回提調。

其九，提調將復校的簽改發下給謄錄，據此重新修補好正本，銷簽（表示最終完成，所有的簽記均已相應修改好）。

(二)衔名單

大總裁

李、曹、王、於、劉、福、張、英

總纂官 紀昀

陸錫熊

纂修官 *孫辰東*

纂修兼校勘官

分校官

據此衔名單可知，大總裁共八位（包括正總裁與副總裁），雖只標姓氏，但可推知其應為：英廉、張若溎、福隆安、劉統勳、于敏中、王際華、曹秀先、李友棠（職位高低是由中間向兩邊排序的）。總纂官為：紀昀、陸錫熊。以上總裁的姓氏與總纂官的姓名是印在衔名單上的，是固定的。以下為纂修官、纂修兼校勘官、分校官，其姓名需要臨時填入（如圖，孫辰東三字用斜體，表示其為手寫填入）。我們據上述信息還可推知：

其一，此單應該是早期四庫館的衔名單。因為：總裁只憑姓氏即可區分，而後來總裁增多，姓劉的就有好幾位，只標姓氏肯定不行；此單內沒有包括後來入館的三位皇子。

其二，總纂以下的館臣分為三類：纂修官、纂修兼校勘官、分校官。這說明大典本的辦理包括這三類館臣。從《四庫》職名表中我們只知道《大典》纂修兼分校官，以為所有的大典本纂修官均兼分校，所有的大典本分校均兼纂修。其實這一認識是不對的。從此單對三類館臣所作區分即可看出，辦理大典本的館臣，有的是纂修兼分校官，有的只是纂修官，有的只是分校官。但是，孫辰東在職名表中就是校勘大典本纂修兼分校官，而且其辦的這部書就是大典本，為何這裏填的是纂修官呢？筆者推測：分校是在纂修之後再分派辦理的，纂修官一開始並不知道此書歸誰分校，所以只是填寫纂修官。到分校時，若是該書原纂分校的，就接著在纂修兼分校一欄上填上自己的姓名，若不是原纂分校，即在分校官一欄上填上自己的姓名。

其三，此單可能是對前述辦書單經手人員的匯總記錄，即大典本經纂修官、分校官、總纂、總裁之手，要分別在單中簽字或畫押，以便複檢，以專責成。據《尚書全解》〈多方〉丁傑跋云：「其年（指乾隆四十三年）八月，始見官本，遂手自校訂。有新抄誤者，有舊抄誤者，亦有林氏自誤者，悉皆改正，不暇分別標識也。編修鄒公玉藻纂修，大總裁劉文正公尚在列，蓋癸巳（乾隆三十八年）秋從《永樂大典》纂出者。」[40]新抄指的是錄入《四庫》的大典本定本（官本），而舊抄指的是大典本初輯本。此書是乾隆三十八年秋館臣從《大典》中輯出的，乾隆四十二年即已出現在琉璃廠書肆中，故丁傑得以從書肆借抄。丁傑看到的大典本，可能夾有類似的銜名單，故能知該書的纂修及大總裁姓名。

結合上述的辦書單及銜名單，我們還可以進一步認識到：

其一，大典本從稿本到正本，均是由原纂修官負責的，原纂修官

40 孫殿起：《琉璃廠小志》（北京市：古籍出版社，1982年），頁376。

要校勘稿本與正本。另外，從運作流程看，書的修改是層層把關的。最後的正本，是多人修改的結果，而不能簡單地判定為某人的功勞。這也體現出集體修書的特點。

其二，翰林院有校勘處，負責校勘大典本，是對原纂修官校勘後的復校。「送校勘復校」，是指送給分校進行復校，不是既有分校，又有復校之意。也就是說，翰林院有專門的分校者，負責大典本的復校工作。

其三，《四庫》職名表中所列的《永樂大典》纂修兼分校官，其分校是指復校而言的，即辦書單中所說的「送校勘復校」。否則，若是指初次的分校，則沒有意義，因為大典本原纂官都需要首先分校原纂之書。銜名單中的「纂修兼校勘」，其校勘也是指復校的意思。職名表中的大典本「纂修兼分校」一職，應該就是來自於銜名單中的「纂修兼校勘」。

其四，大典本纂修官多兼分校，但並不是說所有的大典本纂修官均兼分校官，也不是所有的大典本分校官均兼纂修官。[41]也就是說，翰林院辦理大典本處，有的館臣是專門的分校官，有的館臣是專門的纂修官。因為職名表只收大典本纂修兼分校官，有些只任纂修或分校的館臣就有可能被職名表遺漏，或者被著錄入其它館職中（如大典本纂修官徐步雲入分校官中）。在本書所附館臣表中，筆者希望能把單獨和兼任的大典本纂修官或分校官一一注明。另外，同一部大典本，其原纂官與任復校的分校官有可能是同一人，但大多數情況下應該不是同一人（現存大典本記過單中，就記錄了這些大典本的分校官，其中一些大典本的分校官與原纂官為同一人，但大多分校官不是該大典本的原纂官）。而且，就纂修而言，往往是一書一人；但就分校而

---

41 可參史廣超：《《永樂大典》輯佚述稿》（鄭州市：中州古籍出版社，2009年），頁87。

言，可以一書（尤其是大書）多人。[42]

其五，分校校勘時，也會簽出一些需修正的地方。辦書單中「送校勘復校應修補□十□簽」，應是指校勘官新校出的問題。那麼，這些新加的簽條，謄錄需要再據以修正原謄錄本，然後將所有簽條註銷，才表示最終完成。

（三）大典本辦理的其它相關問題

茲再參考其它史料，並結合前述的辦書單、銜名單，談談四庫館大典本辦理的其它相關問題。

1 關於謄錄

如前所述，四庫館是分為兩處的：其一在翰林院，為辦理處；其二在武英殿，為繕寫處。這樣的區分，可能會造成一種普遍的誤解，即認為四庫館所有的繕寫工作都在武英殿進行。事實上，因為《大典》不便移出移入，《四庫》大典本就只好在翰林院來繕寫。因此，就《四庫》的繕寫來說，應該是分為兩處進行的，即如「左都御史紀昀奏文源閣書復勘先完請將詳校官等分別議處摺」（乾隆五十六年九月二十九日）所說：「……伏查御製《永樂大典》詩文，向在翰林院尊藏，御製各省遺書詩文，向係發交武英殿提調繕寫，現已行文兩處恭錄全本，一俟復到，即敬謹補入。等語。」[43]而「吏部尚書劉墉等奏遵旨清查《四庫全書》字數書籍完竣緣由摺」（乾隆五十一年二月十六日）亦載：「……內除《永樂大典》係翰林院繕寫，應扣字一萬

42 例如，《續資治通鑒長編》就有不少分校官。又如，鄒炳泰與莊通敏同校《莊子》與《鹽鐵論》，他們可能只是此二書的分校，而不是纂修官。參史廣超：《《永樂大典》輯佚述稿》（鄭州市：中州古籍出版社，2009年），頁104。

43 張書才主編：《纂修四庫全書檔案》（上海市：上海古籍出版社，1997年），頁2238。

萬四千三百八十萬餘字。」[44]這是我們要特別注意的一點。

據「大學士劉統勳等奏議定校核《永樂大典》條例並請撥房添員等事摺」（乾隆三十八年二月二十一日）載：「其謄錄一項，現在尚無可需用之處，應俟摘齣目錄，全行分別奏定後，其中如有應採之本，另需繕錄全函者，再行奏明，酌定員數，選取充補。」[45]可見，剛開館時還未有謄錄。但是，就大典本輯佚而言，從佚書目錄很難看出該書是否應收入《四庫》，只有將其佚文摘抄出來，彙編成書，才能瞭解其基本情況。因此，沒過多久，四庫館就已有了謄錄，據「辦理四庫全書處奏遵旨酌議排纂《四庫全書》應行事宜摺」（乾隆三十八年閏三月十一日）載：「……謄錄一項，前經臣等奏明酌取六十名在館行走，僅供寫錄《永樂大典》正、副本之用。」[46]《大典》正、副本，可能是指抄入《四庫》的大典本（正本）及應刻之大典本的錄副本。據此可以看出，起碼到乾隆三十八年閏三月，翰林院四庫館已經有了六十名謄錄。

關於謄抄佚書，若是整書，按順序抄出即可；若是散片，其程序大概是這樣的：

謄錄首先據簽條將佚文逐條抄出。據《標點善本題跋集錄》載：「《斜川集》六卷二冊，宋蘇過撰，周永年輯，清乾隆間濟南周氏林汲山房鈔本，近人鄧邦述手書題記。……後於《永樂大典》中輯出，乃睹真面，亦有生齋刻以行世。余得原刊本，為貝簡香千墨弇（庵）物，而鮑以文校贈之者，所見鈔本則大半贋作，即前估竄錄欺世之書也。此鈔本兩冊，有劉燕庭藏印，確非贋本，頃避兵歇浦，取以對校，則刻本所增之文，有……，凡五篇；詩則……，類從他書增輯，

44 張書才主編：《纂修四庫全書檔案》（上海市：上海古籍出版社，1997年），頁1929。
45 張書才主編：《纂修四庫全書檔案》（上海市：上海古籍出版社，1997年），頁59。
46 張書才主編：《纂修四庫全書檔案》（上海市：上海古籍出版社，1997年），頁77。

而此本則五言多出二十四題，凡四十一首，可謂富矣。疑趙氏所據吳君麗煌之鈔本，雖同出一源，而互有詳略。……趙編詩先文後，此則文先詩後，然其分為六卷則同，其以一篇為一葉，甚至詩亦一題為一葉，則足見傳鈔之時，取其易辨，故前後不無重出及錯簡耳。……甲子九月廿一日，群碧記於滬上。封面有林汲山房傳鈔字，林汲為山東周書　昌先生齋名，與邵二雲同在史館，同輯《永樂大典》，一時競寫未見之書，故往往一書而互有詳略，不獨此書然也。乙丑春，群碧再記。」[47]周鈔本，可能更接近於初輯稿本。詩文一題一葉，說明其正是據簽條逐條抄出的，一條一篇。這些謄好的各葉，就是大典本的散片。另據《標點善本題跋集錄》載：「《斜川集》六卷二冊，宋蘇過撰，清周永年輯，清乾隆辛丑大興朱氏椒花舫鈔本，清道光間朱錫庚手書題記。……是本先大夫於乾隆辛丑之春，募人繕寫，是夏先大夫見背，蓋未經手澤披尋矣。……錫庚謹識端末如右。……至鈔胥每以單篇為率，未曾相接成集，雖短章絕句，亦獨佔一紙，殊不成體，殆當時隨手摘錄，尚未編成卷帙。……道光庚寅九月廿一日，少河山農又記。」[48]這裏所說的也是大典本散片的情況。

另據前引大典本稿本《朱申句解》可知，謄錄在據簽單謄抄佚文時，會在每條佚文上注明簽書纂修官的姓氏。

謄錄好的散片，交纂修官整理為輯佚稿本（初輯稿本），再交謄錄寫定為二次修改稿。

---

47 中央圖書館特藏組編：《標點善本題跋集錄》（臺北市：中央圖書館，1992年），下冊，頁525。

48 中央圖書館特藏組編：《標點善本題跋集錄》（臺北市：中央圖書館，1992年），下冊，頁526。國家圖書館特藏組編：《國家圖書館善本書志初稿》（臺北市：國家圖書館，1999年），集部，冊1，頁301載：「《斜川集》不分卷二冊，清乾隆隆辛丑（四十六年，1781）大興朱氏蕉花吟舫鈔本。……本書為出自《永樂大典》輯出本，尚未編卷次。……每篇詩文均自葉首起書，文終即換葉，不分卷，故亦無卷端。」

這二次修改稿再交纂修官整理、校勘，交總纂、總裁閱定，再交謄錄抄為三次修改稿。

三次修改稿再經原纂及分校復校，若還有問題，謄錄再據以修補，即成為《四庫》所收的大典本。

除此之外，若是應刊之大典本，謄錄還需謄抄出副本，供聚珍館擺印之用。

2 關於進呈大典本

自乾隆三十八年二月開館後，大典本的辦理相當迅速，其中有的大典本在四月即已辦好，而于敏中在五月份的信中提到已有五種大典本進呈，並說已繕寫好的大典本還有很多：「《永樂大典》五種已經進呈，所辦下次繕進之書，可稱富有，但不知報箱能攜帶如許否」、「昨於郵函得手書，悉種種。已寫之《永樂大典》，分數次進呈，甚是。但兵部多添一馬，恐非所宜。或約計一次應進書若干本，再分作幾回，照常隨報附寄，俟此次應進呈之書寄全，即匯齊呈覽」。[49]從上引兩信可看出：其一，當時不但隨時呈進辦好的大典本，而且還隨時呈進正在辦理之書的書單（書目）。書單應記錄有大典本的分類、提要與應刊、應抄等處理意見。例如，《于文襄手劄》載：「日前所寄，照單分列四庫，隨摺進呈。惟《中興小歷》一種，原單注擬刊刻，愚見以建炎南渡，乃偏安而非中興，屢經御製詩駁正。且閱提要所開，是編頗有未純之處，似止宜抄而不宜刻，已於單內改補奏進。」[50]其二，與其它《四庫》書一樣，若乾隆在外地，大典本也是分批隨報進呈御覽的。

49 〔清〕于敏中：《于文襄手劄》（北京市：國立北平圖書館，1933年影印本），第1、2通。

50 〔清〕于敏中：《于文襄手劄》（北京市：國立北平圖書館，1933年影印本），第8通。

乾隆會對進呈的大典本提出修改意見，如「諭內閣《學易集》等有青詞一體跡涉異端抄本姑存刊刻從刪」（乾隆四十年十一月十六日）載：「據四庫全書館總裁將所輯《永樂大典》散片各書進呈，朕詳加披閱，……此二書著交該總裁等重加釐訂，分別削存，用昭評騭之允。」[51]

3 關於大典本的辦理進度

據「辦理四庫全書處奏遵旨酌議排纂《四庫全書》應行事宜折」（乾隆三十八年閏三月十一日）載：「……《永樂大典》內所有各書，現經臣等率同纂修各員逐日檢閱，令其將已經摘出之　書迅速繕寫底本，詳細校正後即送臣等復加勘定，分別應刊、應抄、應刪三項。」[52]可見，乾隆三十八年閏三月時已陸續摘抄出一些大典本稿本，而這些摘抄出的書隨後即分發給纂修官來辦理，所以，《于文襄手劄》第五十二通云：「至《永樂大典》辦已年餘，當有就緒，若初次所分至今未能辦得，亦覺太遲，俱係何人所遲，光景若何，即查明開單寄知。（乾隆三十九年九月初十）」不過，這次分派，過了一年多有的纂修官仍未辦完。又據「諭內閣四庫全書處進呈各書疵謬迭出總裁蔡新等著交部察議」（乾隆三十九年十月十八日）載：「……《永樂大典》內由散篇輯成者，此次始行呈進，辦理已經年餘。」[53]如前所述，大典本早已進呈過，這裏所說的「始行呈進」，是指由散片輯成的大典本而言的。由此可以推知，以前進呈的均為成部的大典本。這些大典本比較容易辦理，所以就最先辦理。

到乾隆四十六年十二月，大典本散片全部辦理完成，據「諭內閣

51 張書才主編：《纂修四庫全書檔案》（上海市：上海古籍出版社，1997年），頁474。

52 張書才主編：《纂修四庫全書檔案》（上海市：上海古籍出版社，1997年），頁74。

53 張書才主編：《纂修四庫全書檔案》（上海市：上海古籍出版社，1997年），頁275。

《永樂大典》內散篇全數完竣該總纂等應予議敘」(乾隆四十六年十二月十七日)載:「四庫館辦理《永樂大典》內散篇全數完竣,該總纂等應予議敘。其復校、分校等官,著總裁等查明年限,分別諮部照例察議。欽此。」[54]這也意味著其時大典本(包括整書與散片)全部完成,而第一份《四庫》也是於此時抄完的。

4 關於分派辦理

大典本的分派辦理,主要有兩種方法:其一是據纂修官的專長;其二是拈鬮。這兩種方法是相互結合的。

如前所述,館臣一開始主要辦的是成部之書,其中較大篇幅的書,分派給某些纂修官負責(一般應該是一人一部),這主要考慮的是纂修官的專長。而其它篇幅較小之書,則由纂修官拈鬮來辦理(一人數部),這主要考慮的是辦書量相當(即匀派)。《于文襄手劄》第二十九通載:「五徵君所分五種書甚好,將來進呈時或有續蒙評賞亦未可知也。餘歸各纂修鬮分亦妥。(乾隆三十九年六月初五)」於氏認為,大部的書,應歸一人專辦,而且認為五徵君合適,每人分占一部。事實上,五徵君後來辦書確實頗得力,如邵晉涵辦《舊五代史》。可見,這樣分派是合理的,也是成功的。

其它匀派之書,雖說是拈鬮,但應該也會適當考慮到各人的學術專長,如邵晉涵負責五經散片,而徐步雲負責子、集二門,據「翰林院典簿廳為抄送永瑢等奏摺事致內閣典籍廳移會(附黏單)」(乾隆四十年正月初七日)載:「……伏查進士邵晉涵等自上年到館纂輯《永樂大典》內之五經散片及成部之□,迄今已一載有餘,臣等留心試看,該進士等均屬實力編排,行走勤慎。……上年九月內奉旨:徐步

54 張書才主編:《纂修四庫全書檔案》(上海市:上海古籍出版社,1997年),頁1450。

雲係南巡召試考取，學問亦憂，著加恩令在四庫全書處以分纂效力行走。欽此。查該員分纂《永樂大典》內之子、集二門，考訂頗見細心。」[55]又如，楊昌霖主要負責《春秋》類書的辦理，據胡適致王重民書（1944年11月27日）云：「……楊昌霖與戴東原遭遇相同，而身後名竟埋沒不見於記傳，若非吾兄作傳表章，我竟不知他有這麼多的《春秋》古說輯本。」[56]王嘉曾（號史亭）則專辦醫書，據周永年〈致桂未谷函〉云：「宋元人醫書，《大典》甚多，不知何者為外間所無。求陳先生速開一單，從莊谷處寄來。此刻王史亭先生現辦此門故也。要先開其最難得者。」[57]

其時，邵晉涵以史學、戴震以經學名世，據邵晉涵《南江文鈔》卷首陳壽祺《南江文鈔序》載：「開四庫館以收海內秘笈，捃《永樂大典》三萬餘卷，以緝前代墜簡，詔徵天下博洽通才五人參與編摩，授職詞垣，而餘姚邵二雲先生與休寧戴東原先生為之冠，天下士大夫言經學必推戴，言史學必推邵，當時以為篤論云。」故他們所辦之書也多與其專長有關，據阮元《南江文鈔序》載：「在四庫館，與戴東原諸先生編輯載籍，史學諸書多由先生訂其略，提要亦多出先生之手。」[58]邵氏辦理的書中，最有名的莫過於《舊五代史》。戴氏校辦的則主要有經學、小學、算學等書，如戴震〈答段若膺論韻〉載：「上年於《永樂大典》內得宋淳熙初楊倓《韻譜》，校正一過。」[59]其中最

55 張書才主編：《纂修四庫全書檔案》（上海市：上海古籍出版社，1997年），頁316-317。

56 北京大學信息管理系、臺北胡適紀念館編：《胡適王重民先生往來書信集》（臺北市：國家圖書館出版社，2009年），頁377。

57 王獻唐輯錄：《顧黃書僚雜錄》（濟南市：齊魯書社，1984年），頁3。

58 以上分別見續修四庫全書編委會編：《續修四庫全書》（上海市：上海古籍出版社，1996-2003年影印本），冊1463冊，頁323下、頁325下。

59 〈聲類表〉，卷首，《戴震全書》（合肥市：黃山書社，1994-1997年），冊3，頁352。

有名的當為《水經注》。[60]

5 關於大典本副本

如前所述，應刊之大典本，還需謄抄出副本，供聚珍館擺印之用，據「多羅質郡王永瑢等奏擬派肄業貢生校錄《永樂大典》應刊書籍並再添擺板供事摺」（乾隆三十九年二月二十三日）載：「臣等辦理《四庫全書》，所有《永樂大典》內採出散篇匯輯成部者，頗有堪以刊行之書，應行刊刻。前經臣金簡奏准用活字板擺刷，現在籌商應辦諸事。因此等散篇原錄草本，移改增易，行字參差，難以照式排板，而正本又不便令其校對，致有污損，臣等公同酌議，此等應刊書籍，非另辦副本不可。」[61]後來，用來抄寫續辦三份《全書》的大典本副本，大概指的就是這些副本，據「多羅質郡王永瑢等奏遵旨酌定雇覓書手繕寫全書章程摺」（乾隆四十七年八月二十日）載：「……一、武英殿所有底本，現在趕辦第三、四分，一時未能交出。今添寫三分書，所需底本，應先盡官刻各書及《永樂大典》副本發寫，其在館貯有重本者，亦可陸續諮取發繕，約計可得十之四五。」[62]

大典本在辦理過程中及四庫館閉館之後，還陸續產生過不少私家錄副本。關於這一點，可參本書第八章。

除上述情況外，四庫館開館期間所提到的大典本副本，一般都是指大典本的輯佚稿本。據《于文襄手劄》第二十二通云：「閱酌定散篇條例，妥協周詳，欽佩之至。惟末條云纂定之時另錄副本，方無舛漏，似應略有分別。蓋所集四百餘種，未必盡能湊合成書，亦未必盡

---

60 大典本《水經注》，其實只是據《大典》校補的。關於此書的辦理，比較複雜，爭論也較多。

61 張書才主編：《纂修四庫全書檔案》（上海市：上海古籍出版社，1997年），頁200。

62 張書才主編：《纂修四庫全書檔案》（上海市：上海古籍出版社，1997年），頁1616。

皆有用，誠如前劄所云，不過得半之局。俟草本黏繳成帙，即可辨其適用與否，以定去留，如應刊、應抄者，自須先謄副本，俾有成式可循。若止需存名之書，即無庸再行錄副，約計可省一半工夫。自必須如此纂辦，方不繁冗。希以此意先與錢塘宮傅商之。（乾隆三十八年七月廿六日）」也就是說，大典本的輯佚經過為：草本（初輯稿本）—錄副本—正本。纂修官黏成草本後，定其應刊、應抄與否，若應刊、應抄，再由謄錄抄成副本（如前述的《中興百官題名》）。若是不應刊、應抄者，則不用錄副。因此，這裏所謂的副本，實為二次修改稿。另據「多羅質郡王永瑢等奏黃壽齡遺失《永樂大典》六冊交部議處摺」（乾隆三十九年六月二十五日）載：「竊臣等遵旨纂辦《永樂大典》內散篇各書，所有應行採錄諸條，現在陸續摘抄將竣，因派令各纂修等將已經理清黏出副本，查對原書，逐一分頭詳細校勘，以便迅速編排成帙。」[63]這裏所謂的副本，也應該與前述的二次修改稿相同。

6 關於校辦

從前引辦書單可看出，大典本要經多人校辦，其中最重要的當然是纂修官。[64]纂修官所加意見，會以簽記標明，而這些簽記一般會通過案語的方式著錄入大典本中。收有這類案語的《四庫》大典本有不

63 張書才主編：《纂修四庫全書檔案》（上海市：上海古籍出版社，1997年），頁213。

64 王重民致胡適書（1944年1月27日）云：「……重民昨閱一部《四庫》底本（宋張方平的《樂全集》），於當日館臣校書手續，得稍知大概。每校一書，似先交分校官詳閱，遇有誤字，加簽眉端，再由纂修官決定。纂修官似有用朱筆的資格，合則用朱筆徑改之，不合則不動朱筆。纂修官的朱筆，似尚經總纂官駁正，所以拿此底本與影印文淵閣本《樂全集》相校，閣本有的改從朱筆，有的不採朱筆。」載北京大學信息管理系、臺北胡適紀念館編：《胡適王重民先生往來書信集》（臺北市：國家圖書館出版社，2009年），頁206。王氏的解釋不對。書應由原纂先校，然後交總纂、總裁、分校等校對。朱筆可能為總纂或總裁所加。

少，如《舊五代史》等。又如孔氏據輯佚稿本所抄的《春秋釋例》[65]，其中有纂修官楊昌霖所加的許多案語，例如：「按：遭喪繼立者以下，《永樂大典》無之，從隱元年《正義》所引《釋例》補入」、「按：文公成公以下，《永樂大典》無之，從文元年《正義》所引《釋例》補入」、「按：丘明三句，《永樂大典》無之，從《左傳正義》所引《釋例》增入」、「按：此四句，《永樂大典》誤作恩深不忍，《傳》言不書。從《正義》所引《釋例》改正」、「按：《永樂大典》無案字，從《正義》所引《釋例》增」，等等。

下面這一例子最能說明纂修官在校辦時所做的工作，據戴震與紀昀書云：「日前發寫《方言》，內附揚雄答劉歆書，內涉田儀事，有云：『故舉至日，雄之任也。』任字不可無注。今得《舊唐書》一條，足相證明，或謄錄尚未寫到此，希命供事即將案語交與補入。……案《舊唐書》〈薛登傳〉：『登本名謙光，……』加揚雄答劉歆書第三行『故舉至日，雄之任也』句下，小字雙行匀寫。」[66]這說明戴氏校書認真負責，他校完此書後，發現有應補充的地方，即寫信給紀昀，希望補入大典本中。但是，查文淵閣本《方言》，戴氏的案語並未補入，有可能是因為來不及了，也有可能是因為紀昀沒有讓人補入。

7 關於大典本纂修官、纂修兼校勘官、分校官

如前所述，大典本均先要經原纂校對，從這個意義上說，大典本

---

65 晉杜預撰，清抄本，清孔繼涵校並跋，孔廣栻校，錢坫跋，四冊，中國國家圖書館藏善本。孔氏所抄為楊昌霖的輯佚稿本。此稿本楊氏已作過整理，包括大量從《正義》補入的內容，以及楊氏的許多案語。這些案語，與《四庫》本所收相同。

66 易雪梅、曾雪梅：〈閱微草堂收藏諸老尺牘〉，《文獻》2005年第2期。原信中的「故舉至日，雄之任也」，應為「故舉至之，雄之任也」。

纂修均兼校勘。但是，前引銜名單卻將大典本纂校人員分為纂修官、纂修兼校勘官、分校官三類，這是為什麼呢？

（1）纂修官

有的館臣只是擔任過大典本纂修，而沒有任大典本分校。[67]例如，「左都御史紀昀奏文淵閣書籍校勘完竣並遙呈舛漏清單摺（附清單一）」（乾隆五十六年十二月初九日）載：「附，遺漏抵換各書清單。遺失《永樂大典》書三部：《春秋例要》。謹案：此書宋崔子方撰，乃《子方春秋》三書之一。通志堂所刻經解，僅有兩書，佚此一種，久無傳本。主事楊昌霖從《永樂大典》輯出補完。今架上未收。《秘書監志》。謹案：此書元王士點、商企翁同撰。原本久佚，編修今升祭酒鄒炳泰從《永樂大典》輯出。今架上未收。《熬波圖》。謹案：此書元陳椿撰。原本久佚，編修徐天柱從《永樂大典》輯出。今架上未收。借本抵換《永樂大典》書一部：《公是集》。謹案：此書宋劉敞撰。原本久佚，編修周永年從《永樂大典》輯出，共五十四卷。今架上以坊刻徐嘉允《三劉文集》八卷，分為十卷抵換，迥非原書。」[68]以上所提到的楊昌霖、鄒炳泰、周永年均在職名表所載的三十九位校勘《永樂大典》纂修兼分校官之中，而徐天柱並不在此列，但他又確實是大典本纂修官，因而筆者推測其只是大典本纂修官，而不兼分校官。

---

67 這裏所說的分校，是指前述辦書單中的復校，也就是《四庫》檔案記過單中的分校官。參與大典本分校的不一定為大典本纂修官。參史廣超：《《永樂大典》輯佚述稿》（鄭州市：中州古籍出版社，2009年），頁87-89。

68 張書才主編：《纂修四庫全書檔案》（上海市：上海古籍出版社，1997年），頁2273-2274。

就筆者目前所知，還有張家駒、黎溢海[69]、徐步雲曾任大典本纂修官（參本書所附「館臣表」），至於他們是否還兼任過分校，則不清楚，推測他們有可能也只是大典本纂修官。

（2）纂修兼校勘官

有的館臣既任大典本纂修，又任大典本分校。《四庫總目》職名表中所開列的校勘《永樂大典》纂修兼分校官有三十九位，這些人肯定既是纂修又是分校。

除這三十九人外，筆者又據其它材料考得陳際新、周興岱、劉權之[70]均為大典本纂修兼分校官（參本書所附「館臣表」）。

（3）分校官

有的館臣只是擔任過大典本分校，而沒有任大典本纂修。張書才主編《纂修四庫全書檔案》中收有三份記過單[71]，我們可據以考查大典本的分校人員：

A「軍機大臣進呈《永樂大典》總裁等人員記過次數清單」（乾隆四十六年）：

---

69 據「軍機大臣奏遵旨將總裁等錯誤次數查核並交部察議片」（乾隆四十二年四月初六日）載：「今查本年正月起至三月止，四庫館進過全書及散片各二次，臣等詳加查核。……至纂修·編修黃壽齡，檢討黎溢海，……前後各錯誤記過二次，應請交都察院及吏部分別議處。」「諭嗣後每次總校均照例不必積算如此欲各令心知愧勉」（乾隆四十二年四月初六日）載：「乾隆四十二年四月初六日奉旨：此次總核三月以來訛錯三次以上之總裁程景伊，兩次之纂修黃壽齡、黎溢海，復校汪鏞，分校袁文邵，俱著交吏部、都察院分別察議。」（以上分別載張書才主編：《纂修四庫全書檔案》〔上海市：上海古籍出版社，1997年〕，頁579-580、頁581）可見，黎溢海與黃壽齡一樣都是大典本纂修官。

70 他們兩人在聚珍本提要中顯示為大典本纂修官。

71 分別見張書才主編：《纂修四庫全書檔案》（上海市：上海古籍出版社，1997年），頁1450-1453、頁1511-1516、頁1560-1564。

翰林院四庫館於本年七月分三次寄園進呈過《永樂大典》第一分，正本十四種，共計一百四十本。今將總裁、分校記過次數，分晰開列於後。計開：

《周官總義》卷三內「公」訛「工」，總裁董（誥）記過一次，分校周永年記過一次；卷十三內「太」訛「大」，總裁董（誥）記過一次，分校周永年記過一次；卷二十內「疆」訛「強」，總裁董（誥）記過一次，分校周永年記過一次；卷二十七內「壁」訛「璧」，總裁董（誥）記過一次，分校周永年記過一次。

《左氏傳續說》卷二內「芻」訛「蒭」，總裁曹（文埴）記過一次，分校周永年記過一次；卷七內兩「達」字俱訛「逹」，總裁曹（文埴）記過二次，分校周永年記過二次；卷九內「舊」訛「𦾔」，總裁曹（文埴）記過一次，分校周永年記過一次。

《周官集傳》卷三內「乾」訛「乹」，總裁嵇（璜）記過一次，分校周永年記過一次；卷六內「太簇」訛「大蔟」，凡四處，總裁嵇（璜）記過一次，分校周永年記過一次。

《數學九章》序文內「銖錙」倒寫「錙銖」，協辦大學士尚書蔡（新）記過一次，分校陳際新記過一次。

《春秋釋例》卷一內「據」訛「擩」。總裁曹（文埴）記過一次，分校周永年記過一次；卷四內「謚」訛「諡」，分校周永年記過一次。

《文選顏鮑謝詩評》卷一內「朓」訛「眺」，總裁嵇（璜）記過一次，分校周永年記過一次；卷二內「臒」訛「艧」，總裁嵇（璜）記過一次，分校周永年記過一次；又卷二內「臺」訛「薹」，總裁嵇（璜）記過一次，分校周永年記過一次；卷三內「賦注」倒寫「注賦」，總裁嵇（璜）記過一次，分校周永年記過一次；卷四內「蛾」訛「娥」，總裁嵇（璜）記過一次，分校周永年記過一次。

《彭城集》卷二內「芻」訛「蒭」，總裁曹（文埴）記過一次，分校周永年記過一次；卷四內「烏」訛「鳥」，分校周永年記過一次；卷六內「憩」訛「憇」，分校周永年記過一次；卷十內「篷」訛「蓬」，分校周永年記過一次；卷十五內「閒」字挖補未填，總裁曹（文埴）記過一次，分校周永年記過五次；卷三十五內「箪」訛「簞」，分校周永年記過一次；卷三十七內「太」訛「大」，分校周永年記過一次。

《公是集》卷三內重寫一「兮」字，分校周永年記過一次；卷七內「摧」字描改不合，分校周永年記過五次；卷二十內「霖」訛「霜」，分校周永年記過一次；卷二十五內「轂」訛「谷」，分校周永年記過一次；卷三十內「掾」訛「椽」，分校周永年記過一次；卷四十三內「幾」訛「機」，分校周永年記過一次；卷五十內「禪」訛「禅」，分校周永年記過一次。

《牧庵集》卷五內「謚」訛「謐」，分校周永年記過一次；卷十內「祉」訛「示」，分校周永年記過一次；卷十三內「員」訛「幀」，分校周永年記過一次；卷二十七內「銘」訛「名」，分校周永年記過一次；卷三十二內「洲」訛「州」，分校周永年記過一次；又卷三十二內「饜」誤「厭」，分校周永年記過一次；卷三十三內「陽」字磨損未填，總校曹（文埴）記過一次，分校周永年記過五次。

……

B「四庫全書館進呈《永樂大典》內指出錯誤並總裁等記過次數清單」（乾隆四十七年二月）：

乾隆四十六年十一月十四日四庫館進呈過《永樂大典》一次，共六十八種，三分計一千二百三十九本，內有指出錯誤、應記過者一百三十八本，今將總裁、總閱、分校記過次數開後：

《周官新義》卷三內「青」誤「青」。總閱李綬抽閱一分，記過一次；三分同，分校莊承籛記過六次。

《春秋通訓》卷六內「瞶」誤「瞶」，三分同，分校范衷記過六次。

《春秋左傳讞》卷四內「商」訛「商」，分校吳裕德記過二次。卷九內「謚」訛「諡」，三分同。分校吳裕德記過六次。

《春秋穀梁傳讞》卷一內「伐」字少點，總閱倪承寬記過一次，分校吳裕德記過二次。卷四內「大」誤「太」，三分同，分校吳裕德記過六次。

《絜齋家塾書鈔》卷三內「逄」誤「逢」，三分同，分校莊通敏記過六次。卷十內「如」誤「若」，三分同，分校莊通敏記過六次。

《易通變》卷四十內「玄」誤「元」，三分同，分校王春煦記過六次。

《尚書精義》卷二十三內「戕」「戕」互異，三分同，分校俞大猷記過六次。卷三十一內空白未填，分校俞大猷記過五次。卷三十八內「債」誤「憤」，三分同。分校俞大猷記過六次。卷四十五內空白未填，一分，分校俞大猷記過五次；「推」誤作「惟」，一分，分校俞大猷記過二次。卷四十七內空白未填，分校俞大猷記過五次。

《金樓子》卷一內「妲」訛「膽」，三分同，分校王增記過六次。卷六內「甜」訛「聒」，一分，分校王增記過二次；「舊」訛「旧」，一分，分校王增記過二次。

《常談》卷一內「一」誤「二」。總閱莊存與抽閱一分，記過一次；三分同，分校莊承籛記過六次。

《密齋筆記》卷四內「瞶」誤「瞆」，三分同，分校莊承籛記過六次。

《晝墁集》卷二內「頳」誤「赬」，三分同，總裁嵇（璜）抽閱二分，記過二次；分校於鼎記過六次。

《濟南集》卷三內「隘」訛「猛」，三分同，分校陳昌齊記過六次。卷五內「曛」訛「曭」，三分同，分校陳昌齊記過六次。卷二內「京」訛「原」，三分同，總閱周煌記過三次，分校陳昌齊記過六次。

《鄖溪集》卷二十七內「簫」訛「蕭」，二分同，分校吳省蘭記過四次。

《潏水集》卷十六內「牖」字寫不成體，三分同，分校莊承籛記過六次。

《忠穆集》卷八內「陵」訛「林」，一分；又「明」訛「武」，三分同，分校王增記過六次。

《相山集》附錄內「宋王之道撰」應刪，三分同，分校范衷記過六次。卷九內「櫺」訛「醽」，三分同，分校范衷記過六次。卷十二內「鄰」訛「憐」，三分同，分校范衷記過六次。

《雲溪居士集》卷一內「晛」訛「睍」，三分同。總閱德保抽閱一分，記過一次；分校汪如洋記過六次。

《丹陽集》卷八內「太」訛「夫」，分校鄒炳泰記過二次。

《紫微集》卷一內「溥」訛「團」，三分同，分校蘇青鼇記過六次。卷七內「暑」訛「署」，二分同，分校蘇青鼇記過四次。卷九內「形」訛「音」，三分同，分校蘇青鼇記過六次。卷二十七內「縣」字填寫未全，分校蘇青鼇記過五次。卷三十內「凰」訛「鳳」，分校蘇青鼇記過二次。

《方舟集》卷五內「鹿」訛「馬」，三分同，分校陳昌齊記過六次。卷二十三內「澳」少水傍，三分同，分校陳昌齊記過六次。

《燭湖集》卷十八內「更」字少一畫，分校邵晉涵記過二次。

《九華集》卷三內「雛」字誤寫俗體，總閱倪承寬記過一次，分校陳昌齊記過二次。

《臞軒集》卷六內「簸」訛「簌」，二分同，分校吳省蘭記過四次。卷十四內「恐」訛「記」，分校吳省蘭記過二次。卷十六內「皺」訛「縐」，三分同，分校吳省蘭記過六次。

《樅溪居士集》卷三內「甑」字少兩點，分校吳鼎雯記過二次。

《南湖集》卷四內「杭」訛「航」，三分同，分校陳昌齊記過六次。卷五內「涵」訛「涵」，三分同，分校陳昌齊記過六次。

《鶴林集》卷四內「清」誤「青」，一分，分校平恕記過二次；「青」、「清」二字俱誤，一分，分校平恕記過四次。

《竹隱畸士集》卷四內「神」訛「人」，分校范衷記過二次。

《定齋集》卷九內「甫」誤「父」，三分同，分校平恕記過六次。卷二十內「璧」誤「壁」，分校平恕記過二次。

《棋埜集》卷九內「璧」訛「壁」，分校許兆椿記過二次。

《伊濱集》卷五內「祠」訛「詞」，二分同，分校吳鼎雯記過四次。卷七內「熏」訛「燻」，三分同，總閱倪承寬抽閱一分，記過一次；分校吳鼎雯記過六次。卷十一內「洲」訛「州」，三分同，分校吳鼎雯記過六次。

《雙溪醉隱集》卷一內「際」字未寫好，總閱汪永錫記過一次；分校吳省蘭記過二次。卷四內「舟」訛「丹」，一分，分校吳省蘭記過二次；「舟」訛「丹」，一分，分校吳省蘭記過二次。

《紫山大全集》卷六內「辰」訛「晨」，三分同，總閱德保抽閱一分，記過一次，分校陳昌齊記過六次。卷十四內「作」訛「祚」，三分同，分校陳昌齊記過六次。

《庸庵集》卷七內「賓」訛「魚」，分校莊承籛記過二次。

《江湖後集》卷十內「揚」訛「楊」，三分同，總裁曹（文埴）抽閱一分，記過一次；分校邵晉涵記過六次。卷二十內「鵾」訛「鶻」，分校邵晉涵記過二次。

……

C「辦理四庫全書處進呈《永樂大典》各書錯字並總裁等記過清單」(乾隆四十七年四月)：

辦理四庫全書處於本年正月初九日進呈《永樂大典》第二、三、四分整散各書一千四百五十五冊，內指出錯字書一百七十二本。今將總裁、總閱、分校記過次數開後。計開：

《續後漢書》「肓」訛「盲」，總閱尹壯圖記過一次，分校王春煦記過一次；「網」訛「綱」，總閱尹壯圖記過一次，分校王春煦記過三次；「稚」訛「雉」，總閱尹壯圖記過一次，分校王春煦記過三次；「十八」訛「十六」，分校王春煦記過三次；「鄙宗」誤「鄙愚」，分校王春煦記過三次；「下」訛「以」、「觀」訛「歎」，總閱尹壯圖記過二次，分校王春煦記過二次；「下」訛「以」、「觀」訛「歎」，分校王春煦記過二次；「觀」訛「歎」，分校王春煦記過一次。

《續資治通鑒長編》「障」訛「幛」，總閱周煌記過二次，分校劉校之記過三次；「貞觀」訛「正觀」，分校劉校之記過三次；「乾」訛「乹」，分校王坦修記過三次；「幾」訛「機」，分校王坦修記過三次；「藩」訛「籓」，總閱德保記過一次，分校王坦修記過三次；「邛」訛「衛」，分校李堯棟記過三次；「愊」訛「幅」，分校范衷記過一次；「府」字上有墨污，分校范衷記過五次；「聽」字繕寫潦草，分校王增記過一次；「對」訛「曰」，分校王增記過一次；「雖」作「雖」，係俗體，分校陳昌齊記過一次；「議」字寫不成字，總閱汪永錫記過一次，分校吳典記過一次；「蠶」作「蚕」，係俗體，分校吳典記過一次；「瑭」字訛寫，分校鄒炳泰記過一次；「連」訛「運」，分校鄒炳泰記過一次；「佞」訛「佞」，分校俞大猷記過一次；「公」字上誤加墨圈，分校於鼎記過一次；「枉」訛「祍」，分校范衷記過一次。「文宣」下原脫「二帝」二字，分校范衷記過三次；脫一「序」字，分校於鼎記過三次；「伐」訛「代」，分校邵晉涵記過三次；遺漏末行標明年號，分校俞大猷記過三次；「闈」訛「幃」，分校俞大猷記過三次；「蜀」訛「蜀」，分校俞大猷記過三次；「麻」作「蔴」，係俗體，分校俞大猷記過三次；「化」訛「熙」，分校吳鼎雯記過三次；「蹕」訛「驆」，分校鄒炳泰記過三次；「幾」訛「凡」，分校邵晉涵記過二次；「牖」訛「牗」，分校鄒炳泰記過二次；「斤」作「觔」，係俗體，分校邵晉涵記過三次；「贓」訛「賍」，分校吳典記過三次；「興」訛「與」、「淒淒」訛作「凄凄」，分校蘇青鼇記過二次；「淒淒」訛「凄凄」，分校蘇青鼇記過二次，「獻」作「猷」，係俗體，分校陳昌齊記過二次；「阼」訛「祚」，分校陳昌齊記過三次；「贓」訛「贜」，分校陳昌齊記過二次；「贓」訛「贜」，分校王增記過一次。

《漢濱集》內「人」訛「今」，總裁曹（文埴）記過二次，分校陳昌齊記過三次。

《逍遙集》內「蛾」訛「娥」，分校莊承籛記過三次。

《後樂集》內「繹」訛「驛」，分校周興岱記過三次。

《文選》〈顏鮑謝詩評〉內「籍」訛「藉」，分校劉權之記過三次；「階」字填補未完，分校劉權之記過十次。《榘庵集》內「時雨時風」誤作「時風時雨」，分校許兆椿記過三次。

《漢濱集》內「彼」字挖補未填，分校陳昌齊記過五次；「鎮」字挖補未填，分校陳昌齊記過五次。

《昌谷集》內「蓬」訛「篷」，分校於鼎記過三次；「羨」字挖補未填，分校於鼎記過五次。

《緣督集》內「贛」訛「贑」，總閱竇光鼐記過一次，分校陳昌齊記過二次；「日」訛「目」，分校陳昌齊記過二次；「天」字空白未填，分校陳昌齊記過五次；「涵」字空白未填，分校陳昌齊記過五次；「遜」字空白未填，分校陳昌齊記過五次；「天」字重寫，分校陳昌齊記過一次。

《大隱居士集》「網」字上有墨點，分校李堯棟記過一次。

《雲溪集》內「日」訛「年」，分校王增記過一次。

《大金弔伐錄》內「遑」訛「皇」，分校於鼎記過二次；「幾」訛「機」，分校於鼎記過二次；「徧」訛「偏」，分校於鼎記過三次；「遑」字填寫未匀，分校於鼎記過一次；「遑」訛「皇」，又脫寫「冀」字，分校於鼎記過二次；

《西漢年紀》「豺」訛「豹」，分校李堯棟記過三次。

《左氏傳續說》內「聵」訛「瞶」，分校劉權之記過三次；「杼」字填補未完，分校劉權之記過五次。

《周官集傳》內「壁」訛「壁」，分校許兆椿記過三次；「簫」訛「蕭」，分校許兆椿記過三次；「轂」訛「轂」，分校許兆椿記過三次。

《周易詳解》內「兩」作「両」，係俗體，分校莊通敏記過二次；「朿」訛「東」，分校莊通敏記過二次；「盍」訛「蓋」，分校莊通敏記過一次。

《厚齋易學》內「涵」訛「涵」，分校范衷記過三次；「繫」訛「係」，分校范衷記過三次；「甫」訛「父」，分校范衷記過二次；「旨」訛「指」，分校范衷記過三次；「羑」字寫不成字，總閱李綬記過一次，分校吳典記過一次；「瞰」訛「瞰」，分校吳典記過一次；「大」訛「太」，分校范衷記過一次。

《家山圖書律呂之圖》內「正月」訛「三月」，分校劉權之記過一次。

……

從上述三份記過單可看出：

其一，大典本分校官有：周永年、陳際新、莊承籛、范衷、吳裕德、莊通敏、平恕、吳鼎雯、邵晉涵、王增、王春煦、俞大猷、於鼎、陳昌齊、吳省蘭、汪如洋、鄒炳泰、蘇青鼇、許兆椿、劉權之、吳典、劉校之、王坦修、李堯棟、周興岱。這些大典本分校官中，未入《四庫》職名表的有：蘇青鼇；在職名表中著錄為其它館職的有：

吳裕德、周興岱、劉權之、陳際新；其餘均在職名表中著錄為大典本纂修兼分校。不過，陳際新在職名表中為天文算法纂修官，而依據其它材料我們可考得周興岱、劉權之、蘇青鼇[72]也是大典本纂修官（參本書所附「館臣表」），因此，以上這些大典本分校官中，我們不清楚是否為纂修官的其實只有吳裕德一人。也就是說，大典本分校官絕大多數是纂修官兼任，純粹的分校官應該是很少的。《四庫》職名表只是開列大典本纂修兼分校官，可能也是出於這樣的考慮。

其二，一部大典本通常由一位分校負責校對，而只有篇幅較大的大典本，才由兩名或兩名以上分校共同校對，如《續資治通鑒長編》等。

其三，依據上述的記過單，結合其它材料，可以考得：

同一大典本，纂修官與分校官為同一人的有：《彭城集》（周永年），《公是集》（周永年），《鄖溪集》（吳省蘭）；纂修官與分校官不是同一人的有：

書名	纂修官	分校官
絜齋家塾書抄十二卷	余集	莊通敏
周官集傳十六卷	許兆椿	周永年
周官新義十六卷	周永年	莊承籛
春秋釋例十五卷	楊昌霖	周永年
春秋左氏傳續說十二卷	劉權之	周永年
金樓子六卷	周永年	王增
忠穆集八卷	黃良棟	王增
文選・顏鮑謝詩評四卷	劉權之	周永年

72 據國家清史編纂委員會「國家清史工程數位資源總庫・朱批庫」所收「呈四庫全書處纂修黃壽齡等員名單」可知，蘇氏為四庫全書處纂修。因為蘇氏為大典本分校，又為纂修，因而此纂修應該為大典本纂修。

儘管以上的資料還很有限，但是我們應該可以據此推測，就同一部大典本而言，纂修官與分校為同一人的情況應該是占少數。也就是說，在大多數情況下，那些大典本分校官所校（復校）的書，都不是自己原纂辦的大典本。

第三節　武英殿四庫館的辦書流程

翰林院辦好之採進本及內府本等書，經由總纂官等覆核後，交武英殿發抄，然後開始進入武英殿的辦書流程。[73]

《書林清話》卷九收有〈四庫發館校書之貼式〉：「乾隆纂修《四庫》時，每書發交館臣，首貼一紙。翰林院儲存底本，往往見之。其式如右，□者，原空字格，填寫數目也。

第　卷底本十頁
武英殿於　月　日　發出
分校處於　月　日簽出處發交謄錄　寫成
十頁於　月　日收到寫本於　月　日校畢交復校
收訖
復校處於　月　日收於　月　日復校畢交
殿
此卷計　萬　千　百　十　字
連前共交過　萬　千　百　十　字

73 「大學士英廉等奏遵旨查審提調陸費墀遺失底本情形折」（乾隆四十五年五月二十七日）載：「……據稱：現在頭分正本未寫者止一百八十餘種，因總纂處有於本年校看完畢始行移送者，又有繫上年冬間趕辦第二分《薈要》完畢方能繕寫者，所以稍遲。」見張書才主編：《纂修四庫全書檔案》（上海市：上海古籍出版社，1997年），頁1168。

按右式所載收發、簽校、謄錄等名目，開館時皆設有專官。總校、分校以翰林編檢為之。又有繕書處總校官、分校官，則翰林、六部郎中、主事、內閣中書、國子監學錄皆有其人。至繕書處收掌官，則止中書科中書、國子監典簿、學正等。武英殿收掌官，僅各部筆帖式，無大臣也。諸人姓名職銜均載《欽定四庫全書》卷首。」[74]

北京大學圖書館所藏《四庫》底本《晏元獻公類要》[75]中也貼有兩張校書單，其中卷七（館臣改為卷十九）前所貼為[76]：

晏公類要　第*十九*卷底本□十□頁 武英殿於三月*初五*日發出 分校處於□月□日簽出□處發交謄錄*張□*[77]*宸*寫成 □十□頁於□月□日收到寫本於□月□日校畢交復校訖 復校處於□月□日收於□月□日復校畢交 殿 此卷計□萬□千□百□十□字 連前共交過□萬□千□百□十□字

74 〔清〕葉德輝：《書林清話》（北京市：中華書局，1957年），頁239-241。

75 《晏元獻公類要》為《四庫》存目書。北大圖書館所藏《晏元獻公類要》，原書一百卷，實存十六卷，宋晏殊輯，清初抄本（《四庫》底本），六冊二函。書中目錄首頁有「桐城姚伯印氏藏書記」長方印。書中另有「古潭州袁臥雪廬收藏」方印。

76 劉小琴：《八十二種四庫底本刪改淺析》（北京市：北京大學碩士論文，1982年），頁12亦收有此單。

77 此字辨認不清。

卷八（館臣改為卷二十二）前所貼為：

晏公類要　第*廿*二卷底本□十□頁
武英殿於三月*初五*日發出
分校處於□月□日簽出□處發交謄錄*劉體潤*寫成
□十□頁於□月□日收到寫本於□月□日校畢交復校訖
復校處於□月□日收於□月□日復校畢交
殿
此卷計□萬□千□百□十□字
連前共交過□萬□千□百□十□字

說明：斜體字，為已手寫填入的字；□為表示需填寫的地方；其它字為原來已刻印好的。

綜合上述的三份校書單，我們可看出當時的校書程序為：

其一，提調官將底本先發下給分校官校對。分校官對底本作校簽。

其二，由分校再發下給謄錄謄抄。

其三，謄錄抄好後交回給分校，由分校校對。

其四，分校校好後，交復校重校（也會加校簽）。

其五，復校校好後，送交回武英殿提調。

依據校書單及上述程序，我們還可以進一步發現：

其一，按要求，每一卷似乎都需填一校書單。

其二，《晏元獻公類要》的卷七、卷八是在同一冊的，卻分下給兩個謄錄來謄抄，推想這應該是先後分給兩位謄錄謄抄的，而不是將書拆開分別給兩位謄錄的。

其三，與大典本辦書過程多由提調經手不同，武英殿辦書則多由上一經辦人轉給下一個辦書者，其中尤其以分校官最為重要，他們不但要校謄錄本，而且還要校底本。另外，謄錄在武英殿中是由分校負責的，書由分校派給謄錄，謄錄再交回分校。這與檔案中的記載是一致的，據「吏部為議處分校官鄭爔等人事致稽察房移會（附黏單）」（乾隆三十九年八月）載：「附：吏部題《四庫全書》總裁等人員罰俸本：……所有謄錄應繳每日功課，先經酌定，責令各該分校官催收校畢，送復校官復閱，由復校官匯交提調，驗明裝訂成書，登記檔冊，俟臣稽核進呈。」[78]「大學士于敏中等奏請將《薈要》復校改為分校並添設總校二員摺」（乾隆四十年十二月初九日）亦載：「……查本處額設分校官二十二員，復校官十二員。向以分校收校謄錄之書，以復校稽核分校之書，層層相臨，原期毫無舛誤。但行之既久，覺多一層轉折，即多數日稽遲，且或分校、復校彼此互相倚恃，反致多有掛漏。應請將《薈要》復校通改為分校，所有謄錄二百人，均勻分派，每員約管六人，則每日僅各收繕書六千字，盡可從容詳校。」[79]可見，在校書過程中，由分校負責數名謄錄，然後分派謄抄其所校之書。

以下根據相關材料，對以上描述的程序再作補充說明：

一　校正底本

在校書過程中，分校官、復校官均被鼓勵校出原書錯誤[80]，故目前所見《四庫》底本，多有分校官、復校官之夾簽。因此，並不是只有纂修官才校正底本，而分校官只是校正謄抄本。另外，這些夾簽，多蓋有分校及復校的木印，以作為記錄的憑證。也就是說，倘這些夾

78 張書才主編：《纂修四庫全書檔案》（上海市：上海古籍出版社，1997年），頁247。
79 張書才主編：《纂修四庫全書檔案》（上海市：上海古籍出版社，1997年），頁488。
80 可參黃愛平：《四庫全書纂修研究》（北京市：中國人民大學出版社，1989年），頁138-140。

簽經總裁等認定成立，即可以作為分校與復校的功績而記錄。分校官、復校官的這些記錄，又可以作為議敘之依據及處罰之抵消。由於可用記錄抵消處罰，因此，儘管四庫館中分校、復校因校書記過多受處罰，且罰款甚多，但並不意味著他們都真正交過這麼多罰款。

二　標示格式

分校除了校正文字，還要提示抄寫格式。茲以前引《四庫》底本《晏元獻公類要》為例，書中有不少簽記是關於書寫格式的，如第一冊目錄後貼有一紙簽：「書內有圖處空出一格，間有圈上又空一格者，亦只空出一格，以留補圈便是。其小注需排勻寫。至書中有空誤之處，簽明底本空出，以便校核。底本便體俗字俱要照正體寫。」卷三第二頁貼有一紙簽：「乃有下二直是宇宙二字，上屆字當寫在頭一行下，方可排勻。」卷七又有一紙簽：「抄本俗字太多，要照正體繕寫，凡卷前小目不寫。」這些簽記應該都是分校所為。分校官管謄錄，知道如何抄寫規範。否則，若分校負責的謄錄抄錯，分校本身也有責任。[81]

一般來說，分校出簽，其簽條上會蓋有分校姓名的木記，但是，上一段中所提到的那些簽條都沒蓋分校的印章，為什麼呢？筆者推測，蓋章主要是為了記功，而這些抄寫格式提示不在記功之範圍內，所以也就不用蓋印章了。

三　隨時駁換

在謄抄過程中，若發現有錯誤，可隨時駁改，如「大學士英廉等

---

81 提調官可能只是審查抄好後的正本格式是否正確，不管抄寫前的格式要求，因而不會一一審讀並標示格式於底本中。

奏遵旨查審提調陸費墀遺失底本情形摺」（乾隆四十五年五月二十七日）載：「……迨後謄錄又增至千有餘名，繕寫多有屢經駁換者，實因書籍浩繁，人數又眾，收發匆忙之際，遺漏登記，自所不免。」[82]

四　總裁、總閱抽檢

總裁、總閱要對武英殿繕書處抄成的正本進行抽閱，據前引「大學士英廉等奏遵旨查審提調陸費墀遺失底本情形摺」（乾隆四十五年五月二十七日）載：「……提調收到總纂處移送底本及發交各謄錄繕寫，當時原即登記檔冊。但每書一冊寫就正本之後，需送總校復勘，總裁抽閱，必經數次發出收回。」

五　進呈及查核錯誤

那些應抄之書（指採進書、內府本等），經武英殿四庫館校正、謄抄成正本後，還要進呈御覽，其中經乾隆或軍機大臣（兼四庫館總裁）看出訛錯之處[83]，每三月由軍機大臣統計，以作為處分之依據。

---

82 張書才主編：《纂修四庫全書檔案》（上海市：上海古籍出版社，1997年），頁1166。

83 乾隆自己不太可能抽查那麼多書，應該是軍機大臣協助他抽查的，例如，「全書處匯核十至十二月繕寫全書訛錯及總裁等記過清單」（乾隆四十六年正月）載：「又總裁阿（桂）、和（珅）復閱奏明記過之處，一併填注，統行開具於後。」「全書處匯核正月至三月繕寫全書訛錯及總裁等記過清單」（乾隆四十六年四月）載：「又總裁阿（桂）、和（珅）復閱奏明記過之處，一併填注，統行開具於後。」「全書處匯核七月至九月繕寫全書訛錯及總裁等記過清單」（乾隆四十六年十月）載：「又總裁和（珅）、梁（國治）復閱奏明記過之處，一併填注，統行開具於後。」「全書處匯核上年十至十二月全書內繕寫訛錯並總裁等記過次數清單」（乾隆四十七年二月）載：「又總裁和（珅）、梁（國治）復閱奏明記過之處，一併填注，統行開具於後。」（以上分別見張書才主編：《纂修四庫全書檔案》（上海市：上海古籍出版社，據「諭內閣所有進過書籍訛錯之處著軍機大臣每三月查核一次奏請交部議處」（乾隆四十二年三月二十四日）載：「著自今年正月起，所有進過書籍訛錯之處，交軍機大臣通行查核。經朕看出錯訛者，其分校、復校名下錯至兩次，總裁名下所校錯至三次者，均著查明，奏請交部議處。此議處處分原輕，不過示以知愧。既已分閱，可不悉心乎？此後著交軍機大臣照此每三月一次，查辦奏聞。」[84]

即使乾隆出行在外，也有專差隨報箱與奏摺一起送呈御覽，據「滿票簽為發報進呈全書之期另添馬匹負送事致典籍廳移付」（乾隆四十七年三月初四日）載：「本日奉旨：此次巡幸盤山，隨報進呈之《四庫》書，每報呈進一百五十本。將來巡幸熱河，每報呈進二百本。欽此。即遵照辦理無誤等因，相應移付貴處回明中堂，每報添設包馬三匹負送等因前來。本處已回明中堂，相應移付貴廳轉行文兵部。每逢發報之期，另添包馬三匹，在東華門伺候，以便應用可也。需至付者。右移付典籍廳。」[85]張塤《竹葉庵文集》卷四《廣仁嶺》載：「……五花習健兒，三日發摺匣。兼馱《四庫》書，不止十行劄。慚愧事校讎，匆忙共檢押。豈無一字錯，素餐汗衣袷（時道逢進《薈要》書回）。」[86]

1997年），頁1255、頁1331、頁1421、頁1471）所謂復閱，即檢查進呈本的錯誤。以上提到的阿桂、和珅、梁國治均為軍機大臣。

84 張書才主編：《纂修四庫全書檔案》（上海市：上海古籍出版社，1997年），頁576。

85 張書才主編：《纂修四庫全書檔案》（上海市：上海古籍出版社，1997年），頁1546。關於送「報」之事，還可參胡適致王重民（1945年7月20日）書：「……當時熱河與北京之間，每日有驛『報』，歸兵部辦理。……大約每『報』只需一晝夜可由京至熱河行宮！」載北京大學信息管理系、臺北胡適紀念館編：《胡適王重民先生往來書信集》（臺北市：國家圖書館出版社，2009年），頁399。另外，該書頁546、549頁，收王重民致胡適（1945年8月1日、8月2日）兩信，亦提到乾隆在熱河時呈送《四庫》書的情況，可參考。

86 續修四庫全書編委會編：《續修四庫全書》（上海市：上海古籍出版社，1996-2003年影印本），冊1449，頁136下-137頁上。

自乾隆四十二年四月起，至乾隆四十九年十一月止，乾隆及軍機大臣不間斷地對《四庫》進呈本進行抽查，這在《纂修四庫全書檔案》所收每三月一次的記過單中有詳細記載[87]：

「軍機大臣奏遵旨將總裁等錯誤次數查核並交部察議片」（乾隆四十二年四月初六日）載：「……今查本年正月起至三月止，四庫館進過全書及散片各二次，臣等詳加查核。……至薈要處本年進過二次，亦有錯訛之處。」

「軍機大臣奏查明總裁程景伊等錯誤次數請交部察議片」（乾隆四十二年七月初四日）載：「……茲自四月起至六月止，四庫館進過全書、散片及武英殿進過《薈要》各二次。」

「軍機大臣奏查明七至九月所進書籍錯誤次數請將總裁等交部察議片」（乾隆四十二年十月初七日）載：「茲自七月起至九月止，四庫館進過全書、散片各二次，武英殿進過《薈要》三次。」

「大學士阿桂等奏查明十至十二月所進書籍錯誤次數請將總裁等交部察議摺」（乾隆四十三年正月十一日）載：「……自十月至十二月止，四庫館進過全書、散片各二次、武英殿進過《薈要》一次。」

「軍機大臣奏遵旨查明一至三月所進書籍錯誤次數請將阿哥總裁等交部察議片」（乾隆四十三年四月初九日）載：「……自本年正月至三月止，四庫館進過全書二次，散片一次，武英殿進過《薈要》二次。」

---

87 以下記過單分別見張書才主編：《纂修四庫全書檔案》（上海市：上海古籍出版社，1997年），頁579-580、頁630-632、頁728-729、頁770-771、頁811-812、頁859-861、頁928-929、頁988-989、頁1018-1019、頁1062-1063、頁1110-1111、頁1145-1146、頁1160-1162、頁1183-1185、頁1219-1220、頁1152-1154、頁1329-1330、頁1381-1383、頁1419-1420、頁1468-1470、頁11558-1560、頁1608-1610、頁1670-1671、頁1711-1713、頁1728-1729、頁1736-1738、頁1754-1756、頁1769-1771、頁1792-1794、頁1811-1813。

「軍機大臣奏遵旨查明四至閏六月所進書籍錯誤次數請將總裁等交部察議片」（乾隆四十三年七月初四日）載：「……自四月起至閏六月止，四庫館進過全書二次、散片三次，武英殿進過《薈要》三次。」

「軍機大臣奏查明七至九月所進書籍錯誤次數請將總裁等交部察議片」（乾隆四十三年十月初七日）載：「……自七月起至九月止，四庫館進過全書十六次、《薈要》五次。」

「軍機大臣奏查明十至十二月所進書籍錯誤次數請將總裁等交部察議片」（乾隆四十四年正月十六日）載：「自十月起至十二月止，四庫館進過全書二次、《薈要》二次。」

「軍機大臣奏查明正月至三月所進書籍錯誤次數請將總校等交部察議片」（乾隆四十四年四月初五日）載：「茲自本年正月起至三月止，四庫館進過全書二次、《薈要》二次，臣等詳加查核。」

「軍機大臣奏奉旨查明四至六月所進書籍錯誤次數請將總裁等交部察議片」（乾隆四十四年七月初五日）載：「……自四月起至六月止，四庫館進過全書七次、《薈要》五次。」

「軍機大臣奏查明七至九月所進書籍錯誤次數請將總裁等交部察議片」（乾隆四十四年十月初十日）載：「……自七月起至九月止，四庫館進過全書六次、《薈要》二次。」

「軍機大臣奏查明十至十二月所進書籍錯誤次數請將總裁等交部察議片」（乾隆四十五年正月初三日）載：「……自十月起至十二月止，四庫館進過全書二次、《薈要》三次。」

「軍機大臣奏查明正月至三月所進書籍錯誤次數請將總裁等交部察議片」（乾隆四十五年四月二十三日）載：「……自本年正月起至三月止，四庫館進過全書二十二次。」

「軍機大臣奏查明四月至六月所進書籍錯誤次數請將總裁等交部

察議片」（乾隆四十五年七月二十四日）載：「……自四月起至六月止，四庫館進過全書十六次。」

「軍機大臣奏查明七至九月所進書籍錯誤次數請將總裁等交部察議片」（乾隆四十五年十月十一日）載：「……自本年七月起至九月止，四庫館進過全書十四次。」

「軍機大臣奏查明十至十二月所進書籍錯誤次數請將總裁等交部察議片」（乾隆四十六年正月十七日）載：「……自十月起至十二月止，進過全書四次，《永樂大典》一次。」

「軍機大臣奏查核正月至三月所進書籍錯誤次數請將總裁等交部察議片」（乾隆四十六年四月十五日）載：「……本年正月起至三月止，進過全書九次。」

「軍機大臣奏查明四月至六月所進書籍錯誤次數請將總裁等交部察議片」（乾隆四十六年七月十六日）載：「……今自四月起至六月止，進過全書十四次。」

「軍機大臣福隆安等奏查明七月至九月總裁等校書記過次數應交部察議摺」（乾隆四十六年十月十八日）載：「……今自七月起至九月止，進過全書六次。」

「軍機大臣奏查明上年十至十二月所進書籍錯誤次數請將總裁等交部察議片」（乾隆四十七年二月二十日）載：「……所有上年十月起至十二月止，進過全書六次、《永樂大典》一次。」

「軍機大臣奏查明正月至三月所進書籍錯誤次數請將總裁等交部察議片」（乾隆四十七年四月二十四日）載：「……所有本年正月起至三月止，進過全書八次，《永樂大典》一次。」

「軍機大臣奏查核四至六月所進書籍錯誤次數請將總校等交部察議片」（乾隆四十七年八月初十日）載：「……今自四月起至六月止，續進過第二分全書七次。」

「軍機大臣奏查核五月至九月所進書籍錯誤次數請將總校等交部察議片」（乾隆四十七年十一月初一日）載：「……本年五月十二日以前，所進書籍錯誤次數業經按季查核，其五月十八日以後，行在呈進節次發下錯誤之書，遵旨歸秋季辦理。今自五月十八日起至九月底止，呈進過第二分全書十一次共計一萬六千五百冊。」

「軍機大臣奏查核上年冬季所進第二分全書錯誤次數請將提調等官交部察議片」（乾隆四十八年二月二十八日）載：「……所有乾隆四十七年秋季進過書籍錯誤，業於上年十一月初二日查核交部，其上年冬季進過第二分全書七次。」

「軍機大臣奏查核春季所進第三分全書錯誤記過次數請將提調等官交部察議片」（乾隆四十八年五月十一日）載：「……所有乾隆四十七年冬季進過書籍錯誤，業於本年二月二十八日查核交部。其本年春季進過第三分全書七次。」

「軍機大臣奏查核夏季所進第三分全書錯誤記過次數請將提調等官交部察議片」（乾隆四十八年八月初二日）載：「……所有本年春季進過書籍錯誤，業經臣等查核交部，其夏季所進第三分全書錯誤之處，臣等詳加稽核。」

「軍機大臣奏稽核秋季所進第三分全書錯誤記過次數請將總校等官交部察議片」（乾隆四十八年十一月二十九日）載：「……所有本年夏季進過書籍錯誤，業經臣等查核交部，其秋季所進第三分全書錯誤之處，臣等詳加稽核。」

「軍機大臣和珅等奏稽核冬季所進第三分全書記過次數請將提調等交議摺」（乾隆四十九年閏三月二十二日）載：「……所有四十八年分秋季進過書籍錯誤，業經臣等查核交部，其冬季所進第三分全書錯誤之處，臣等詳加稽核。」

「軍機大臣和珅等奏查核四庫館暨三通館錯誤記過各員交部察議

片」(乾隆四十九年八月十四日)載:「……所有四十九年分夏季所進第四分全書錯誤之處,臣等詳加稽核。」

「軍機大臣奏秋季所造第四分全書錯誤記過次數請將總校等官交部議處片」(乾隆四十九年十一月十五日)載:「……所有四十九年分秋季所進第四分全書錯誤之處,臣等詳加稽核。」

需要注意的是,上引奏摺中所提到的「全書」應指的是武英殿四庫館繕錄的正本,而散片(又稱《永樂大典》)應指的是大典本正本,可見,武英殿繕成的正本(包括採進本、內府本等)與翰林院繕成的正本(指大典本)在進呈時往往是分開統計的,這說明它們分別是由武英殿四庫館和翰林院四庫館進呈的,而最後匯總於軍機大臣的統計單。[88]另外,《薈要》的呈送也是與《四庫》書分開統計的,最後也匯總於軍機大臣的統計單。[89]從檔案看,《薈要》的呈送機構前後有變化,按時間順序分別為:薈要處、武英殿、四庫館。薈要處即在武英殿,也屬於四庫館,名稱的變化反映了薈要處與武英殿、四庫館的微妙關係:早期突出薈要處的獨立性,後來則統歸於四庫館。

---

88 例如,「全書處匯核上年十至十二月全書內繕寫訛錯並總裁等記過次數清單」(乾隆四十七年二月)是統計採進書、內府本等的記過單,「四庫全書館進呈《永樂大典》內指出錯誤並總裁等記過次數清單」(乾隆四十七年二月)是統計大典本的記過單,而「軍機大臣奏查明上年十至十二月所進書籍錯誤次數請將總裁等交部察議片」(乾隆四十七年二月二十日)則是匯總兩者的記過單。以上分別載張書才主編:《纂修四庫全書檔案》(上海市:上海古籍出版社,1997年),頁1470-1511、頁1511-1516、頁1468-1470。

89 例如,「全書處匯核七至九月繕寫訛錯奉旨記過之總裁等清單」(乾隆四十四年十月)是統計《四庫》書的記過單,「薈要處匯核七至九月繕寫訛錯奉旨記過之總裁等清單」(乾隆四十四年十月)是統計《薈要》書的記過單,而「軍機大臣奏查明七至九月所進書籍錯誤次數請將總裁等交部察議片」(乾隆四十四年十月初十日)則是匯總兩者的記過單。以上分別載張書才主編:《纂修四庫全書檔案》(上海市:上海古籍出版社,1997年),頁1112-1113、頁1114-1115、頁1110-1111。

綜上所述，筆者大致推測武英殿四庫館的辦書程序為：武英殿提調將底本分下給分校，分校校好後，分給自己負責的謄錄，謄錄抄好後，再交回分校，分校再校此謄抄稿。分校校好後，再交復校（後改為總校），復校校好後匯交提調，若沒有問題就裝訂成正本。這些抄成的正本還要由總閱或總裁抽閱，然後進呈乾隆御覽。最後，經各環節修補好的《四庫》正本交武英殿收掌官收掌。其流程也可以簡單描述為：提調—分校官—謄錄—分校—復校（或總校）—提調—總裁或總閱—乾隆—武英殿收掌官。

六　其它

除以上所描述的常規辦書流程外，還有一些其它情況需要注意。

（一）關於內府書的辦理地方

據「辦理四庫全書處奏遵旨酌議排纂《四庫全書》應行事宜摺」（乾隆三十八年閏三月十一日）載：「……遵旨將官刻各種書籍及舊有諸書，先行陸續繕寫。……至應寫全書，現貯武英殿者居多，所有分寫、收發各事宜，應即就武英殿辦理。其未經發寫之前，有舊刻顯然訛誤，應行隨處改正，及每卷繕竣後並須精加校對。」[90]官刻指武英殿刻本，在《四庫總目》中一般著錄為內府刊本；舊有書籍指內府舊藏，在《四庫總目》中一般著錄為內府藏本。這些書在開館之初是在武英殿辦理的。但是，翁方綱《復初齋詩》則提到內府書是在翰林院中辦理的：「乾隆癸巳開四庫館，即於翰林院藏書之所，分三處：凡內府秘書，發出到院為一處；院中藏書《永樂大典》，內有摘抄成

90 張書才主編：《纂修四庫全書檔案》（上海市：上海古籍出版社，1997年），頁75。

卷，彙編成部者為一處；各省採進民間藏書為一處。」[91]據筆者考證，翰林院校辦《四庫全書》的三處地方分別為：校辦《永樂大典》輯佚書於原心亭，校辦各省遺書於寶善亭，校辦內府發出書於西齋房。也就是說，內府藏書是從宮中送出至翰林院西齋房，由四庫館臣校辦。翁氏所言與前引奏摺記載不一致，這是為什麼呢？筆者推測，官刻及內府舊書，原是在武英殿辦理的。後來，由於分校、謄抄《四庫》書的不斷增多，武英殿方面難以兼顧原來的纂修工作，故將官刻及內府舊書移出翰林院辦理。《四庫採進書目》中所收的「武英殿書目」（共九百種），就是當時調取武英殿藏書的目錄。[92]據「履郡王永珹等奏酌擬存留武英殿修書處庫貯各種書籍摺」（乾隆三十九年五月十一日）載：「……尚有積年又各處交到雜項書籍一千四百餘種，其中純疵不一，堆貯庫內，亦應及時清釐。前經《四庫全書》處查取九百餘種，現存五百八十餘種，俱係尋常之書。」[93]由此可看出，當時武英殿藏書有一千四百餘種，而四庫館只查取了九百餘種。這所選的九百餘種書之目錄，就應該是《四庫採進書目》中所收的「武英殿書目」。[94]

順便一提的是，殿本職名表纂修官一項中下分：纂修官與天文算法纂修官，而浙本職名表纂修官則分為：校勘《永樂大典》纂修官、校辦各省送到遺書纂修官、天文算法纂修官、黃簽考證纂修官。但無論哪種劃分，均未列內府本纂修官，這是為什麼呢？這可能是因為內府本並未由專職纂修官辦理，而是由其它纂修官兼辦（如邵晉涵、翁方綱均辦過內府本），故職名表中未予單列。否則，如果有專門的內

91 轉引自孫殿起：《琉璃廠小志》（北京市：古籍出版社，1982年），頁32。
92 參吳慰祖編：《四庫採進書目》（北京市：商務印書館，1960年），頁187-203。
93 張書才主編：《纂修四庫全書檔案》（上海市：上海古籍出版社，1997年），頁206。
94 總數稍有不同，可能是統計的誤差。

府本纂修官，那麼職名表中有這樣重大的疏漏不會不被當時人指出。事實上，不但其它纂修官（如校勘《永樂大典》纂修官與校辦各省送到遺書纂修官）兼辦內府本，校勘《永樂大典》纂修官還校辦採進書，校辦各省送到遺書纂修官也校辦大典本。也就是說，隨著修書的進展、館臣的變化，交叉辦書的現象越來越普遍。正因如此，紀昀等在後來修訂殿本職名表時，發現要嚴格區分各類纂修官是比較困難的，就乾脆將校勘《永樂大典》纂修官、校辦各省送到遺書纂修官等合併而統稱為「纂修官」，以免引起誤導。

（二）關於通行本

《四庫》所收之書中還有「通行本」，那麼，什麼是通行本呢？它們是如何辦理的呢？《四庫全書總目》卷首〈凡例〉說：「其坊刻之書，不可專題一家者，則注曰通行本。」[95]其實，這一定義並不清楚，而且也是有問題的，因為清代各省的通志在《四庫》中也著錄為通行本，而這些通志顯然不是坊刻之書。

通行本在所有《四庫》書中的比例並不高。通過《四庫採進書目》來調查可知，這些通行本中有一小部分來自於採進書和內府（武英殿）藏書，但大部分不明所自。那麼，大部分的通行本從哪裏來呢？

據「辦理四庫全書處奏遵旨酌議排纂《四庫全書》應行事宜摺」（乾隆三十八年閏三月十一日）載：「……此外，或有向係通行並非應訪遺書，而從前未歸插架者，亦應查明開單，另為編錄。」[96]可見，通行本並不在遺書（採進書）的範圍內，但是也要查明開列書目，編入《四庫》的。另據《于文襄手劄》載：「前曾面商外間通行

95 〔清〕永瑢、紀昀編：《四庫全書總目提要》（海口市：海南出版社，1999年），頁11。

96 張書才主編：《纂修四庫全書檔案》（上海市：上海古籍出版社，1997年），頁74-75。

之書不在遺書以內者，亦當查明分別抄存，業承允諾，未識連日所開查如何。因憶及制義一項，自前明至今以此取士，流傳者不下千百家，即不必抄錄，其名目不可不存。惟《欽定四書文》，抄之以備一體，亦集中所當及也，統希留意，率候不一（乾隆三十九年五月廿二日）」、「外間通行之書，止開出一百餘種，似尚不止於此。近日不知曾續有所得否？制義存目，亦當核實分別，其源流正變，則於節略內敘明可耳（乾隆三十九年六月初五）」。[97]可見，通行本是館臣憑印象開列出一個書單，然後照單置辦（或取自內府書，或取自採進書，或從他處徵取，如通志，可能是徵調自一統志館，等等）的通行之書。顯然，通行本收集得並不多，故乾隆三十九年六月只開列出一百餘種書。

至於通行本中的制藝文，於氏認為有很多，可入存目。但這一想法顯然和乾隆徵書的諭旨不符：「除坊肆所售舉業時文及民間無用之族譜、尺牘、屏幛、壽言等類，又其人本無實學，不過嫁名馳騖，編刻酬唱詩文，瑣碎無當者，均無庸採取外。」[98]因此，《四庫總目》存目最後並不收這些制藝之書。

從上述可看出，通行本的來源是比較複雜的，並非只是如凡例所言的「坊刻之書」。另外，筆者推測，通行本雖然不是「遺書」，但應該大多數是出自於採進書中，因此，通行本在四庫館的辦理程序，也應該與採進書相同。

97 以上分別見（清）于敏中：《于文襄手劄》（北京市：國立北平圖書館，1933年影印本），第28、29通。

98 〔清〕永瑢、紀昀編：《四庫全書總目提要》（海口市：海南出版社，1999年），卷首，乾隆三十七年正月初四日上諭，頁1。

第四節　從校上時間和校對官看《四庫》書的繕校程序

一　從校上時間看

書名	聚珍本校上時間	薈要本校上時間	文淵閣本校上時間。附校對官	文溯閣本校上時間
郭氏傳家易說十一卷（非大典本）	乾隆四十年正月	四十一年五月。聚珍本，據大典本校。	四十五年七月。朱鈐、沈清藻	四十七年三月
易象意言一卷	乾隆三十八年六月	四十二年元月。聚珍本，據大典本校。	四十六年五月。高中、楊懋珩	
易緯（乾坤鑿度二卷等共八書）	乾隆三十八年四月	此八書：乾隆四十一年八月、四十二年八月。聚珍本，據大典本校。	各書均為三十八年四月	四十七年十一月
禹貢指南四卷	乾隆三十八年六月	四十二年六月。聚珍本，據大典本校。	四十三年六月。吳裕德、繆琪	四十七年十月
春秋辨疑四卷	乾隆三十八年四月	四十二年四月。聚珍本，據大典本校。	四十六年正月。王嘉曾、繆琪	三十八年四月
春秋繁露十七卷	乾隆三十八年十月	四十一年二月。聚珍本，據大典本校。	四十二年六月。吳俊、朱鈐	三十八年十月
水經注四十卷	乾隆三十九年十月	四十二年五月。聚珍本，據大典本校。	四十四年二月。王鍾泰、何思鈞	四十七年四月
直齋書錄解題二十二卷	乾隆三十八年七月	四十一年七月。聚珍本，據大典本校。	四十二年七月。孫球、鄒奕孝	四十七年七月

書名	聚珍本校上時間	薈要本校上時間	文淵閣本校上時間。附校對官	文溯閣本校上時間
傅子一卷	乾隆三十九年十月	四十二年八月。聚珍本，據大典本校。	四十六年正月。李鎔、繆琪	四十七年十月
帝範四卷	乾隆三十八年四月	四十二年十一月。聚珍本，據大典本校。	三十八年四月	四十七年十月
農桑輯要七卷	乾隆三十八年六月	四十一年三月。聚珍本，據大典本校。	四十二年三月。羅萬選、黃瀛元	四十七年十一月
五經算術二卷	乾隆三十九年十月	四十二年五月。聚珍本，據大典本校。	四十五年九月。盧燧、楊懋珩	四十七年五月
墨法集要一卷	乾隆四十年四月	四十三年二月。聚珍本，據大典本校。	四十六年九月。	四十六年十一月
鶡冠子三卷	乾隆三十八年六月	四十年十二月。聚珍本，據大典本校。	四十二年五月。羅萬選、方大川	四十七年十月
老子道德經二卷（非大典本）	乾隆四十年正月	四十一年三月。聚珍本，據大典本校。	四十三年二月。羅萬選、汪師曾	四十七年十月

說明：一、若是非大典本，注明；其餘未注明者均為大典本。二、文溯閣本校上年月，出自金毓黻編《金毓黻手定本文溯閣四庫全書提要》。三、薈要本校上年月一欄中注明的「聚珍本，據大典本校」，是指該薈要本據聚珍本繕錄，據大典本參校。

從上表可看出：就校上時間而言，一般是聚珍本較早，薈要本其次，閣本較遲。因此，《四庫》所收之書，在翰林院辦好後，若是應刊之書，則需先錄副，送副本供聚珍館刊印，再抄為閣本；若需抄入《薈要》之書，則先送薈要處，再抄為閣本；若既入聚珍版又入《薈要》，則先送聚珍館，再送薈要處，然後才抄入閣本。其辦理程序可以這樣表述：

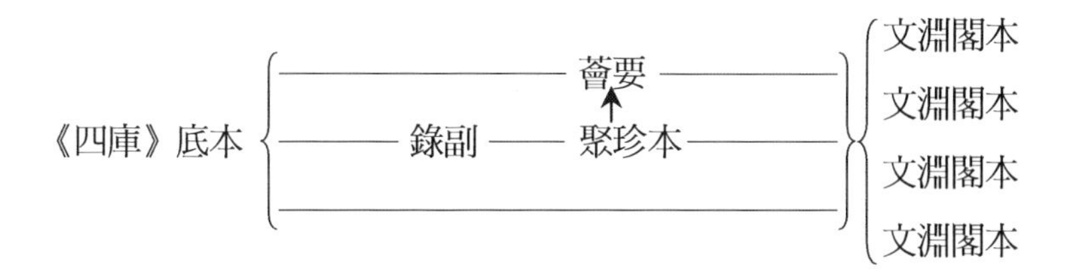

需要注意的是：不同的書，如大典本與採進本，其辦理程序也略有不同。採進本是發下底本給繕寫處，繕寫處抄出副本，供聚珍處刊刻。若入《薈要》，則將底本送薈要處。兩者均不用，則將底本繕成閣本。大典本，在翰林院即抄成正本：若入聚珍本，則需抄成正副本，正本進呈，副本供聚珍處。若入《薈要》，則送正本至薈要處。若兩者均不入，則以正本為閣本。不過，大典本後來應該也是由武英殿錄副供擺印的。

聚珍本與薈要本相重複的書並不多，薈要本用的大典本也不多。[99] 一般來說，若是薈要本與聚珍本相同，薈要本往往抄自聚珍本。但是，有的薈要本也據大典本繕錄，或者據聚珍本繕錄，而以大典本校對。

大典本的正本，是在翰林院抄錄的。薈要本、閣本錄入時，有的據大典本正本，有的據大典本稿本，有的則據聚珍本。

在以上抄錄過程中，有關人員有可能對所抄的本子作一些改動，尤其是提要。例如，薈要本，有的抄自聚珍本，但以大典本（正本）校過，所以，有可能與聚珍本不同。有的抄自大典本，但又以他本校過，所以與正本也有可能不同，例如，《禹貢說斷》，據大典本抄，而據通志堂本校。

薈要本所據的底本，有不少與閣本的底本不同，而且兩者的提要也有許多不同，這是尤其需要注意的。據吳哲夫的研究，《薈要》著

99　據吳哲夫統計，《薈要》抄自聚珍本的有十七部，抄自大典本（應為正本）的有三部。參吳哲夫：《四庫全書薈要纂修考》（臺北市：國立故宮博物院，1976年），頁43。

錄的書約有一半多一些與閣本不同。他認為：在辦《薈要》時，第一份《四庫》也在抄，為求速度，將來源不同的書一同發下繕錄了事，所以，閣本與《薈要》著錄來源會不同。[100]筆者認為，吳氏的觀點是頗有道理，因為當時若有《四庫》底本的複本，確實會分別發下繕錄，這樣就會造成抄成的各閣本有差異，而且其提要也會有不同。

二　從校對官看

文淵閣本《四庫全書》各冊副頁一般都署有詳校官、校對官（包括分校、總〔復〕校官）、謄錄官姓名，其中詳校官是四庫館閉館後進行復校的官員，而校對官是辦理四份全書時的館臣，是武英殿繕書處的校對官。

不過，文淵閣本《四庫全書》也有一些書副頁沒有校對官，只有詳校官和謄錄官，這些書一般都是大典本。為什麼大典本不在副頁上署校對官姓名呢？筆者推測：其一，翰林院四庫館沒有作這樣的規定。這些書是由翰林院四庫館寫定成正本的，不用再經過繕書處繕寫、校對，所以就不署校對官。其二，翰林院四庫館寫定的正本，雖也是經由大典本纂修、分校校對過的，但因為這些書均有銜名單（參前述）可以查證，所以就不用在副頁上署名。至於其它《四庫》書都經繕寫處繕抄、校對，雖也有辦書單作記錄，但不如翰林院四庫館的銜名單那樣清楚明瞭，所以要列明校對官。

需要注意的是，並不是所有的大典本都沒有校對官。筆者經比對發現，在大典本中，副頁上署校對官的，往往都是聚珍本。這說明這些大典本或者是據聚珍本繕錄，或者是以聚珍本校過，因為是又經過

---

100 吳哲夫：《四庫全書薈要纂修考》（臺北市：國立故宮博物院，1976年），頁45。

繕書處重抄，非直接得自翰林院四庫館所抄定的正本，所以要署明校對官。但是，也並不是所有的曾入聚珍本的大典本都在副頁上署有校對官，例如，《易緯》八種副頁上就沒有校對官。這些大典本有可能是直接來自於翰林院抄定的正本，而不是來自於聚珍本，也沒有以聚珍本校過。

同一書，聚珍本、薈要本、閣本，其分校官一般是不同的，因為它們是分別由不同的機構辦理的。即便是校上時間相當，其分校官也不同。

另外，筆者經過一些比對後發現，文津閣本與文淵閣本各書副頁上所題的總校官與分校官有時也不相同。也就是說，此閣本的總校、分校，不一定就是同一書另一閣本的總校與分校。

本章小結

四庫館主要分為翰林院四庫館（辦理處）與武英殿四庫館（主要為繕寫處）兩部分，其運作程序大致是這樣的：圖書先在辦理處校辦好，包括提出處理意見、擬寫提要、校正原書等，然後送到繕書處繕寫、校正，成為《四庫》定本。

翰林院四庫館的辦書程序，具體到內府書、採進書及大典本來說，又有一些差異。採進書、內府書的辦書流程為：採進書、內府書送進翰林院後，由提調分給纂修辦理，纂修擬寫提要並提出處理意見；其中定為應刊、應抄者，經總纂、總裁乃至送呈御覽裁定，然後發回原纂修詳校；校勘後，要經總纂、總裁審閱，即於原書內改正；然後，發下武英殿校正，謄錄成正本。大典本的辦書程序為：簽出佚文—謄錄出散片—黏連成稿本—纂修官校對、補輯—謄錄出修改稿—原纂修校對—總纂校正—總裁校正—謄錄成正本。據上述可以看出，兩者最明顯的區別是：大典本從輯佚到寫成正本，都是在翰林院四庫館進行的，而採進書、內府本等則是在翰林院四庫館辦理，而在繕書處謄錄、校正成定本。正因為大典本從纂辦到校對都是在翰林院四庫館進行的，因而大典本的纂修往往也兼校勘，這就是《四庫》職名表將這些館臣均著錄為校勘《永樂大典》纂修兼分校官的原因。不過，職名表的著錄，會給人一種錯誤的印象，以為大典本纂修均兼分校，或者大典本分校均兼纂修。事實上，有的大典本纂修不一定兼分校，有的大典本分校也不一定兼纂修。

至於武英殿四庫館的辦書程序，可大致推測為：武英殿提調將底本分下給分校，分校校好後，分給自己負責的謄錄，謄錄抄好後，再交回分校，分校再校此謄抄稿。分校校好後，再交復校（後改為總校），復校校好後匯交提調，若沒有問題就裝訂成正本。這些抄成的正本還要由總閱或總裁抽閱，然後進呈乾隆御覽。最後，經各環節修補好的《四庫》正本交武英殿收掌官收掌。其流程也可以簡單描述為：提調－分校官－謄錄－分校－復校（或總校）－提調－總裁或總閱－乾隆－武英殿收掌官。

由於一些《四庫》底本還要用來刊印聚珍本、抄成薈要本，因此這些書的辦理程序又與上述稍有不同：若是應刊之書，則需先錄副，送副本供聚珍館刊印，再抄為閣本；若需抄入《薈要》之書，則先送薈要處，再抄為閣本；若既入聚珍又入《薈要》，則先送聚珍館，再送薈要處，然後才抄入閣本。

第四章
四庫館臣的數量

關於四庫館臣的數量，有兩點需要首先說明：其一，這裏所談的四庫館臣，不包括續辦四庫館的館臣。其二，在四庫館開館期間，朝廷還有其它書館分辦各書（如《西域同文志》等，其中有些書也收入《四庫》中），儘管這些書館的館臣有一些與四庫館臣相同，但不應將這些書館的館臣都包括在四庫館臣中。[1]

第一節　職名表所載館臣的數量

儘管《四庫總目》書前所附職名表有很多疏漏，但它仍然是目前為止我們考察四庫館臣數量的最好材料。因此，我們首先需要對職名表作分析。

乾隆四十七年七月四庫館奉旨開列的〈辦理四庫全書在事諸臣職名〉（以下簡稱職名表），因為載於浙本《四庫全書總目》卷首而廣為人知。[2]浙本職名表共開列總裁二十六人，總纂三人，總閱十五人，總校一人，翰林院提調官二十二人，武英殿提調官九人，總目協勘官七人，校勘《永樂大典》纂修兼分校官三十九人，校辦各省送到遺書

1　吳哲夫將這些書館均歸入四庫館來考察（參吳哲夫：《四庫全書纂修之研究》〔臺北市：國立故宮博物院，1976年〕，頁75〕），這是不對的。

2　「質郡王永瑢等奏〈四庫全書簡明目錄〉等書告竣呈覽請旨陳設刊行摺」（乾隆四十七年七月十九日）載：「……所有進書表文及應行開列在事諸臣職名，臣等謹分摺另繕進呈，請旨一併寫入書前，以昭右文盛軌。」載張書才主編：《纂修四庫全書檔案》（上海市：上海古籍出版社，1997年），頁1603。

纂修官六人，黃簽考證纂修官兩人，天文算學纂修兼分校官三人，繕書處總校官四人，分校官一百七十九人，篆隸分校官兩人，繪圖分校官一人，督催官三人，翰林院收掌官二十人，繕書處收掌官三人，武英殿收掌官十四人，督造官三人。除去重複的（其中陸費墀、王嘉曾因兼職兩見），共計三百六十人。因此，諸多有關《四庫全書》的論著，往往據此認定四庫館臣共三百六十人。

不過，自民國時開始，一些學者亦陸續指出過此職名表存在不少疏漏。[3]那麼，職名表為何會存在這些疏漏呢？

其實，職名表有兩種。據崔富章考證，目前通行的浙本《四庫全書總目》較殿本《四庫全書總目》（乾隆六十年十一月刻成於武英殿）刊竣時間略早，而且，浙本的底本是乾隆五十七年的四庫館寫本，而殿本的底本是乾隆六十年紀昀等修訂本。浙本展現的是乾隆五十七年的《總目》原貌，殿本展現的是乾隆六十年修訂後的《總目》面貌。同時，浙本是地方官員對「欽定」之本進行刊刻的，完全依照原樣，不敢作任何改動。因此，浙本無疑保留了更多原始的信息，而殿本是經修訂而成，透露出更多修改後的信息。兩者一先一後，互有短長，可以互相補充、參證。[4]這一點，我們也可通過比較兩者書前所附《四庫》職名表看出。[5]據浙本職名表前題「乾隆四十七年七月

3 如郭伯恭：《四庫全書纂修考》、任松如：《四庫全書答問》、黃愛平：《四庫全書纂修研究》（北京市：中國人民大學出版社，1989年）等。

4 參崔富章：〈《四庫全書總目》武英殿本刊竣年月考實——「浙本翻刻殿本」論批判〉，載《浙江大學學報》2006年第1期，頁104-108。另據（清）曹文埴：《石鼓硯齋文鈔》（清嘉慶五年〔1800〕刻本）附〈先文敏公行狀〉載：「（乾隆六十年）十一月，《四庫全書總目》刊刻竣工，進呈御覽。先是，先公於丙午奏請刊刻，仰荷俞允。後因提要有更改處，停工未刻，至是刻成。」可見，儘管殿本之前已開刻，但因有錯誤要修改，故於六十年才刻成。

5 本書所用的浙本為海南出版社一九九九年版《四庫全書總目提要》，所用的殿本為四庫全書研究所整理《欽定四庫全書總目》（中華書局1997年版）。殿本之間也有一

十九日奉旨開列辦理《四庫全書》在事諸臣職名」可知，此職名表擬定於乾隆四十七年七月十九日。殿本職名表前則題「《欽定四庫全書》勘閱繕校諸臣職名」，將原有時間刪棄，明確表示此表是後來修訂而成的。乾隆四十七年七月，第一份《四庫全書》剛抄成不久，其它三份《四庫全書》還在趕辦之中[6]，即匆匆擬成此表以進呈。所以，浙本職名表的疏漏是明顯的。殿本職名表是對原表修改而成的，對原表作了較大的補充和修正。因此，筆者認為，以殿本職名表為主，通過浙本職名表與殿本職名表的比較、參證、互補，更能全面真實地反映四庫館臣數量。

殿本與浙本職名表相比較，有許多不同，如人員、職名、順序等，其中最大的不同是順序的不同，其它的不同很大程度上是由於順序的不同造成的。順序的不同，體現了兩表編排原則的不同。

一　編排原則的不同

殿本職名表首先開列正總裁、副總裁，然後按機構所在地的不同而把四庫館分成兩大系統：翰林院、武英殿（包括繕書處、監造處等），再分別按館職高低、分工層次由上至下排列。其排列順序如下：

一、翰林院勘閱編輯四庫全書官員職名：總纂官—提調官、協勘總目官—纂修官、天文算法纂修官—收掌官。

二、武英殿繕寫校正四庫全書官員職名：總閱官—總校兼提調官—提調官—復校官—分校官、篆隸分校官、繪圖分校官，編次黃簽考證官—督催官—收掌官，武英殿收掌官，武英殿監造官。

些差異，如國家圖書館普通古籍部所藏的殿本《四庫全書總目》，其纂修官一欄中，周永年之後緊接著為蔡廷舉，缺谷際岐一員。

6　參黃愛平：《四庫全書纂修研究》（北京市：中國人民大學出版社，1989年），頁145。

據此表可知，翰林院系統，是負責纂辦《四庫全書》的，以纂修官為代表。武英殿系統，是負責繕寫與分校《四庫全書》的，以分校官為代表。兩大系統涇渭分明，互相配合，又統轄於正總裁與副總裁。

浙本職名表則純粹據館職高低、分工層次由上至下排列，其館職排列順序如下：

正總裁—副總裁—總閱官—總纂官，總校官—翰林院提調官、武英殿提調官，總目協勘官—校勘《永樂大典》纂修兼分校官、校辦各省送到遺書纂修官、黃簽考證纂修官、天文算學纂修兼分校官，繕書處總校官—繕書處分校官、篆隸分校官、繪圖分校官—督催官—翰林院收掌官、繕書處收掌官、武英殿收掌官，監造官。

顯然，此表的分類不太清楚，其中上下關係尤其混亂。如前有總校官，下面又有繕書處總校官。而殿本職名表為示區別，將後者改稱為復校官。

由於兩表編排原則不同，因而在具體的職名上，也自然存在較多的差異。

二　職名的不同

一、殿本職名表纂修官一項中只分：纂修官與天文算法纂修官。而浙本則分為校勘《永樂大典》纂修官、校辦各省送到遺書纂修官、天文算法纂修官、黃簽考證纂修官四種。

黃簽考證纂修官，在殿本中被改稱為「編次黃簽考證官」。這類館臣所負責的工作是將纂修官等用黃簽簽貼於原書之上的有關考證文字彙編起來，形成後來的《四庫全書考證》。[7]這一工作，其性質只為

7　「諭內閣著總裁等編刊《四庫全書考證》」（乾隆四十一年九月三十日），載張書才主編：《纂修四庫全書檔案》（上海市：上海古籍出版社，1997年），頁537。

彙編，與纂修官所做的考證、擬寫提要等工作不同，而且，他們工作的地點是在武英殿，屬武英殿系統，而不屬於翰林院的纂修系統。因此，殿本改稱「編次黃簽考證官」，將其排除在纂修官之外。

殿本在纂修官下沒有細分為：校勘《永樂大典》纂修官、校辦各省送到遺書纂修官，這又是為什麼呢？一般來說，校勘《永樂大典》纂修官負責校辦大典本，而校辦各省送到遺書纂修官則負責校辦採進書。但是，現存提要稿給我們展示的實際情況，較之上面的概述要複雜得多：校勘《永樂大典》纂修官邵晉涵還校辦過採進本與內府本，校辦各省送到遺書纂修官翁方綱也校辦過內府本及大典本。[8]而且，如果僅僅這樣劃分，那麼內府本、敕撰本、通行本又由哪些纂修官專門校辦呢？其實，在原來的計劃中，纂修官所校辦之書是有較明確的範圍的，但是後來因工作需要、人員變化的關係，交叉辦書的現象比較多。因此，紀昀等在後來修訂職名表時，發現要嚴格區分各類纂修官是比較困難的，就乾脆合併為一，以免引起誤導。當然，浙本的劃分，也並非沒有道理，它應該能說明：其一，校辦各類書，在最初是有明確的分工的，而且其所擬的大典本纂修官、校辦各省送到遺書纂修官名單，應該反映了早期分工的實際情況。其二，儘管有交叉辦書的現象，但相對來說，校勘《永樂大典》纂修兼分校官還是主要負責校辦大典本，而校辦各省送到遺書纂修官則主要負責校辦採進書。

二、殿本沒有像浙本那樣標明校勘《大典》纂修官還兼分校官、天文算法纂修官也兼分校官。也就是說，這些纂修官其實又曾任分校的工作，而在殿本職名表中無法看出。筆者推想，殿本因為分纂修與分校兩大系統，互不統屬，所以難以兼顧。而浙本只是據其館職分工

8　可參〔清〕邵晉涵：《南江文鈔》，續修四庫全書編委會編：《續修四庫全書》（上海市：上海古籍出版社，1996-2003年影印本），冊1463，卷12；吳格整理：《翁方綱纂四庫提要稿》（上海市：科學技術文獻出版社，2005年）。

作劃分，所以可標明纂修官兼分校。因此，浙本對我們瞭解纂修官又兼分校官這一現象是有幫助的。

三、在殿本中，翰林院系統下的收掌官，很明顯是翰林院收掌官，所以前面不用再標明「翰林院」；武英殿系統下的收掌官有兩種：其一為繕書處收掌官，其二為武英殿收掌官。這兩種收掌官，均在武英殿，所以只需標明其一為武英殿收掌官，另一收掌官就肯定為繕書處收掌官，不用再在其前標明「繕書處」。而浙本則把所有收掌官並列在一起，所以均需要在前面加上位址限定。同樣的道理，提調官只有兩種，分別在翰林院與武英殿。殿本已將其分置於兩大系統，所以不用再分別標明位址。而浙本將提調官並列在一起，所以要在前面分別標明翰林院與武英殿。

四、一般來說，浙本標示職名較詳細，而殿本標示職名較簡單，但也有殿本詳細而浙本簡明的特例，如浙本云「正總裁」、「副總裁」，而殿本則云「歷任正總裁官」、「歷任副總裁官」。這是為什麼呢？其實，浙本與殿本所收之「正總裁」、「副總裁」均包括歷任的，「正總裁」與「副總裁」的定名顯然不合適，故後來殿本修改為「歷任正總裁官」、「歷任副總裁官」。不但如此，職名表中開列所有館臣，均為包括歷任的，如纂修官一項中的姚鼐、戴震，在乾隆四十七年七月前早已離館或去世，但兩種職名表均將其列入。由於在殿本職名表開頭「正總裁」與「副總裁」兩項中已明言「歷任」，下面各項亦自然均為「歷任」，讀者當可推知，故不再一一揭示。[9]

9 浙本職名表題為「乾隆四十七年七月十九日奉旨開列辦理《四庫全書》在事諸臣職名」，亦會誤導讀者，以為此表只包括當時在職的館臣。殿本不但將「乾隆四十七年七月十九日」刪棄，而且改題為「《欽定四庫全書》勘閱繕校諸臣職名」，以符合此表包括歷任諸館臣的實際情況。

三　人員的不同

（一）數量差異

浙本職名表所列館臣較殿本為少，如歷任副總裁官一項，浙本缺：都察院左都御史張若溎、工部侍郎李友棠；纂修官一項，浙本缺：翰林院侍講劉亨地、翰林院檢討蕭芝、翰林院編修姚頤、翰林院編修黃良棟、翰林院修撰陳初哲、翰林院編修林樹蕃、翰林院檢討谷際岐、翰林院庶起士蔡廷舉；總閱官一項，浙本缺：通政使司通政使吉夢熊。這些缺漏，可能是當時編表時，未能對歷任者作細緻的核實統計。而殿本是後來修訂的，故對原表作了一些補充。

浙本有而殿本缺漏的館臣，僅有一處：收掌官一項，浙本多史國華一人。

總之，相對而言，殿本職名表收錄的館臣較浙本職名表為多。以往四庫學研究者只憑浙本職名表來統計，進而大加指責職名表的疏漏，顯然是不夠客觀的，因為他們忽視了殿本對職名表所作的補充。不過，需要注意的是，儘管殿本職名表對浙本職名表作了一定的補充，但也不意味著殿本職名表收錄了所有的四庫館臣，因為從《纂修四庫全書檔案》可看出，還有不少的館臣沒有登載在職名表中。

（二）人名差異

如分校官一項下，殿本收翰林院編修盧逐，而浙本為盧遂（從文淵閣本副頁看，也有寫作燧的）。據《纂修四庫全書檔案》查證，浙本是正確的，殿本可能是刊印時的疏漏。又如，殿本收通政司經歷劉光第，而浙本為張光第。據《纂修四庫全書檔案》查證，殿本是正確的，殿本是對浙本的修正。

（三）館臣所帶官銜的差異

四庫館臣一般均帶有官銜，因此，四庫館的職名，只是代表一種「任」，而所帶官銜才是真正意義上的「職」，如：館臣提調官翰林院編修蕭際韶，「提調官」是指其在四庫館任提調的工作（「任」），而「翰林院編修」是指其原來的官銜（「職」）。浙本與殿本職名表在著錄館臣所帶官銜上有一些差異，如：纂修官劉躍雲，浙本著錄為「翰林院編修今任詹事府詹事臣劉躍雲」，而殿本著錄為「翰林院編修劉躍雲」；纂修官姚鼐，浙本著錄為「原任刑部郎中臣姚鼐」，而殿本著錄為「刑部郎中姚鼐」。一般來說，浙本比較注重乾隆四十七年七月當時館臣的實際任職情況：如果是去世或離館者，則寫明原任；如果是任新職者，則儘量注明新職（官銜）。而殿本則相對較為簡單，主要是注明館臣在任館職期間的官銜。事實上，隨著時間的改變，館臣任職情況也會隨之變化。從乾隆四十七年七月到殿本修訂完成的乾隆六十年，館臣的職銜又有了很多改變，要一一注明這些人的「今任」是比較困難的，而且也沒有必要。所以，殿本職名表乾脆刪棄了「乾隆四十七年七月十九日」這一時間限定，而將館臣的官銜統一定格在其任館職期間的官銜。

綜上所述，由於殿本職名表是按纂修與分校兩大系統（分別在翰林院與武英殿兩個地方）編排的，所以各項職名標示得比較簡明，尤其是不用標明地址。而浙本是完全按館職高低、分工層次編排的，所以各項職名往往要標明其所屬系統（位址）。因此，絕大多數情況下，浙本的職名較殿本更煩瑣。另外，尤其值得注意的是，殿本職名表對四庫館機構本身的組織關係、館臣相互的統屬關係等表達得更清楚，對館臣的統計也更準確，而浙本較殿本為早，其職名表保留了更多早期分工情況信息。因此，總體來看，殿本職名表更合理，但浙本職名表可在一些細節上起補充完善作用。兩者各有特色，應互相參照、補充。

總之，綜合浙本、殿本職名表，可以得出職名表所載的館臣共有三百七十一人。這一數量要超過單純據浙本職名表統計得出的三百六十人。不過，這三百七十一人也不是全部的四庫館臣數，因為從《纂修四庫全書檔案》等可看出，還有不少館臣沒有登載在這兩份職名表中。由於筆者在本書所附館臣表中已經盡可能將遺漏的館臣作了補充，並統計出前後在館館臣有四百七十六人，因而下文只是以纂修官為例談談職名表遺漏館臣的原因與嚴重性。

第二節　纂修官數量考

《四庫全書》纂修官（又稱分纂官）的工作，主要是對所負責校閱的圖書進行文字、內容上的校正、增刪，提出對書籍的處理意見（應刊、應抄、應存或不存），寫成提要稿。可以說，在四庫館臣中，纂修官的工作是最基礎的，也是最重要的。關於《四庫》纂修官的數量，最權威的統計是來自於《四庫總目》書前所附職名表「纂修官」一項。不過，無論是殿本《四庫總目》職名表還是浙本《四庫總目》職名表均漏收了相當多的纂修官。那麼，為什麼會有不少的纂修官未被收入職名表呢？

一　未入職名表「纂修官」的纂修官

一、「辦理四庫全書處奏遵旨酌議排纂《四庫全書》應行事宜摺」（乾隆三十八年閏三月十一日）載：「今所辦《永樂大典》內摘出各書舊本頗多，……現有之纂修三十員，僅敷校辦《永樂大典》，其餘各種書冊並須參考分稽，需員辦理。臣等公同酌議，於翰、詹兩衙門內除各書館有專辦之事難于謙顧各員外，選得侍講鄒奕孝、洗馬劉權之、贊善王燕緒、候補司業劉亨地、編修金蓉、黃瀛元、鄭際唐、朱諾、檢討蕭芝、左周等十員，令其作為纂修，分派辦理。……此外，並查有郎中姚鼐、主事程晉芳、任大椿，學政汪如藻，原任學士降補之翁方綱，亦皆留心典籍，見聞頗廣，應請添派為纂修官，令其在館一同校閱，悉心考覈，方足敷用。又查有進士邵晉涵、周永年、余集，舉人戴震、楊昌霖，於古書原委亦能多識，應請旨行文調取來京，在分校上行走，更足資集思廣益之用。」[10]

據上述可知，《四庫》剛開館時，從各處調取來的纂修官僅夠供辦理《大典》簽輯的工作，只好又調取了鄒奕孝、劉權之、王燕緒、劉亨地、金蓉、黃瀛元、鄭際唐、朱諾、蕭芝、左周、姚鼐、程晉芳、任大椿、汪如藻、翁方綱等人任分纂官。顯然，後來調取的纂修官主要是負責內府本與採進書的校辦的。這些纂修官中，未入職名表「纂修官」的有：劉權之、王燕緒、金蓉、黃瀛元、朱諾、程晉芳[11]、

10 張書才主編：《纂修四庫全書檔案》（上海市：上海古籍出版社，1997年），頁76-77。

11 據〔清〕程晉芳：〈唐摭言後序〉，《勉行堂文集》，卷2載：「《唐摭言》十五卷，……。余承乏為《四庫全書》纂修，得黃氏鈔本，與盧刻對勘，存其一是。」（續修四庫全書編委會編：《續修四庫全書》〔上海市：上海古籍出版社，1996-2003年影印本〕，冊1433，頁315上）「安徽學政朱筠奏購訪遺書情形並進獻家中故籍折」（乾隆三十八年五月十六日）亦載：「臣程晉芳現在四庫全書館與充纂校之事。」載張書才主編：《纂修四庫全書檔案》（上海市：上海古籍出版社，1997年），頁115。可見，程氏曾任纂修官。其中《南夷書》一卷，書前有提要稿一篇，即為程氏撰：「謹按：《南夷書》一卷，明張洪撰。考明永樂四年，緬甸宣慰使那羅塔劫殺孟養宣慰使刀（查）木旦及思樂發而據其地。洪時為行人，奉詔齎敕（德）宣諭，因撰是書。所載皆洪武初至永樂四年平雲南各土司事，略而不詳。其於雲南郡建置始末，如南詔為蒙氏改鄯闡府，歷鄭、趙、楊三姓，始至大理段氏，而書中遺之。孟養、麓川各有土司，而敘次未詳。唯載梁王拒守及揚苴乘隙諸事，史所未載。瀾滄之作蘭滄，思樂發之作思鸞發，與史互異，亦足資考證之一二也。洪字宗海，常

任大椿[12]、汪如藻。[13]另外，需要注意的是，邵晉涵、周永年、余集、戴震、楊昌霖五人原來是擬派作分校官的，但是入館後即派為纂修官，故《江蘇採進遺書目錄》卷首載：「欽召纂修官：余集、邵晉涵、楊昌霖、戴震、翁方綱、劉亨地、朱筠、徐步雲、周永年。」[14]

二、由於《四庫》提要稿是由纂修官負責擬寫的，因此，提要稿的撰寫者必定擔任過《四庫》纂修官。事實上，目前我們所發現的提要稿也可以印證這一點。這些提要稿中有不少還保留有撰寫者的署名，而其署名均題纂修官某某。從這一思路出發，筆者依據《武英殿聚珍版叢書》書前提要署名又考得未入職名表「纂修官」的纂修官

熟人，洪熙初召入翰林，官修撰。纂修程晉芳。」《四庫全書存目叢書》史部，冊255（濟南市：齊魯書社，1994-1997年影印本），頁203上。可參杜澤遜：〈讀新見程晉芳一篇四庫提要分撰稿〉，《圖書館建設》1999年第5期，頁70-71。

12 據〔清〕阮元：〈集傳錄存〉，《揅經室集》《續二集》（北京市：中華書局，2006年），卷2，，頁1032載：「任大椿，字幼植，又字子田，江蘇興化人，……著《易象大意》、《四庫》提要。……三十八年修《四庫全書》，充纂修官，禮經裒輯為多，提要多出其手。」可見，任氏亦曾為纂修官，多辦大典本禮類之書。聚珍本《文子纘義》（大典本）提要即出其手。

13 據陳先行主編：《柏克萊加州大學東亞圖書館善本書志》（上海市：古籍出版社，2005年），頁183載：「《南部新書》十卷，宋錢易撰，清抄本，……《四庫全書》底本今藏上海圖書館，係舊抄本，首有纂修官汪如藻題記，謂『此書向未刊刻，外間流傳均非完書，……』云云。」可見，汪氏是纂修官。

14 張升編：《四庫全書提要稿輯存》（北京市：圖書館出版社，2006年），冊4，頁18-19。據邵晉涵：〈廣西鄉試錄序〉，《南江詩文鈔》，卷5載：「三十八年春蒙恩召自田間，充《四庫全書》纂修官。」（續修四庫全書編委會編：《續修四庫全書》〔上海市：上海古籍出版社，1996-2003年影印本〕，冊1463，頁428下）邵氏說徵召的時候就是纂修官，可見，五徵君均應為纂修官。開館之時可能對分校及纂修的區分併不特別清楚，如《大典》的簽書官，據簽條看，均為纂修官，但據「大學士劉統勳等奏議定校核《永樂大典》條例並請撥房添員等事折」（乾隆三十八年二月二十一日）（張書才主編：《纂修四庫全書檔案》〔上海市：上海古籍出版社，1997年〕，頁59）載：「臣等謹遵旨於翰林等官內，擇其堪預分校之任者，酌選三十員，專司查辦，仍即令辦事翰林院。」則稱簽佚書的纂修官為「分校」。

有：程晉芳、季學錦、劉權之、秦泉、任大椿、彭元琉、沈孫璉[15]、汪如藻、王汝嘉、徐步雲[16]、張羲年[17]、周厚轅[18]、周興岱、彭紹觀、

15 據〔清〕阮元輯：《兩浙輶軒錄》，卷35載：「沈孫璉，字礫人，號蘆士，一號大雲，錢塘人，……吳錫麒傳略曰：先生弱冠名雋一黌，乾隆辛卯舉於鄉，壬辰成進士，入翰林。四庫館初開，先生充纂修官。」（續修四庫全書編委會編：《續修四庫全書》〔上海市：上海古籍出版社，1996-2003年影印本〕，冊1684，頁330上）可見，沈氏也是纂修官。

16 徐步雲在職名表中列名為分校官，但是，據「諭內閣四庫全書處分纂翁方綱等著分別授為翰林院編修等職」（乾隆三十八年九月二十五日）載：「原任中書徐步雲，前經緣事革職，發往伊犁，期滿回京。該員係南巡召試考取，學問亦憂，著加恩令其在四庫全書處以分纂效力行走。欽此。」「翰林院典簿廳為抄送永瑢等奏摺事致內閣典籍廳移會（附黏單）」（乾隆四十年正月初七日）載：「……上年九月內奉旨：徐步雲係南巡召試考取，學問亦憂，著加恩令在四庫全書處以分纂效力行走。欽此。查該員分纂《永樂大典》內之子集二門，考訂頗見細心，前又經奏明派在武英殿分校《四庫全書》，所辦各書亦俱能認真校勘，尚屬勤勉。」（以上分別見張書才主編：《纂修四庫全書檔案》〔上海市：上海古籍出版社，1997年〕，頁157、頁316-317）可見，徐氏是分纂官，而且負責辦理子、集二門的大典本。

17 據〔清〕汪輝祖：《病榻夢痕錄》（北京圖書館編：《北京圖書館藏珍本年譜叢刊》〔北京市：北京圖書館出版社，1999年〕，冊107，頁83。卷上載：「羲年，潛亭，乙酉拔貢生，於潛縣訓導，俸滿保題，蘊藉博雅，敦友誼後，欽賜國子監助教銜，充四庫館纂修官。」另據「多羅質郡王永瑢等奏請令張羲年在四庫全書處纂修上行走摺」（乾隆三十九年十月十九日）載：「臣等查張羲年原係拔貢出身，學問尚憂，以教職卓異，俸滿保薦，特蒙恩准例得即選知縣。前此，曾經該撫派入總局，承辦採訪遺書，詢以各種書籍，亦頗諳曉。今具呈情願赴館效力，情詞甚為懇切。理合據呈具奏，請令張羲年在纂修上行走，該員自必感激奮勉。」（載張書才主編：《纂修四庫全書檔案》〔上海市：上海古籍出版社，1997年〕，頁276）可見，張氏亦為纂修官。

18 《華陽集》，四十卷，凡四冊，清抄本，現藏國家圖書館善本部。其提要稿署（乾隆）四十六年九月編修臣周厚轅恭校上：「王珪，字禹玉，成都華陽人，後徙舒，舉慶曆二年進士第，授大理評事，累官翰林學士，知開封府兼侍讀學士。神宗時拜尚書左僕射門下侍郎，哲宗即位，封岐國公，卒贈太師，謚文德。其功業無可稱，晚居相位，與蔡確比，而詛司馬光者，為物論所不予。其文章則自成一家，掌制誥者幾二十年，朝廷大典策皆出其手。」

查瑩[19]、徐天柱、王汝嘉。[20]

三、據韋謙恒《傳經堂詩鈔》卷八〈寶善亭校書呈同館諸公〉載：「熙朝右文古未有，四庫卷軸連雲霞。……感恩唯有揩兩眼，別風淮雨勤搜爬。……」[21]翰林院寶善亭是辦採進書的地方，因此，韋謙恒也曾是校辦採進書的館臣——或者是纂修官，或者是分校官。因為翰林院四庫館分校官中只有大典本分校官，而沒有採進本等分校官（這些分校官都在武英殿），所以，韋謙恒既然是在翰林院校辦採進書，就應該是纂修官而不是分校官。

四、據《清高宗實錄》卷九三〇載：「大學士劉統勳等奏：纂輯《四庫全書》，卷帙浩博，必須斟酌綜覈，方免掛漏參差。請將現充纂修紀昀、提調陸錫熊作為總辦。」[22]可見最初紀昀亦曾任纂修[23]，後來改為總辦（即總纂）。而且，陸錫熊還曾任四庫館提調，這也是以前學者沒有注意過的。由此也可看出，館臣館職的變動是很多的。

五、從前一章第二節第二小節可知，徐天柱、張家駒、黎溢海、徐步云為大典本纂修官。

六、梁上國。據臺灣《「國家圖書館」善本書志初稿》載：「《唐史論斷》三卷三冊，舊鈔本。……自序標題下方題『纂修梁上國改正

19 據〔清〕王際華《王文莊日記》三十九年正月初九載：「是日，予奏請以查瑩充纂修，蒙允行。」劉家平、蘇曉君主編：《中華歷史人物別傳集》（北京市：線裝書局，2003年），冊40，頁559下。可見，查瑩也是纂修官。

20 可參本書第九章。

21 續修四庫全書編委會編：《續修四庫全書》（上海市：上海古籍出版社，1996-2003年影印本），冊1444，頁487下。

22 《清高宗實錄》（北京市：中華書局，1986年），冊12，頁514。

23 據沈津：《翁方綱年譜》（臺北市：中央研究院文史哲研究所，2002年），頁68載：「（五月二日）取原心亭紀、厲諸公校《永樂大典》冊子三本，即於寶善亭校訖，交魚門手。」紀，指紀昀；勵，指勵守謙。勵守謙為大典本纂修官，而紀昀在一開始也可能是大典本纂修官。

訖』，文中多其朱墨筆手校。書中鈐有……『翰林院印』滿漢朱文大方印。……」[24]可見，梁上國亦曾為纂修官。

七、盧遂。在職名表中，盧遂被著錄在分校官項下（殿本職名表誤書為「盧逐」），但據沈津《書城風弦錄》載：「《杭雙溪先生詩集》為四庫底本，有『翰林院印』滿漢文大方印，卷中有纂修官改動之跡，卷中貼有小條，末署『陳元熙簽』、『纂修盧遂』。」[25]可見，盧遂亦曾任纂修官。

八、乾隆四十年散館之庶起士（於乾隆三十七年入庶常館），其名單如下：

黃壽齡（江西人，年二十五歲。乾隆三十七年二甲進士，四庫全書處纂修），平恕（浙江人，……四庫全書處纂修），李堯棟（浙江人，……四庫全書處纂修），余集（浙江人，……四庫全書處纂修），沈孫璉（浙江人，……四庫全書處協修），朱紱（江西人，……四庫全書處協修），潘曾起（江蘇人，……四庫全書處纂修），蘇青鼇（廣東人，……四庫全書處纂修），李鎔（浙江人，……四庫全書處纂修），彭元琉（江西人，……四庫全書處纂修），莊通敏（江蘇人，……四庫全書處纂修），鄒炳泰（江蘇人，……四庫全書處纂修），邵晉涵（浙江人，……乾隆三十六年二甲進士，三十九年，欽賜庶起士。四庫全書處纂修），俞大猷（浙江人，……四庫全書處纂修），王汝嘉（四川人，……四庫全書處纂修），黎溢海（廣東人，……四庫全書處纂修），張家駒（安徽人，……四庫全書處纂修），周永年（山東人，……乾隆三十六年二甲進士，三十九年，欽

24 國家圖書館特藏組編：《國家圖書館善本書志初稿》（臺北市：國家圖書館，1999年），史部，冊2，頁403。

25 沈津：《書城風弦錄》（桂林市：廣西師範大學出版社，2006年），頁228。陳元熙，館臣中無此人，待考。

賜庶起士。四庫全書處纂修），陳國璽（貴州人，……四庫全書處纂修），陳科錩（廣西人，……四庫全書處纂修）[26]。

以上這些纂修官（包括協修）均應為《四庫》纂修官。在這些纂修官中，未入職名表「纂修官」的纂修官有：陳國璽、陳科錩、張家駒、李鎔、黎溢海、朱紱、蘇青鼇、潘曾起、沈孫璉、彭元琉、王汝嘉。

綜上所述，刪除重複，可知未入職名表「纂修官」的纂修官有：劉權之、王燕緒、金蓉、黃瀛元、朱諾、程晉芳、任大椿、汪如藻、季學錦、秦泉、彭元琉、沈孫璉、王汝嘉、徐步雲、張羲年、周厚轅、周興岱、彭紹觀、查瑩、徐天柱、韋謙恒、紀昀、張家駒、黎溢海、梁上國、盧遂、陳國璽、陳科錩、李鎔、朱紱、蘇青鼇、潘曾起。以上共三十二人。

二　纂修官的數量及變化

（一）纂修官的數量

綜上所述，我們可以對《四庫》纂修官的數量作初步的統計：

其一，《四庫》職名表中的纂修官數量。殿本職名表纂修官一項（下分纂修官與天文算法纂修官）共五十六人，這五十六位纂修官包括了浙本職名表中除黃簽考證纂修官（兩人）之外所有的纂修官（共四十八人，包括：校勘《永樂大典》纂修官三十九人、校辦各省送到

26 國家清史編纂委員會「國家清史工程數位資源總庫‧朱批庫」所收「呈四庫全書處纂修黃壽齡等員名單」，檔案號為：04-01-12-0164-102；縮微號為：04-01-12-028-2425。

遺書纂修官六人、天文算法纂修官三人)。[27]也就是說,《四庫》職名表中開列的纂修官只有五十六人。

其二,未入職名表「纂修官」的纂修官有劉權之等三十二人。

以上兩項合計,《四庫》纂修官共八十八人,這大大超過了職名表所著錄的纂修官數量(五十六人)。[28]而在未入職名表「纂修官」的三十二位纂修官中,職名表著錄為總纂官的是紀昀,著錄為翰林院提調官的是黃瀛元,著錄為武英殿提調官的是查瑩、彭紹觀、彭元珫、周興岱、韋謙恒,著錄為總目協勘官的是劉權之、汪如藻、程晉芳、任大椿、張羲年、梁上國,著錄為總校官的是王燕緒,著錄為分校官的是季學錦、朱諾、沈孫璉、王汝嘉、徐步雲、盧遂、朱紱、潘曾起;未予著錄(也就是未入職名表)的是秦泉、周厚轅、金蓉、徐天柱、張家駒、黎溢海、陳國璽、陳科銷、李鎔、蘇青鼇。總之,這三十二人中,在職名表中著錄為其它館職的為二十二人,未予著錄的為十人。兩者均體現了原職名表的遺漏,但遺漏的表現又有所區別:後者是一種顯性的遺漏,而前者是一種隱性的遺漏。相對來說,隱性遺漏更為嚴重一些。

當然,這八十八人,也不可能包括四庫館所有的纂修官,因為:

其一,最初參與簽《大典》佚書的三十人,其實也是纂修官。據前引乾隆三十八年閏三月十一日「辦理四庫全書處奏遵旨酌議排纂《四庫全書》應行事宜摺」云:「現有之纂修三十員,僅敷校辦《永樂大典》。」另據鄒炳泰《午風堂叢談》卷二載:「乾隆癸巳二月,上

27 黃簽考證纂修官其實不能算作真正的纂修官,因為黃簽考證纂修官主要負責將纂修官簽貼於原書之上的有關考證文字彙編起來,形成後來的《四庫全書考證》。其工作性質只為彙編,與纂修官的工作不同。因此,殿本職名表改稱「編次黃簽考證官」,將其排除在纂修官之外。

28 倘若以目前最通行的浙本職名表計算(纂修官共四十八人),則新的統計數要超過原來數量近一倍。

命大學士劉統勳等將《大典》內散篇纂集成書，總纂則紀編修昀、陸刑部錫熊，纂修三十人，余時為庶常，亦膺是選。」[29]這三十位纂修官並不都在職名表開列的校勘《永樂大典》纂修官（三十九人）中，也不可能全在上述的八十八人中。

其二，目前所搜得的材料不太可能反映當時全部的纂修官[30]，例如，目前所見的提要稿很有限，難以反映所有提要稿的撰寫者（纂修官）。

（二）纂修官的變化

儘管我們在目前還很難準確地統計出四庫館所有纂修官的數量，但僅據上述的八十八人就可看出，《四庫》職名表在收錄上的疏漏是相當明顯的。按常理來推斷，職名表的收錄，應是很慎重的，一般不應有遺漏，那麼，為何職名表漏收那麼多人呢？筆者認為，漏收的最大原因是，在《四庫》開館十餘年中，纂修官一直是變化的。這種變化，主要體現在兩個方面：

29 續修四庫全書編委會編：《續修四庫全書》（上海市：上海古籍出版社，1996-2003年影印本），冊1462，頁186上。

30 據臺灣中央研究院歷史語言研究所「明清檔案人名權威資料查詢」（http://archive.ihp.sinica.edu.tw/ttsweb/html_name/search.php）檢索可知，錢樾曾任《四庫全書》改正底本纂修官。其依據為《清國史館傳包》，2745-4號。筆者查國家清史編纂委員會圖書資料中心所複印的《（臺灣）故宮博物院藏清國史館傳記包》（選編）中所收錢樾傳記，沒有查到有相關記載，而筆者又暫時無法查閱到臺灣所藏原檔，故不敢肯定「錢樾曾任纂修官」的提法是否正確。此存以待考。另外，據「明清檔案人名權威資料查詢」還查得莊存與亦曾任四庫全書館纂修官。其依據為《清史稿校注》，冊5，卷152，頁3997。但筆者查原書所載為：「……其纂修等官，則有戴震、邵晉涵、莊存與、任大椿、王念孫、姚鼐、翁方綱、朱筠等。」顯然原文所指是包括纂修等官，並非單指纂修官，因此，莊存與未必就是纂修官。

1 館職的遷轉

指館臣在館內職務的變動，包括：其一，纂修官變為分校官，如季學錦等；其二，纂修官變為總纂官，如紀昀；其三，纂修官變為總目協勘官，如程晉芳；其四，纂修官變為提調官，如周興岱；其五，纂修官變為總校官，如王燕緒。

館內職務變動的原因很多（如據業績優劣、能力高下所作的調整），但最主要是出於四庫館工作的實際需要，如早期纂修官多，分校官少，但隨著修書的進展，後來纂修官少，分校官多，因而一些纂修官轉而任分校官；新增的館職（如復校官、總校官）需要館臣（如纂修官）充任；等等。

2 添派、離職

添派，指因工作需要而添派纂修官。如乾隆三十九年十月十九日，總裁官永瑢等奏請令張羲年在四庫全書館纂修上行走。[31]

離職，指纂修官由於丁憂、生病、身故、授職、調任而離開館職。例如，乾隆四十年庶起士散館，纂修官陳國璽、陳科錩就因授部職而離館。[32]

從上述可看出，館臣（如纂修官）在館內的職務變動較多，且轉出與轉入的比例也是比較高的。尤其是在修書五年期滿議敘時，離職外調者則更多。而職名表一般只著錄館臣的一項館職（多為館臣最後

---

31 「多羅質郡王永瑢等奏請令張羲年在四庫全書處纂修上行走折」（乾隆三十九年十月十九日），載張書才主編：《纂修四庫全書檔案》〔上海市：上海古籍出版社，1997年〕，頁276-277。

32 「諭內閣散館之庶起士黃壽齡等著分別授為編修檢討」（乾隆四十年四月二十八日），載張書才主編：《纂修四庫全書檔案》（上海市：上海古籍出版社，1997年），頁382-383。

所任的館職），因而，館職的變化，往往在職名表中就難以反映出來。例如，某人原為纂修官，後來做了分校官，職名表可能就只著錄其為分校官，而不著錄其曾任纂修官。因此，未入職名表的纂修官，應該多與中途離職、任職時間較短有關。

三　考察纂修官數量的意義

考察未入《四庫》職名表「纂修官」的纂修官數量，對四庫學研究具有多方面的意義：

其一，對職名表的修正。《四庫》職名表對館臣的著錄有遺漏，這是我們都知道的，但遺漏的程度，卻不太清楚。我們從上述未入《四庫》職名表「纂修官」的纂修官數量可以看出，職名表的遺漏程度是相當嚴重的。由此我們還可推斷，職名表中纂修官之外的其它館臣（如分校官等）的漏收也應該是比較嚴重的。此外，以上所考得的未入職名表的纂修官：秦泉、周厚轅、金蓉、徐天柱、張家駒、黎溢海、陳國璽、陳科錩、李鎔、蘇青鼇，可以作為職名表的補充。還有，有些館臣曾任過纂修官，但職名表中無法反映，我們可以通過修訂《四庫》職名表，把這些曾任纂修官的館臣標注出來，使職名表更合理完善，便於使用。

其二，更好地解讀與利用職名表。我們以往批評職名表的遺漏，總是歸罪於編排者的粗疏。其實，通過以上的分析可以發現，遺漏是很多複雜的原因造成的。如前所述，原職名表的遺漏包括顯性遺漏與隱性遺漏兩方面，而相對來說，隱性遺漏更容易被我們所忽視。例如，有很多館臣可能任過兩個甚至多個館職，而職名表難以把這些變化一一展示出來，只好簡單處理（如只標最後的館職）[33]，因而造成了許多漏收的情況。也就是說，職名表只能反映靜態的館臣情況，無法反映整個四庫館開館期間館臣的動態變化情況。因此，顯性遺漏體現了職名表失收的嚴重性，而隱性遺漏體現了四庫館兼職、館職變化的普遍性，體現了四庫館動態變化的特徵。

其三，有助於分析館臣館職與官職的關係。四庫館臣一般均帶有官職，因此，館臣的館職，只是代表一種「任」(臨時委任的工作)，而所帶官職才是真正意義上的「職」，如館臣提調官翰林院編修周興岱，「提調官」(館職)是指其在《四庫》館負責提調的工作(「任」)，而「翰林院編修」是指其所帶的官職(「職」)。因此，與官職的變化相比，館職的變化對館臣影響並不大，在操作上也相對簡單得多。例如，從上述《四庫》纂修官看，因工作的需要，館臣的館職變化較為普遍而頻繁，這在很大程度上說明，館職本身的高低不太重要，館職的變化並不意味著官職的變化。

其四，有助於對《翁方綱纂四庫提要稿》的解讀。據《翁方綱纂四庫提要稿》載：《石鼓文定本》二卷，原提要稿為黃姓纂修官撰，經翁氏修改重錄，而黃稿另紙附訂於後，文字略有異同；《兩漢雋言》一書，歸程姓纂修官校辦；《隸釋》一書，歸李姓纂修官校辦並撰寫提要稿；《可齋雜稿》一書，歸贊善王姓纂修官校辦；《王陽明文集》，纂修潘所分一部可取校；《偽齊錄》，即纂修英前單內所校辦之楊堯弼《偽豫傳》，毋庸另為校辦；《古四聲等子韻》一書，歸任姓纂修官校辦。[34]以上纂修官所辦之書均為非大典本。一般而言，這些非

---

33 浙本職名表保留了一些兼職情況，如「校勘《永樂大典》纂修兼分校官」、「天文算學纂修兼分校官」，王嘉曾分別著錄於「校勘《永樂大典》纂修兼分校官」、「分校官」兩處，陸費墀分別著錄於「總校官」、「武英殿提調官」兩處。

34 以上分別參吳格整理：《翁方綱纂四庫提要稿》(上海市：科學技術文獻出版社，2005年)，頁140、頁326、頁441、頁740、頁888、頁1227、頁1229。

大典本應由大典本纂修官之外的纂修官校辦，職名表開列的大典本纂修官之外的纂修官只有天文算法纂修官及校辦各省遺書纂修官，但這些纂修官中並無姓黃、姓程、姓李、姓王、姓潘、姓或名英、姓任者，故吳格先生在整理《翁方綱纂四庫提要稿》時也難以判斷這五位纂修官的姓名。其實，由於職名表缺收了不少纂修官，而且沒有很好地反映館臣兼職（纂修官）的情況，因此，我們可以從以上求得的未入職名表「纂修官」的纂修官中來尋找線索，大致推斷出他們的姓名：姓黃者，可能是黃瀛元或黃良棟；姓程者，可能是程晉芳；姓李者，可能是李鎔；姓王者，可能是王燕緒；姓潘者，可能是潘曾起；纂修英，不詳[35]；姓任者，可能是任大椿。由此，我們還可以進一步證明，當時校辦各省遺書纂修官，並非只有職名表中所開列的六人。

其五，有助於解釋非纂修官撰寫提要稿的現象。如前所述，由於纂修官是負責擬寫提要稿的，因此，提要稿的撰寫者在撰寫當時，均應該是纂修官。但是，目前我們發現有的提要稿並不是由職名表中的纂修官所寫的，如前述程晉芳（總目協勘官）、季學錦（分校官）、查瑩（提調官）等人的提要稿。這是為什麼呢？其實，這些人在撰寫提要稿當時肯定是纂修官，只不過他們的館職在後來有了變化，不再擔任纂修官了，而職名表沒有將這一變化揭示出來。因此，有的論著稱分校官、總目協勘官、提調官等均可擬寫提要，顯然是不對的。

最後，因為纂修官一般均擬寫有提要稿，所以，我們據上述新整理出來的纂修官名單（八十八人）來進一步發掘，有可能發現新的提要稿。

---

35 其中「纂修英」，筆者以前認為是英廉。但是，英廉為副總裁，而且應該是不閱書的副總裁，所以這裏「纂修英」應該不是英廉。此存以待考。

第三節　從擬賞單看日常在館館臣數

《纂修四庫全書檔案》中收有五份擬賞單，是我們考察四庫館日常在館館臣數的最好材料：

一、「軍機大臣擬賞四庫全書館哈密瓜人員名數單」（乾隆四十二年十月二十七日）載：「擬賞哈密瓜人員名數單：四庫全書館總裁，查《四庫全書》總裁共十員，除臣等軍機處行走及懋勤殿行走者已蒙恩特賞外，餘總裁四員，酌擬每員賞瓜一圓。英廉，程景伊，嵇璜，錢汝誠，擬共賞四圓。總纂三員，擬共賞二圓。提調十二員，擬共賞四圓。總校九員，擬共賞三圓。纂修、分校及排校聚珍版之翰林、中書等官共一百二十八員，擬共賞三十圓。」[36]

可見，乾隆四十二年十月二十七日，四庫館館臣數為：總裁十人（其中六人早前已蒙賞，但也應一起被視為在館館臣。下同），總纂三人，提調十二人，總校九人，纂修、分校及排聚珍版之翰林、中書等官共一百二十八人，總計實有一百六十二人。

二、「軍機大臣擬賞四庫全書館哈密瓜人員名數單」（乾隆四十四年十月二十七日）載：「擬賞四庫全書館哈密瓜人員名數單：總裁十員，除臣等軍機處行走及懋勤殿行走者已蒙恩特賞外，餘總裁四員，酌擬每員賞瓜一圓。英廉、程景伊、嵇璜、金簡。擬共賞四圓。總閱十員，除在懋勤殿行走及上書房行走者已蒙恩特賞外，餘總閱一員，酌擬賞瓜一圓。竇光鼐。擬賞一圓。總纂三員，擬共賞二圓。提調十員，擬共賞四圓。總校十一員，擬共賞三圓。纂修、分校及排校聚珍板並對音，繕簽、督催等官，共一百四十五員，擬共賞十六圓。」[37]

36 張書才主編：《纂修四庫全書檔案》（上海市：上海古籍出版社，1997年），頁745。

37 張書才主編：《纂修四庫全書檔案》（上海市：上海古籍出版社，1997年），頁1116-

可見，乾隆四十四年十月二十七日，四庫館在館館臣數為：總裁十人，總閱十人，總纂三人，提調十人，總校十一人，纂修、分校及排聚珍版並對音、繕簽、督催等官共一百四十五人，總計實有一百八十九人。

三、「軍機大臣擬賞四庫全書處人員菓單」（乾隆四十四年十一月十八日）載：「擬賞四庫全書處人員菓單：總裁四員，除臣等及在懋勤殿行走者，已蒙恩特賞外，余總裁四員，酌擬各賞蘋菓四個、圓菓三個、石榴五個。英廉、程景伊、嵇璜、金簡。總閱十一員。除在懋勤殿行走者已蒙恩特賞外，餘總閱十一員（應為十員），擬每員各賞蘋菓四個、圓菓三個、石榴五個。謝墉、周煌、達椿、錢載、胡高望、竇光鼐、李汪度、朱珪、倪承寬、吉夢熊。總纂三員，擬共賞蘋菓三個、圓菓三個、石榴十二個。提調十員，擬共賞蘋菓十個、圓菓十個、石榴二十一個。總校十一員，擬共賞蘋菓十一個、圓菓十一個、石榴二十四個。纂修、分校及排校聚珍版、對音、繕簽、督催等官共一百四十八員，擬共賞蘋菓五十一個、圓菓三十個、石榴六十七個。」[38]

可見，乾隆四十四年十一月十八日，四庫館在館館臣數為：總裁十人，總閱十一人，總纂三人，提調十人，總校十一人，纂修、分校及排聚珍版並對音、繕簽、督催等官共一百四十八人，總計實有一百九十三人。

四、「軍機大臣擬賞四庫全書處人員菓單」（乾隆四十四年十二月二十四日）載：「擬賞四庫全書處人員菓單：總裁四員，除臣等軍機

1117。總裁和總閱官有在軍機處、懋勤殿、上書房辦事的，這些人不在這賞賜單中，但也是當時在館之人。

38 張書才主編：《纂修四庫全書檔案》（上海市：上海古籍出版社，1997年），頁1127-1128。

處行走及在懋勤殿行走者已蒙恩賞外，余總裁四員，擬賞二桶。程景伊、英廉、嵇璜、金簡。總閱一員、總纂三員。查總閱十一員，除在尚書房、懋勤殿行走者已蒙恩賞外，餘惟竇光鼐一員，同總纂三員，擬共賞一桶。提調十一員，擬共賞二桶。總校十一員，擬共賞二桶。纂修、分校及排校聚珍板對音、繕簽、督催等官共一百四十一員，擬共賞八桶。」[39]

可見，乾隆四十四年十二月二十四日，四庫館在館館臣數為：總裁十人，總閱十一人，總纂三人，提調十一人，總校十一人，纂修、分校及排聚珍版並對音、繕簽、督催等官共一百四十一人，總計實有一百八十七人。

五、「軍機大臣擬賞四庫全書館哈密瓜人員名數單」（乾隆四十五年十一月初二日）載：「擬賞四庫全書館哈密瓜人員名數單：總裁十員，除臣等在軍機處行走及懋勤殿行走者，已蒙恩特賞外，余總裁三員，酌擬每員賞瓜一圓。英廉、嵇璜、金簡，擬共賞三圓。總纂四員，擬賞二圓。提調十一員，擬賞二圓。總校八員，擬賞一圓。纂修、分校及排校聚珍板並對音、繕簽、督催等官共一百五十三員，擬共賞十二圓。」

可見，乾隆四十四年十一月十八日，四庫館在館館臣數為：總裁十人，總纂四人[40]，提調十一人，總校八人，纂修、分校及排聚珍版

---

39 張書才主編：《纂修四庫全書檔案》（上海市：上海古籍出版社，1997年），頁1140-1141。

40 這裏較前多了一位總纂，應該是指陸費墀。又可參「諭辦理《四庫全書》出力人員夢吉陸費墀等著分別陞用授職與賞賜」（乾隆四十三年二月二十九日）載：「至陸費墀、陸錫熊、紀昀，雖均已加恩擢用，但纂辦各書，均為出力，著賞給緞疋、荷包、筆、墨、紙、硯，以示獎勵。其現在引見之提調、纂修等員，亦著一體分別賞給。欽此。」「軍機大臣進呈擬賞《四庫全書》總纂等員物品單」（乾隆四十三年二月二十九日）載：「擬賞總纂三員各一分：大卷緞二疋，小卷緞二疋，大荷包二

並對音、繕簽、督催等官共一百五十三人，總計實有一百八十六人。

茲列表如下[41]：

館職／時間	總裁	總閱	總纂	提調	總校	纂修及分校等	合計
乾隆四十二年十月二十七日	10		3	12	9	128	162
乾隆四十四年十月二十七日	10	10	3	10	11	145	189
乾隆四十四年十一月十八日	10	11	3	10	11	148	193
乾隆四十四年十二月二十四日	10	11	3	11	11	141	187
乾隆四十五年十一月初二日	10		4	11	8	153	186

以上的統計數可能與真正的在館人數會有一定的差距，因為：其一，擬賞單最後有「……等官」的表述，我們不清楚其中是否包括有四庫館收掌官，而收掌官當然也是館臣。其二，與職名表相較，擬賞單多列了對音官（指校對譯音者）、繕簽官（封面、匣面書簽者）、排校聚珍板官（不清楚是指聚珍本校對官，還是聚珍館校錄，或是其它人員，筆者估計是前者的可能性最大）。這些人員是否算是館臣，還有待具體分析（可參本書附錄一「四庫館館臣表」）。

如果我們將以上的情況忽略不計，大致會得出這樣的印象：

其一，乾隆四十四年至四十五年間，四庫館日常在館館臣數基本維持在一百九十人左右。[42]其中乾隆四十五年十一月的擬賞單沒有包

對，小荷包二對，絹箋八張。」以上分別載張書才主編：《纂修四庫全書檔案》（上海市：上海古籍出版社，1997年），頁785、頁786。

41 本表的製作參考了劉鳳強：《四庫全書館研究》（蘭州市：蘭州大學碩士論文，2006年）中的統計表，但有修改。

42 據紀昀：〈恩賜四庫全書館哈密瓜聯句恭紀一百五四韻謹序〉，《紀曉嵐文集》《詩》，卷8，頁470載：「乾隆四十二年十月二十九日，命以哈密瓜欽賜全書館諸臣，異數也。」吳振棫：《養吉齋叢錄》（北京市：古籍出版社，1983年，頁279），

括總閱官（十一十一人），若加上總閱官，其總數應有一百九十多人。

其二，館臣數是逐漸增加的。乾隆四十二年的在館人數要少一些，其原因應該是：乾隆四十二年的擬賞單中沒有包括總閱官（乾隆四十四年才設）及對音、繕簽、督催等官。據「多羅質郡王永瑢等奏明募選額外供事情形摺」（乾隆三十九年十二月初四日）載：「如翰林院辦書，自總裁以下官至七十餘員，各有所司之事，……又武英殿及薈要處共謄錄六百餘名，校閱各官七十餘員，……」[43]也就是說，翰林院四庫館共有七十餘人；武英殿四庫館共有分校、總校（復校）各官七十餘人，另外還應有提調與收掌等約二十人。兩館相加，共約一百六十餘人。這與乾隆四十二年擬賞單之數也是基本相符的。乾隆四十三年開始，武英殿四庫館額設校對官增至九十二人（原來為七十餘人）[44]，館臣總數較之以前會有明顯的增加（約達一百八十人左右）。

卷26亦載：「乾隆癸亥、甲戌，瞻謁三陵，值貢瓜至，即命親王齎往恭薦。內外大臣亦時有被賜者。又開四庫館時，以瓜賜編纂諸臣，凡一百五十四人。諸臣有聯句恭紀詩。」這一百五十四人，即一百五十四位館臣。此一數量也可以作為在館館臣數量的參考。不過，此一數量沒有包括總裁人數。

43 張書才主編：《纂修四庫全書檔案》（上海市：上海古籍出版社，1997年），頁305。

44 據永瑢等「為奏聞事」（乾隆四十三年六月十一日）載：「竊臣等於本年二月內將纂辦《永樂大典》及遺書之提調、纂修、收書等官核定等次，奏請議敘，並聲明《四庫全書》及《薈要》兩處核對各員，照例另行奏辦。荷蒙允准，分別帶領引見，加恩，交部議敘在案。今《薈要》第一分已經繕畢，第二分繕寫將畢。《全書》第一分繕寫將畢，第二分亦繕寫得四分之一，且已屆滿五年之期。除總校陸費墀仰蒙皇上天恩屢加拔擢，近復□□□□，特不敢再請議敘外，所有在事人員自應校定等第，照前請旨，量加憂敘。查全書、薈要兩處節次奏定派設校對九十二員，內行走已滿五年者九十二員，查有檢討季學錦、中書田伊（尹）衡、助教全（金）學詩三員，校勘實心詳慎，應列為上等，容臣等帶領引見，恭候皇上酌量加恩。又徐立綱、陳墉、吳省蘭等校勘出力，本應列為一等，但徐立綱甫經散館授職，陳墉蒙恩以部屬改補，吳省蘭蒙恩一體殿試點充庶起士，此時均毋庸另行引見，仍請交部議敘。其（周）鍾健、閔惇大、王坦修、蕭九成、胡予襄等五員，校辦亦詳妥，應列為次等，請旨交部議敘。其未滿五年，理應屆滿五年，再行陸續核辦。所有丁憂、此外，乾隆四十四年又增加了總閱官，再加上對音等官，所以，乾隆四十四、四十五年的日常在館館臣數就有一百九十人左右。

不過，大約從乾隆四十六年十二月第一份全書抄完議敘後，四庫館日常在館館臣數就開始陸續減少了。這主要是因為：隨著第一份全書抄成，原來的纂修官已不再需要；原來的館臣又屢經議敘，有的改任其它行政職務，有的因故（如丁憂、身故、抱疾等）離館，有的改為續辦全書館臣，等等。而隨著修書接近尾聲，分校不再需要那麼多，日常在館館臣數則可能更少，據永瑢等「奏為請旨事」（乾隆四

告假離館之員，應俟回館接辦，五年期滿，另辦。其升任、改補、派充別項差使，離館不能再回核辦者，有張世勳、曹城、張培、王家寶、李駿、范鏊、汪日章、王彝憲、劉光□（第）、□（施）光輅等□員，行走俱在二年以上，亦應為次第，一併交部議敘。再查原任編修祥慶，前經奏請專辦聚珍版一切事務，已閱五年，頗能實心經理。又原任太常寺典簿郭祚熾，江西進士，係開館時原派校對，嗣緣衙門公事革職，復經臣等奏明留館效力，已滿五年，實為感激勤勉，以上二人應一體帶領引見請旨。至管理武英殿事務劉□（引者注：應為「劉淳」）、監造伊靈阿二員，派辦紙張、印格、裝訂、匣套一切事務及管束各項匠役，亦俱實力勤慎，已滿五年，應列為一等，諮明□。內務府人員所辦皆《四庫全書》之事，應將筆帖式德光、庫掌六（陸）達塞、海寧，委署庫掌準提保、柏唐阿廣博、永清等六員列為一等，筆帖式敷柱禮、庫掌海福、柏唐阿德明、福慶等□員列為口等，諮明□內務府，查照《永樂大典》之例議敘。嗣後陸續屆滿五年之員，均照此分別核定，另行奏辦。臣等未敢擅□，為此謹奏。奉旨，知道了。欽此。」（載張升編：〈江蘇採進遺書目錄〉，《四庫全書提要稿輯存》〔北京市：圖書館出版社，2006年〕，冊4，卷首，頁44-49）這裏說到已滿五年的校對官有九十二人，可能不對，因為：其一，開館時的分校官，並沒有這麼多。其二，此奏中明言九十二人之數是節次定的，也就是陸續定的，不是一開館時就有這麼多的。其三，此奏中說到其中一些人不到五年，應在這九十二人中。其四，此奏中所列分等的校對官，只有十一人。這十一人應是滿五年的，並沒有九十二人那麼多。倘若有九十二人已滿五年，為何只列有一、二等的十一人呢？其它人都不入等嗎？不可能，因為議敘一般就是分這兩等的。筆者推測，「九」與「凡」字形相近，這裏可能是滿五年者「凡十二人」之誤，因為一、二等的十一人，再加上滿五年的郭祚熾，即為十二人。郭氏因在任分校期間被革職，所以不列入等中。綜上所述，至乾隆四十三年，共有十二名分校在館滿五年；而自本年起，武英殿四庫館（包括薈要處）額設分校九十二人。

十八年十月初十日）載：「竊臣等奉命辦《四庫全書》三分，……必須多員分校，方能迅速辦理，而各衙門送到分校官只有二十一員，此外翰林、中書及小京官，現在仍行文各衙門查取，但亦無多餘職事較閒之人堪以添派。臣等再四籌酌，原辦四庫全書第三分告竣，其第四分業經繕校亦復不少，所有原充分校各官日課漸減，此內除兼修別館書籍者五十七員，自未便再令兼辦，以致顧此失彼，應仍留武英殿校勘第四分全書。其專充分校之編修朱紱等三十五員，應令專司校對續繕之書。……武英殿分校撥派校勘續繕全書三十五員名單：……」[45]可以看出，到乾隆四十八年十月，四庫館在館的分校仍有九十二人，而自此之後，其中王福清等三十五名分校被派辦續辦三份全書。因此，筆者認為，四庫館日常在館館臣數自第一份全書抄成後，即呈遞減之趨勢。

本章小結

綜上所述，茲小結如下：

一、據浙本職名表統計可知，館臣共三百六十人。

二、綜合浙本、殿本職名表統計可知，館臣共三百七十一人。而據本書所附館臣表正編統計可知，前後在館的四庫館臣共四百七十六人。

三、職名表著錄的纂修官共五十六人，而筆者通過其它材料可考得未入職名表「纂修官」的纂修官有三十二人，其中在職名表中著錄為其它館職的纂修官有二十二人，職名表未予著錄的有十人。後者是一種顯性的遺漏，而前者是一種隱性的遺漏。顯性遺漏體現了職名表

---

45 張升編：〈江蘇採進遺書目錄〉，《四庫全書提要稿輯存》（北京市：圖書館出版社，2006年），冊4，卷首，頁70-73。

失收的嚴重性，而隱性遺漏體現了四庫館兼職、館職變化的普遍性，體現了四庫館動態變化的特徵。學界以前多注意到顯性遺漏現象，而幾乎沒有關注過隱性遺漏現象，這是不對的。其實，隱性遺漏更值得重視，它對四庫學研究具有多方面的意義。

四、四庫館日常在館館臣數，乾隆四十二年以前大致為一百六十餘人，乾隆四十三年大致為一百八十人左右，乾隆四十四、四十五年大致為一百九十人左右，達到最高。隨著辦書的進展，四庫館的工作越來越多地轉移至武英殿四庫館，原來的纂修官也多轉為武英殿分校官或離館。因此，武英殿四庫館的人數會隨之增加，而翰林院四庫館的人數會隨之減少。不過，從總體上來說，自乾隆四十六年十二月第一份《四庫》抄完之後，四庫館日常在館館臣數開始陸續減少。

第五章
四庫館臣的工作

四庫館館臣包括正副總裁、總閱官、總纂官、提調官、協勘總目官、纂修官、復校官、分校官、編次黄簽考證官、督催官、收掌官、監造官等，本章重點討論其中的正副總裁、纂修官、分校官、編次黄簽考證官。

第一節　總裁官

總裁可以說是四庫館的領導者，是總管，但是，這些總裁大多擔任非常高的行政職務，他們任總裁，是兼職還是專職呢？若是兼職，他們怎樣處理辦書與處理行政事務的關係呢？這是最先吸引筆者關注總裁的地方。應該說，關於總裁的研究，之前學界已有一些成果，但主要關注的是總裁的人選，而對總裁的具體工作，尤其是他們之間存在的分工不同，總裁普遍的兼職情況，則很少涉及。因此，筆者覺得還是很有必要對總裁作更深入的探討。此外，筆者還嘗試以王際華為例對總裁作個案研究。

一　人選

總裁任職的基本條件為：其一，一定的身份。除皇子外，正總裁均為正一品或從一品；副總裁則為正二品。總裁多是清廷各部門的負責人，包括軍機大臣、大學士、各部尚書與侍郎，可以起協調各部門的作用。其中正總裁一般是皇子、大學士、各部尚書兼任，副總裁則多為各部侍郎兼任。據檔案載，乾隆四十九年，陸費墀因為升任侍郎，所以就兼任副總裁官。[1]可以看出，侍郎的品階是其任副總裁的一個基本條件。金簡雖在四庫處管事，但最初並不是副總裁，直到後來任內務府大臣，才正式派充副總裁。這說明要當副總裁，確實需要一定的品級（身份）。其二，乾隆指派。吳哲夫認為，四庫館的主要負責人，大多由乾隆指派。[2]也可以說，這些人應該均為乾隆欽定的。那麼，乾隆是出於什麼考慮來欽定這些總裁的呢？筆者認為：

（一）出於信任、倚重

總裁中多為乾隆身邊長期任職的、出身翰林的大臣，乾隆對他們有較多的瞭解。其中那些深得其信任之大臣，就是總裁的最佳人選。例如，于敏中為軍機大臣，王際華雖為尚書，但也經常入直，乾隆對他們是非常瞭解的，也是非常信任的：「即如于敏中、程景伊、王際華，俱朕所信者，伊等亦能謹稟自持，看來漢尚書中，唯嵇璜不免與外吏稍通聲氣。」[3]因此，于敏中與王際華成為四庫館早期最重要的兩位總裁。

（二）出於培育皇子

永瑢、永璿、永瑆貴為皇子，乾隆任命他們為總裁，是想通過修書來鍛鍊他們。

---

1 如「諭內閣陸費墀著充四庫全書館副總裁」（乾隆四十九年二月十九日）載：「陸費墀既為侍郎，著充四庫全書館副總裁。欽此。」見張書才主編：《纂修四庫全書檔案》（上海市：上海古籍出版社，1997年），頁1768。陸費墀任副總裁時間太晚，因而下文關於總裁工作的論述就沒包括他。

2 吳哲夫：《四庫全書纂修之研究》（臺北市：國立故宮博物院，1976年），頁69。

3 《清高宗實錄》（北京市：中華書局，1986年），冊13，卷998，頁356。

(三) 出於褒獎、補過等考慮

例如，有的總裁是乾隆出於褒獎的目的欽定的，如阿桂，在金川戰役中曾立有大功，雖非翰林出身，亦出任總裁。有的又出於將功補過（革職留任的，以示寬大）的考慮，如胡適說：「……四庫館各總裁之中，差不多都是『革職留任，又從寬留任，又從寬免其革任』的大臣（如舒赫德，如程景伊，……）！這種『處分』，皆不妨礙繼續辦理《四庫全書》。……」[4]修書對於他們這些非翰林出身之大臣來說，無關緊要，乾隆正好安排這一閒職，讓他們將功贖罪，而且能體現乾隆的寬宏大量。

綜上所述，正副總裁任職最基本的條件應是：有一定的身份，乾隆的選擇。

二　分工

四庫館總裁前後共有三十位（除陸費墀外），其中正總裁即有十六位，這麼多總裁，有沒有分工呢？

一般人會以為，四庫館的總裁統領一切館務，於館內大小事務，例得過問。其實，總裁人眾，亦有較明確的分工：有的管全館，溝通各方面關係，有的管刻書，有的管後勤。例如，永瑢、舒赫德應是負責總攬全館的；福隆安則是在乾隆三十八年二月被派往四庫館經理飯食[5]；英廉主要是管後勤，起協調作用；金簡主要是辦武英殿刊印之

4 北京大學信息管理系、臺北胡適紀念館編：《胡適王重民先生往來書信集》（臺北市：國家圖書館出版社，2009年），頁405，胡適致王重民（1945年7月30日）。

5 參「諭著福隆安派員經理四庫全書處人員飯食」（乾隆三十八年二月二十八日），載張書才主編：《纂修四庫全書檔案》（上海市：上海古籍出版社，1997年），頁63。

事；于敏中是軍機大臣，軍機處事務繁多，修書也只是兼辦。有的總裁則要每日看書，所以，乾隆諭旨說：「皇六子質郡王永瑢、舒赫德、福隆安，雖派充總裁，並不責其翻閱書籍，乃令統領館上事務者。英廉辦理旗務及內務府各衙門，事件較緊，也難悉心校閱；金簡另有專司，此事本非其職。至於于敏中，雖係應行閱書之人，但伊在軍機處辦理軍務，兼有內廷筆墨之事，暇時實少，不能復令其分心兼顧。所有皇六子永瑢、舒赫德、于敏中、福隆安、英廉、金簡，但著從寬，免其部議。其餘總裁，每日到館，豈可於呈覽之書，竟不寓目。」[6]可見，總裁可以分為閱書與不閱書兩種。所謂閱書，主要是指總裁需審核纂修、總纂校辦過的書籍，並且按規定抽閱四庫館抄成的正本。這些工作是閱書總裁的任務。因此，所謂不閱書也並不是不「看書」，而是指沒有閱書總裁那樣有規定的審閱任務。

（一）不閱書之總裁

據前引乾隆諭旨可知，永瑢、舒赫德、福隆安、英廉、金簡均為不閱書之總裁。其中永瑢、舒赫德、福隆安為「統領館上事務者」，應為總管全域的總裁。福隆安亦曾專管四庫館的考覈督催，據「諭著四庫館總裁福隆安等專司考覈督催以期迅速蕆事」（乾隆四十四年三月初六日）載：「向來各館應進書籍俱係按卯稽查，惟四庫館所辦之書向無查核。全書卷帙浩繁，不可不設法稽考。該館總裁福隆安、英廉、金簡俱無閱書之事，即著專司考覈督催，以期迅速蕆事。」[7]

6　見「諭內閣聖祖集詩內錯字未校出總裁王際華等交部察議」（乾隆三十九年二月二十一日），載張書才主編：《纂修四庫全書檔案》（上海市：上海古籍出版社，1997年），頁199。「每日到館」，應該是要求這樣的，但實際做不到，包括王際華。即使到館，也不是常駐，只是待一下。

7　張書才主編：《纂修四庫全書檔案》（上海市：上海古籍出版社，1997年），頁1013。

金簡，其職責比較專一，在四庫處經管紙絹、裝潢、飯食、監刻各事宜，其中尤其是以監刻為主，後來聚珍版書的排印，就是由他主持的。據「管《四庫全書》刊刻等事務金簡奏酌辦活字書版並呈套板樣式摺」（乾隆三十八年十月二十八日）載：「竊臣奉命管理《四庫全書》一應刊刻、刷印、裝潢等事，臣惟有敬謹遵循，詳慎辦理。」「諭著金簡充四庫全書處副總裁」（乾隆三十八年十二月初十日）載：「金簡前曾派在四庫全書處經管紙絹、裝潢、飯食、監刻各事宜，今已授為總管內務府大臣，著即充四庫全書處副總裁。所有原派承辦事務，仍著照舊專管。」「內務府總管金簡奏黃壽齡攜書外出提調等率意從事請交部議處摺」（乾隆三十九年七月初三日）載：「竊奴才內府世僕，本非科第，荷蒙皇上殊恩，命為四庫全書處副總裁。奴才自顧庸愚，深為不稱，凡纂輯等事，實未習諳，而於一切督催稽查各事，惟有仰遵聖訓，實力供職。」「四庫全書處副總裁金簡奏請旨排印聚珍版刻法摺」（乾隆四十一年十二月二十二日）載：「臣遵旨辦理聚珍版事務，所有印出各書，業經陸續呈進。其中刻字、置櫃、擺版、刷印等事，臣率同承辦字版之原任編修祥慶等，悉心講求，務期工簡事速，以仰副我皇上嘉惠士林之至意。……臣謹仿《墨法集要》體例，將現在辦法，分別條款，著為圖說，擬名《欽定武英殿聚珍版程序》，繕繪清本，恭呈御覽，伏候訓示，永遠遵辦。」「諭內閣陸費墀著解任交英廉等審訊並著英廉另簡派提調」（乾隆四十五年三月十六日）載：「……陸費墀著解任，交與英廉、胡季堂、金簡、曹文埴秉公審訊。金簡久管武英殿事務，陸費墀所辦雖與金簡無涉，自可毋庸迴護，且與英廉等會同審訊，亦不能稍有徇隱。」[8]可見，金簡也

8　張書才主編：《纂修四庫全書檔案》（上海市：上海古籍出版社，1997年），頁177、頁189、頁223、頁563、頁1158。

說自己不是科第出身，不懂纂輯之事，所以主要管督查，例如，四庫館丟失底本及《大典》之事，就是由他出面負責追查的。

不過，與一般的不閱書之總裁相比，金簡的情況又有些特殊。他其實並不是不懂纂輯，例如，他曾著有《欽定武英殿聚珍版程序》，而且，聚珍本《欽定重刻淳化閣帖釋文》十卷、《詩倫》二卷，就是金簡負責校對的。因此，金簡除主管督催、刻印之事外，還參與了聚珍本的校對。另外，金簡後來還曾接王際華之手主辦《薈要》，據「諭內閣著添派金簡辦理《四庫全書薈要》」（乾隆四十三年閏六月十五日）載：「辦理《四庫全書薈要》，著添派金簡。欽此。」[9]

英廉，在四庫館中主要管後勤事務，原來可能主要在武英殿管事，後來則主要在翰林院管事。[10]

阿桂、和珅，也是不閱書之總裁，據「吏部為知照辦理《諸史同異錄》人員分別議處事致典籍廳移會（附黏單）」（乾隆五十二年五月十七日）載：「……附黏單，吏部題遵旨將四庫全書館總裁等議處本。……至總裁大學士公阿（桂）等雖向來並不看書，但現辦之書既有不合，究係總裁，不能辭咎，應將大學士廂黃旗滿洲都統一等誠謀英勇公阿（桂）、大學士兼管吏部事務正白旗滿洲都統・步軍統領和（珅）均照不嚴加查核降一級留任例，降一級留任。」[11]雖然他們沒有抽閱任務，但他們曾被乾隆派辦復閱四庫館進呈本中的錯誤，據

9 張書才主編：《纂修四庫全書檔案》（上海市：上海古籍出版社，1997年），頁853。

10 「大學士英廉奏覆核各省應行抽毀各書情形並開單行知各省遵辦摺」（乾隆四十七年三月二十五日）載：「大學士・四庫館正總裁・管翰林院事臣英廉謹奏，……」見張書才主編：《纂修四庫全書檔案》（上海市：上海古籍出版社，1997年），頁1550。

11 張書才主編：《纂修四庫全書檔案》（上海市：上海古籍出版社，1997年），頁2003。〔清〕那彥成編：〈宿齋宮即事〉，《阿文成公年譜》，卷14載：「孰謂值齋方事簡，書呈四庫勘猶忙。」（《北京圖書館藏珍本年譜叢刊》〔北京市：北京圖書館出版社，1999年〕，冊101，頁350）這應該是指阿桂復閱進呈本。

「軍機大臣奏查核正月至三月所進書籍錯誤次數請將總裁等交部察議片」（乾隆四十六年四月十五日）載：「又奉旨：阿桂、和珅派閱書籍內簽出錯誤之處，一併照例議處。欽此。」「全書處匯核正月至三月繕寫全書訛錯及總裁等記過清單」（乾隆四十六年四月）載：「又總裁阿（桂）、和（珅）復閱奏明記過之處，一併填注，統行開具於後。」[12]此摺最後所載的四種書，即是阿桂、和珅復閱的。不過，他們的復閱工作與閱書總裁的抽閱不同，前者是乾隆臨時安排的，而後者是總裁的日常職責（任務）。

慶桂，在館中時間很短，乾隆三十八年閏三月任副總裁，四月即離館，應該也是不閱書之副總裁。

鍾音，入館很遲，而且不久就病故，雖為副總裁，但所辦之書，是三通館的書，所以原職名表不列入其名，也不奇怪。據「諭鍾音承辦繕寫《四庫全書》所用紙張著加恩赴部支領」（乾隆四十三年七月初五日）載：「鍾音承辦繕寫之《四庫全書》所有應用紙張，著加恩准其赴部支領。欽此。」「軍機大臣于敏中等為遵旨派令繕錄金元諸《史》事致金簡函」（乾隆四十三年九月十二日）載：「逕啟者：十二日召見，面奉諭旨：鍾音現在病故，其承辦繕寫三通館金、元諸《史》，自應撤回。至應給紙張，如尚未發給，即不必發，若已發亦即收回。現在四庫館謄錄內拔貢呈請效力者甚多，即將此項書籍派令繕錄。爾等可寄信金簡，令其遵照辦理，毋庸再行提及。欽此。」[13]他負責繕寫《金史》、《元史》等，這些書也收入《四庫》，所以他的工作仍稱為繕寫《四庫全書》。他去世後，其工作由金簡接辦。

12 以上分別載張書才主編：《纂修四庫全書檔案》（上海市：上海古籍出版社，1997年），頁1330、頁1331。

13 以上分別載張書才主編：《纂修四庫全書檔案》（上海市：上海古籍出版社，1997年），頁861、頁878-879。

從上述可看出，這些不閱書之總裁都是非科甲出身的，並且主要為滿人。而據王重民《辦理四庫全書檔案》所附館臣記過統計表可知，以上這些不閱書的總裁都沒有任何因閱書而被記過的記錄。

(二) 閱書之總裁

除上述不閱書之總裁外，其它總裁均應為閱書之總裁。這些閱書之總裁，除二位皇子外，均為科甲出身（而且，除張若溎外，均為翰林出身）。因為《四庫》修書中最核心的工作就是閱書，所以，這些科甲出身的總裁，在很大程度上成為真正主持辦書的總裁，其中尤以劉統勳、于敏中、王際華最為重要。

劉統勳，在早期總裁中排名第一，資歷最深，因此，決定校辦《大典》等事，均由他親自主持。可以說，四庫館早期實際主事者應為劉統勳。據祝德麟《悅親樓詩集》卷7《三哀詩・太子太保大學士諸城劉文正公》載：「自從館局開，昕夕接音響。」[14]但劉氏本就不太想輯佚，而且乾隆三十八年十一月即去世，所以四庫館主事之權，後來就一直是在于敏中之手，故曾在四庫館任纂修官的姚鼐說：「未幾，文正（按：劉統勳，謚文正）卒，文襄總裁館事。」[15]

于敏中[16]，是比較特殊的閱書總裁，這是因為乾隆一方面認為於氏為「應行閱書之人」，另一方面又認為他沒有時間閱書，不應為閱書過錯負責。其實，於氏並不是真的不閱書，而是不像其它閱書總裁那樣，有一定的抽閱比例，而且要為此負責，因為四庫館進呈御覽的

14 《續修四庫全書》（上海市：上海古籍出版社，1996-2003年影印本），冊1462，頁606上。

15 〔清〕姚鼐：〈朱竹君先生傳〉，《惜抱軒詩文集》（上海市：古籍出版社，1992年），《文集》，卷10，，頁141。

16 關於於氏在館中的工作，可以參閱司馬朝軍：《四庫全書總目編纂考》，第3章，頁101-111。

書籍，于敏中也不時抽閱，遇謬誤之處，隨手改之。例如，乾隆三十八年六月十五日，于敏中在信中說：「今日抄本內《易象意言》……尊劄言是勵世兄（按：勵守謙）所校，已為挖改。凡此類者，切不可絲毫□就。又如字體內『恭』誤作『恭』，乃不可不講究者，可與各謄錄言之。」[17]乾隆三十九年五月初九的信中，他又說：「散篇書存留數日，隨意翻閱，見有訛字，即為改補，可疑者，存記另單附寄。」[18]據《于文襄手劄》可知，在乾隆三十八年至四十一年內乾隆至承德避暑山莊的五月至八月間，四庫館進呈的書籍，歷經于敏中之手轉呈御覽。[19]在此期間，於氏審閱了大部分的進呈書。乾隆對進呈書的意見，可能有些是直接來自於於氏的意見。可以說，於氏之工作，更在各閱書總裁之上，有時起到代乾隆作最終裁奪的作用。因此，於氏是四庫館的主要負責者（指閱書而言），實居最高總裁之任（行事），但並沒有最高總裁之名分。

裘曰修，據祝德麟《悅親樓詩集》卷七〈三哀詩〉〈太子太保尚書新建裘文達公〉載：「近因書局開，公來綜條理。大庭接言笑，心

---

17 〔清〕于敏中：《于文襄手劄》（北京市：國立北平圖書館，1933年影印本），第8通。

18 〔清〕于敏中：《于文襄手劄》（北京市：國立北平圖書館，1933年影印本），第35通。

19 例如，《傅斯年圖書館善本古籍題跋輯錄》（臺北市：中央研究院歷史語言研究所，2008年）載：「《五代史纂誤》三卷附《五代史闕文》一卷二冊，鈔本。乾隆乙未、丙申（四十、四十一年）間，朝廷開四庫全書館收訪遺書，先取前明所遺《永樂大典》中古書，抄出有用者，命儒臣校而刻之，此《五代史纂誤》亦其一也。吾友邵編修（名晉涵……）在館中搜得薛居正《舊五代史》，聞其已經繕錄清本，行將進御，因先呈總裁掌院相國於公（名敏中……），公留閱未竟，己亥冬（乾隆四十四年），於公卒，書遂浮沉不可復得，誠恨事也。」（載湯蔓媛纂輯：《傅斯年圖書館善本古籍題跋輯錄》〔臺北市：中央研究院歷史語言研究所，2008年〕，冊1，釋文，頁27）。可見，進呈御覽之書，要先呈於氏閱看。

醉飲醇醴。……奈何寶善亭（校書之所），忽斷尚書履。」[20]可見，裘氏應是常到翰林院四庫館閱書的。

張若溎，據《清高宗實錄》卷九七〇載：「甲子，諭，……紀昀、勵守謙二人，在范宜賓或可云向未相識，而張若溎與該二員同在四庫全書處，係每日相見之人。」[21]可見，張氏作為總裁，也是每日至翰林院四庫館的。

永璿、永瑆，也要校書，而且皇子校書若有錯亦會受處分，據「諭內閣嗣後阿哥等校書錯誤亦應一體查核處分」（乾隆四十三年三月二十七日）載：「前派八阿哥、十一阿哥校勘《四庫全書》，向來總裁校書經朕指出錯誤者，例有處分。嗣後阿哥等所校之書，如有錯誤，亦應一體查核處分，以昭公當。其應罰之俸，著照尚書例議罰，即於應得分例內坐扣。欽此。」[22]此外，八阿哥永璿後來曾接替福隆安兼管四庫館稽察功課的工作，據「諭八阿哥著同金簡曹文埴催辦《四庫全書》事務」（乾隆四十七年四月初九日）載：「八阿哥著同金簡、曹文埴催辦《四庫全書》事務。欽此。」「諭內閣福隆安氣體微弱著派八阿哥永璿管理清字經館及全書館」（乾隆四十八年五月初二日）載：「福隆安現在氣體微弱，所有清字經館總裁併稽察功課及四庫全書館總裁稽察功課，著派八阿哥管理。」「軍機大臣奏全書處查核錯誤記過次數及督催處查核功課情形片」（乾隆四十九年七月初六日）載：「……至督催處查核全書功課，現係八阿哥、金簡專管，亦係三月匯奏一次，現在已屆秋季，應由該處照例將夏季功課自行具

20 《續修四庫全書》（上海市：上海古籍出版社，1996-2003年影印本），冊1462，頁605下。

21 《清高宗實錄》（北京市：中華書局，1986年），冊12，頁1249-1250。

22 張書才主編：《纂修四庫全書檔案》（上海市：上海古籍出版社，1997年），頁806。

奏，此時尚未據奏到。謹奏。」[23]

曹秀先、蔡新、張若溎均為需閱書之總裁，而後來頂替他們的總裁沈初、錢汝誠、劉墉當然也要閱書，據「諭內閣著沈初錢汝誠劉墉充四庫全書處總裁」（乾隆四十一年九月二十四日）載：「曹秀先、蔡新現在阿哥書房行走，張若溎年逾七旬，俱不必辦理《四庫全書》總裁事務。遇有算法等書，仍著蔡新閱看。沈初、錢汝誠、劉墉，俱著充四庫全書處總裁。欽此。」[24]

王杰、董誥，他們先後任武英殿總裁，主要管武英殿四庫館事務。據前引「諭內閣陸費墀著解任交英廉等審訊並著英廉另簡派提調」（乾隆四十五年三月十六日）載：「……至董誥未及清查底本，雖與王杰商同派員查對，但亦有應得處分，俟結案時一併交部議處。」「武英殿總裁王杰奏參提調陸費墀等遺失底本並請另選翰林充補摺」（乾隆四十五年三月初九日）載：「竊臣上年十二月內蒙恩派充武英殿總裁，隨向原總裁臣董誥詳問館中一切事宜。據稱近年趕辦《薈要》，未及清查底本，今《薈要》告竣，此為最要之事。復即商同於纂修，分校中派出翰林王爾烈、項家達、戴均元、谷際岐四員，分占經、史、子、集，一面查點，一面暫管發書收書事件。」[25]從上述可看出，武英殿總裁可直接過問武英殿四庫館之事。

此外，劉綸、王際華（下文有詳述）、程景伊、嵇璜、彭元瑞、李友棠、曹文埴等均應為閱書之總裁。

在閱書之總裁中，據《纂修四庫全書檔案》所收每三月一次的記

23 張書才主編：《纂修四庫全書檔案》（上海市：上海古籍出版社，1997年），頁1554、頁1727、頁1780。

24 張書才主編：《纂修四庫全書檔案》（上海市：上海古籍出版社，1997年），頁537。

25 張書才主編：《纂修四庫全書檔案》（上海市：上海古籍出版社，1997年），頁1152。

過單可知[26]，有記過記錄的總裁為：錢汝誠、沈初、曹文埴、程景伊、嵇璜、王杰、董誥、曹秀先、蔡新、永瑢、永瑆、劉墉。因此，沒有記過記錄的總裁為：劉統勳、劉綸、裘曰修、于敏中、王際華、張若溎、彭元瑞、李友棠、梁國治。為什麼有的總裁沒有記過記錄呢？筆者認為，並不是他們所審閱的書未被發現有錯誤，而是因為：其一，館臣記過統計表是據乾隆四十二年開始的按季檢查的統計而作的，而劉統勳、劉綸、裘曰修、王際華在此前即已去世，張若溎、李友棠在此之前已離館；其二，諭旨規定對于敏中免予記過（可參前述）；其三，彭元瑞到乾隆四十八十一月才任副總裁，其時已接近閱書之結束。其四，梁國治作為軍機大臣，要處理的軍政大事較多，而且在當時曾被派辦《通鑒輯覽》、《熱河志》、《日下舊聞考》、《開國方略》等書，又曾被乾隆派辦復閱四庫館進呈本中的錯誤，據「全書處匯核七月至九月繕寫全書訛錯及總裁等記過清單」（乾隆四十六年十月）載：「又總裁和（珅）、梁（國治）復閱，奏明記過之處，一併填注，統行開具於後。」[27]所以，他可能抽閱的《四庫》書較少，故沒有閱書記過記錄。

綜上所述可知，當時四庫館總裁很多，但實際上沒有一位真正的最高總裁：永瑢等雖統領全書，但不負責閱書（這是修書最核心的工作）；而于敏中等負責閱書，但又不統領全域。這種事權分散情況，必然會造成難於管理與指揮的現象，從而給《四庫》編修帶來一些消極的影響。在總裁中沒有確立一位絕對的領導者，也許是乾隆有意為

26 王重民編：《辦理四庫全書檔案》（北京市：國立北平圖書館，1934年鉛印本，頁799-807）所附「四庫館職員記過統計表」，即是據這些記過單所作的統計，但有遺漏。此處是在其基礎上的重新核查所得。

27 張書才主編：《纂修四庫全書檔案》（上海市：上海古籍出版社，1997年），頁1421。

之，也許是其無意為之，但不管如何，我們只能認為，乾隆才是四庫館真正的、唯一的領導者，是絕對的權威。

三　主要工作

如前所述，總裁分為閱書總裁與不閱書總裁，其中不閱書總裁，或者是管理四庫館雜務者（包括督催、日常管理、管理飯食等後勤工作），或者是總管者，他們對《四庫》修書的影響較小。[28]而閱書之總裁，負責的是《四庫》修書最核心的也是最主要的工作，因此，本小節主要談談閱書總裁的主要工作。

（一）審查採進書目

各省採進之書，先要呈上書目，由總裁審查後作出選擇，然後據選定的書單再將書進呈入翰林院。這一工作流程在乾隆三十七年正月關於徵書的諭旨中即有大致的描述，另據「寄諭兩江總督高晉等善為詢覓馬裕家古書善本」（乾隆三十八年閏三月二十八日）載：「……送到書目，已交《四庫全書》總裁等詳細核定後，行知取進。」[29]《于文襄手劄》亦載：「兩淮書昨已奏到書單，似其中當有可觀者，但覺重複耳」、「昨江西續進採辦遺書（現在交館），其書單內重複者甚多。查有《太平寰宇記》一部，不知較館中所有卷數能略多否」。[30]可知，總裁確實要審查各地呈送的書單。

---

28 王鳳強：《四庫全書館研究》（蘭州市：蘭州大學碩士論文，2006年）頁12-15有論述，可參考。

29 張書才主編：《纂修四庫全書檔案》（上海市：上海古籍出版社，1997年），頁91-92。

30 〔清〕于敏中：《于文襄手劄》（北京市：國立北平圖書館，1933年影印本），第21、36通。

(二)舉薦館臣

館臣中有不少人是閱書之總裁舉薦入館的，例如，《清史稿》卷一〇九〈選舉志四〉載：「(乾隆）三十八年，詔開四庫館。延置儒臣，以翰林官纂輯不敷，大學士劉統勳薦進士邵晉涵、周永年，尚書裘曰修薦進士余集、舉人戴震，尚書王際華薦舉人楊昌霖，同典秘笈。後皆改入翰林，時稱『五徵君』。此其著者也。」[31]于敏中《于文襄手劄》第三通載：「前蒙詢及館中現辦應刊應抄各種任何人專辦，中因舉李閣學（按：李友棠）以對。」《王文莊日記》三十九年正月初九載：「是日，予奏請以查瑩充纂修，蒙允行。」[32]均說明總裁有舉薦館臣之權力。

(三)制定辦書章程

乾隆三十八年閏三月十一日，四庫館總裁遵旨擬定了辦理全書的各項事宜[33]，確定了輯佚《永樂大典》、繕抄各省進獻遺書、校對、撰寫提要的程序、辦理方法和應設的各種館職。乾隆三十八年十月初九日，乾隆因前此進呈的全書錯謬頗多，認為有設立章程嚴加督察的必要，遂令總裁們共同酌議。[34]十月十八日，四庫館將擬定的〈功過處

31 趙爾巽等：《清史稿》（北京市：中華書局，1976年），頁3187。

32 劉家平、蘇曉君主編：《中華歷史人物別傳集》（北京市：線裝書局，2003年），冊40，頁559下。

33 「辦理四庫全書處遵旨酌議排纂《四庫全書》應行事宜摺」（乾隆三十八年閏三月二十一日），載張書才主編：《纂修四庫全書檔案》（上海市：上海古籍出版社，1997年），頁74-78。

34 「諭內閣著總裁大臣詳議校錄《四庫全書》章程」（乾隆三十八年十月初九），載張書才主編：《纂修四庫全書檔案》（上海市：上海古籍出版社，1997年），頁163-164。

分條例〉及增設復校的提議上奏。[35]《條例》細緻地規定分校、復校、總校層層磨勘，總裁從中抽閱的校勘辦法，並添設《功過簿》，以備糾察。以上這些條例章程，均由總裁（主要是閱書總裁）主持制訂。另據「寄諭琅玕等傳令陸費墀賠辦江浙三閣書籍工價並著鹽政織造常川查察」（乾隆五十二年六月十三日）載：「因思此事發端於于敏中，而承辦於陸費墀，雖朕旨有辦大事不能無小弊，亦不應為之已甚也。其條款章程俱係伊二人酌定，……」[36]《于文襄手劄》第三十三通載：「寫本原書內闕佚處添注格式，所定章程極妥，及於原字內批〇，寄回希酌定。」可見，四庫館的一些章程，是由總裁於氏與陸費墀、陸錫熊等商訂的。

（四）對圖書應刊、應抄、應存、毋庸存目意見的裁定

總裁對圖書的處理有裁定權，《于文襄手劄》對此有較多的記載：「《弇州四部稿》書非不佳，但卷帙太繁，且究係專稿，抄錄太覺費事，存目亦不為過。但題辭內不必過貶之也」、「二氏書如《法苑珠林》之類，在所必存。即《四十二章經》其來最交文法，亦與他經不同，且如《黃庭內外景》未嘗非道家之經，勢必不能刪削，何寬於羽士而刻於緇流乎？至僧徒詩文，其佳者原可錄於集部，若語錄中附見者，即當從刪。其雖名語錄實係詩文，所言亦不專涉禪理者，又不妨改正其名而存之」、「接來信悉種種。存抄一事，視其人為去取極好。至刊刻一項，明人集雖少無妨。此事所重在抄本，足充四庫，及書名

35 「多羅質郡王永瑢等奏議添派復校及功過處分條例」（乾隆三十八年十月十八日），載張書才主編：《纂修四庫全書檔案》（上海市：上海古籍出版社，1997年），頁167-171。

36 張書才主編：《纂修四庫全書檔案》（上海市：上海古籍出版社，1997年），頁2029。

列目足滿萬種方妥也。遺書事另囑星實寄信諸公妥議，生恐其中有稍存意見者，恐於公事貽誤，故著急耳」、「《宋史新編》體例既乖，即非史法，若刪去附傳，尚可成書，則抄存亦似無礙。第恐每篇敘事或多駁而未純，改之不可勝改，又不如存目為妥。至《北盟會編》歷來引用者極多（未便輕改），或將其偏駁處於提要聲明，仍行抄錄似亦無妨。但此二書難於遙定，或俟相晤時取一二冊面為講定，何如」。[37]

即便是總纂官，也得聽總裁的意見，據《傅斯年圖書館善本古籍題跋輯錄》載：「《花王閣剩稿》一卷一冊，明紀坤撰，清嘉慶四年紀氏閱微草堂刊本，民國十四年張問仁題記並過錄紀昀跋語黏簽附後：右先高祖遺詩一卷，余編《四庫全書》，嘗錄入集部，會提調有搆余於王文莊者，謂余濫登其家集。文莊取閱良久，曰此衰世哀怨之音，少臺閣富貴之氣象，可勿錄也。遂改存目。同館或咎余當以理爭，不必引嫌。嗟乎！此公豈可以理爭乎？拈記見斥之始末，俾後人知之而已。庚子八月，因曝書檢視偶記。昀。……觀前跋，可以知當日階級之分，門戶之嚴，雖賢者亦不能免也。問仁又記。」[38]可見，作為總纂的紀昀，對總裁的決定，即使不同意，也無可如何。

（五）裁定纂修的簽改

據《于文襄手劄》第十九通載：「《鶡冠子》蓧塘添出處甚多，此番可謂盡心。但止寄簽出之條，無書可對，難於懸定，因將來單寄回足下，可並前日之單，回原書校勘，酌其去留，無庸再寄此間也。校

37 以上分別見〔清〕于敏中：《于文襄手劄》（北京市：國立北平圖書館，1933年影印本），第29、30、37、49通。于敏中說總數以一萬種為度，而《四庫總目》最後共收書一萬餘種，可能與此有關。

38 湯蔓媛纂輯：《傅斯年圖書館善本古籍題跋輯錄》（臺北市：中央研究院歷史語言研究所，2008年），冊1，釋文，頁210。

對遺書夾簽，送總裁閱定，即於書內改正，此法甚好。可即回明各位總裁酌定而行，即或將塗乙之本進呈，亦屬無礙。惟改寫略工，以備呈覽。」可見，纂修的簽改，是要總裁閱看的；總裁既會在原簽上作修改，也會對其中的一些簽條表示同意與否。

（六）裁定分類

乾隆三十八年五月十八日，四庫館進呈《竹譜》、《少儀外傳》等書，其中《竹譜》列於史部，《少儀外傳》列於子部，于敏中以為不妥，劄致陸錫熊。紀、陸二人很快就對兩書的歸類作了修正，故于敏中在給陸氏的信中說：「酌定《竹譜》改入子部農家，《少儀外傳》改入經部小學，以為相合。（乾隆三十八年五月二十四日）」[39]乾隆三十八年六月初三，四庫館進呈的《吳中舊事》一書，于敏中認為「不過詩話說部之類，似不應附於史部」。紀、陸即參酌于敏中的意見，將其改入子部小說家，故於氏在六月九日的信中表示這一改動「極為妥合」。[40]

（七）裁定提要

提要稿的改訂，不完全是紀昀、陸錫熊二人的事情，總裁亦多參與。例如，四庫館在陸續進呈書籍的同時，往往附有這些書的提要，而于敏中在審閱這些書籍時，對提要也常常提出自己的意見，與紀、陸相商。例如，《于文襄手劄》載：「又閱提要內〈寶真齋法書贊〉有朱子儲議一帖云云數句，與此書無大關係，而儲議事尤不必舉以為

39 〔清〕于敏中：《于文襄手劄》（北京市：國立北平圖書館，1933年影印本），第2通。

40 以上分別參〔清〕于敏中：《于文襄手劄》（北京市：國立北平圖書館，1933年影印本），第4、5通。但是，不知為何，在《四庫總目》中，《吳中舊事》仍入史部，而前述的《少儀外傳》亦仍入子部。

言，因節去另寫，將原篇寄還，嗣後遇此等處，宜留意斟酌。又見所敘《金氏文集》、《北湖集》兩種，譽之過甚。果如所云，即應刊刻，不止抄錄而已，及讀其詩文不能悉副所言。且《金氏文集》『忠義堂記』列入揚雄，其是非尤所未能得當。愚見以為提要宜加核實，其擬刊刻者則有褒無貶，擬抄者則褒貶互見，存目者有貶無褒，方足以彰直筆而示傳信」、「《開元占》既見於歷代史志，《靈臺秘苑》見於《文獻通考》，皆不便刪去，以應抄而不梓，於提要內詳晰聲明，似屬無礙」。這些是對提要內容所提的意見。《于文襄手劄》又載：「其各書注藏書之家，莫若即分注首行大字下，更覺眉目一清，且省提要內附書之繁。」[41]這涉及提要的寫作款式，《總目》即照此辦理。

另外，總裁也會對所審核之提要作一些校理，如刪節、改正、加案語等。翁方綱提要稿中即有不少總裁的批語：行間眉端，多存朱墨筆眉批及旁注，此類批註，或為翁氏自書，或過錄總裁等批語，或抄存進呈各書之夾簽語；提要稿中書名下所注「毀」、「酌」字，疑為總裁審校後所加。[42]例如，《夢粱錄》一篇的天頭部分，題：「六月十二日，總裁李於此序刪去數句，改云應存其目。」[43]這是總裁參與提要稿修改的一個例證。

(八) 抽查抄定的《四庫》書

據「諭內閣聖祖集詩內錯字未校出總裁王際華等著交部議處」（乾隆三十九年二月二十一日）載：「四庫全書處進呈錄成書本內，

41 以上分別見〔清〕于敏中：《于文襄手劄》（北京市：國立北平圖書館，1933年影印本），第35、40、44通。

42 參吳格整理：《翁方綱纂四庫提要稿》（上海市：科學技術文獻出版社，2005年），頁5、14。

43 參吳格整理：《翁方綱纂四庫提要稿》（上海市：科學技術文獻出版社，2005年），頁352。

有《聖祖仁皇帝御製文集》。據總裁等於面頁簽明，原本校刊精審，並無應簽之處。」「諭內閣嗣後四庫館校閱各書著照程景伊所奏章程辦理」（乾隆四十二年十一月二十五日）載：「前因四庫全書館呈進各書，每多稽緩，經總裁等議設總校六員，分司校勘，各總裁仍隨時抽閱，以專責成。本日召見程景伊，據奏：應進各書，經總校閱看後，如總裁等全為檢閱，不特擔延時日，且總校等轉得有所推諉。若不將如何抽看之處，定有章程，亦非核實之道。請此後總裁等於每十本內抽閱二本，黏貼總裁名簽，其未經抽閱者，於書面黏貼總校名銜，如有錯誤，各無可諉。等語。所奏自屬可行，嗣後四庫館校閱各書，即著照此辦理。各總裁、總校等務宜悉心校勘，毋致再有舛誤。欽此。」[44]可見，總裁的抽閱量是總量的十分之二，而且是隨機抽閱的；總裁抽閱後還要在所抽閱的書前貼上名簽，以備檢核，以專責成。[45]

總裁抽查的書，是經過分校、復校層層校正過的，但仍有不少錯誤需要總裁簽改，如「大學士于敏中等奏請將《薈要》復校改為分校並添設總校二員摺」（乾隆四十年十二月初九日）載：「……惟是繕寫雖可報竣，而校對難以克期。雖曾定有分校、復校字數章程，而虧欠累累，且所校之書，仍多亥豕，須臣等逐一簽改，始克進呈。」[46]即便是經總裁抽閱的書，也還有不少錯誤，如「諭內閣嚴飭總裁等嗣後務宜悉心校勘毋再因循干咎」（乾隆四十三年五月二十六日）載：「……前定總裁、總校、分校等按次記過，三月查核，交部議處，原不過薄示懲儆，使知愧勵，乃各總裁僅請每部抽看十之一二，以圖卸

---

44 以上分別見張書才主編：《纂修四庫全書檔案》（上海市：上海古籍出版社，1997年），頁199、頁757-756。

45 民國十年（1921）江西熊氏影印的四庫館進呈本《舊五代史》各冊之書衣即貼有這樣的名簽：「總裁臣王際華、臣嵇璜同校核。」

46 張書才主編：《纂修四庫全書檔案》（上海市：上海古籍出版社，1997年），頁488。

責。身為大臣，即不宜如此存心，乃既經抽看而仍聽其魯魚亥豕，累牘連篇，其又何辭以自解飾耶？」[47]

（九）查禁書

據「軍機大臣于敏中奏閱看發下高樸名下書籍情形摺（附單二）」（乾隆四十四年八月十一日）載：「前蒙發下高樸名下書籍各種，令臣閱看有無違礙。臣逐加披閱，內尤倜《西堂餘稿》恭載世祖章皇帝與僧人道忞問答語，非臣下所宜刊刻流傳，其餘記載亦多失實，又有引用錢謙益詩話，應行銷毀。又《練川十二家詩》諸廷槐詩內，有題錢謙益《有學集》七律一首，應一併銷毀。此外，《虞初新志》、《寄園寄所寄》兩部，各省解到應毀書內，亦有此二種，應匯總核辦再奏。」[48]後來，查禁書成了四庫館中很主要的工作，而確定禁書，往往由纂修官初審，總裁確認。據吳哲夫說，各省進呈遺書，例交《四庫》著錄，由總裁等悉心校勘，分別應抄應刊存目三種，其有詞意違礙各書，由館臣詳細檢校，分次開單，交由軍機處奏繳銷毀。[49]事實上，四庫館查出的禁書，有直接由各省交軍機處的，也有由四庫館檢出交軍機處或紅本處的。[50]

四　兼職

如前所述，除皇子外，總裁官均為正二品以上的大臣，他們任四

47 張書才主編：《纂修四庫全書檔案》（上海市：上海古籍出版社，1997年），頁836。
48 張書才主編：《纂修四庫全書檔案》（上海市：上海古籍出版社，1997年），頁1091。
49 吳哲夫：《清代禁燬書目研究》（臺北市：臺灣嘉興水泥公司文化基金會，1969年），頁101。該書書後附有「清代禁燬書目索引」，可據書名查檢。
50 寧俠：《四庫禁書研究》（北京市：中國人民大學博士論文，2010年），黃愛平指導。

庫館總裁，均是兼職的。這些總裁身為國家之重臣，平時有很多軍政大事待其處理。因此，在四庫館開館期間，修書並不是他們的唯一工作，甚至往往不是他們最主要的工作。另外，在四庫館開館期間，為配合修《四庫》，還敕令新修、重校、重訂諸多書籍，不少《四庫》總裁官（主要是閱書之總裁）還要兼任這些書館的總裁。茲將總裁之兼職情況分述如下：

（一）行政兼職

總裁官大多各有各的原職，所以並不常駐翰林院或武英殿。[51]其中閱書的總裁，雖然按規定每天都去四庫處，但實際上未必每天都去，而且去了也大多只是待很短的一段時間，一般不會整天都在那裏辦書。這並不是他們有意偷懶，而是他們還有很多別的要事要辦，包括要入直軍機處、上書房等，或者至各部衙門處理事情，等等。例如，于敏中「在軍機處辦理軍務」，又兼「內廷筆墨之事」。[52]可見，於氏不可能全心辦書，所以乾隆並不苛責其校書之類的細務。[53]至於其它不閱書的總裁，其工作更是以其原來的職事為主。因此，有時王際華要找總裁議事，就多在那些內廷直所，而不是在翰林院或武英殿。

總之，在四庫館開館期間，總裁的日常工作主要還是以處理行政事務為主。這一點，可從王際華身上看出：像他這樣在四庫館中出力甚多、貢獻甚大的人，其實也是以辦理行政事務為主的（可參本節附錄）。另外，據《清高宗實錄》卷一一八二載：「諭軍機大臣曰：弘晸

51 當然，兼任武英殿總裁的四庫館副總裁，如王杰、董誥、金簡，其工作當然是以武英殿四庫館事務為主。

52 乾隆詔曰：「至隨朕辦理軍務之軍機大臣，五載以來，始終其事者，如大學士于敏中，承旨書諭，倍著勤勞，……著一體畫入前五十功臣像，以示核實酬庸之意。」載《清高宗實錄》（北京市：中華書局，1986年），冊13，卷1002，頁428-429。

53 黃愛平：《四庫全書纂修研究》（北京市：中國人民大學出版社，1989年），頁103。

差家人收取地畝一事，戶部僅行文諮查，未經具奏。所有各該堂官自請議處，俱已加恩寬免。此事係曹文埴標畫先行，金簡亦隨同補畫，與和珅等之未經畫行者不同。稿件呈堂畫行，自應隨事留心，斟酌輕重辦理。即云一時疎忽，稿文未及詳細閱看，豈稿面事由亦竟未寓目耶？該侍郎等不是甚大。第因金簡、曹文埴辦理《四庫全書》尚屬認真，金簡於承辦工程等件亦頗出力，是以格外加恩寬免。」[54]可見，作為副總裁的金簡、曹文埴，在辦書期間，還需兼辦其原管的行政事務。

另外，因為兼任行政職務的身份，有的總裁在任期間還需隨駕出行，或被派典鄉試、會試等。例如，曹秀先，據「諭內閣四庫全書處進呈各書疵謬迭出總裁蔡新等著交部察議」（乾隆三十九年十月十八日）載：「四庫全書處進呈抄錄書本，朕連日偶加翻閱，檢出舛漏處，不一而足。……曹秀先於五月內隨駕熱河，繼復派典順天鄉試，現進各書自未及寓目，亦著免其交部。」[55]

以上所說的出差是短期的，往往不用辭去館職，故到差滿回京後，仍舊要兼任館職。據「軍機大臣繕呈滿漢三品以上大臣兼與未兼全書館人員名單」（乾隆四十四年二月十二日）載：「滿漢三品以上大臣現充四庫全書館總裁、總閱名單。總裁：大學士・公阿桂（差），大學士于敏中，協辦大學士英廉、程景伊，尚書・公福隆安，尚書梁國治、嵇璜，署尚書金簡。侍郎王杰、劉墉（差），董誥、沈初、錢汝誠、彭元瑞（差）。」[56]當時的十三位總裁官（彭氏當時還是總閱）

54 《清高宗實錄》（北京市：中華書局，1986年），冊15，頁834。

55 張書才主編：《纂修四庫全書檔案》（上海市：上海古籍出版社，1997年），頁274-275。

56 張書才主編：《纂修四庫全書檔案》（上海市：上海古籍出版社，1997年），頁1001-1002。

中，出差在外的有兩位。他們應該是短期的出差，所以不用辭去館職。但是，總裁中也有一些人在任期間被派出任學政，因為任學政時間長，這些總裁就不會再兼任館職，例如，副總裁李友棠於乾隆三十九年派任學政，副總裁王杰於乾隆四十五年也出任學政。需要注意的是，李友棠出為學政時，其所任工部侍郎需人頂替，但其副總裁一職，並未見有何人頂替。[57]因此，相對來說，行政職務更為重要，而修書之職務則似乎無足輕重。換言之，根據行政工作的需要，館職是可以隨時變動的，即便作為總裁也會根據行政工作需要而隨時離館。也可以說，修書是服從於行政工作需要的。

（二）辦書兼職

許多總裁在四庫館開館期間被分派兼任其它新修、重訂、重校之書（如國史、三《通》、《明史》、《一統志》、《日下舊聞考》等）的總裁，例如，于敏中，兼辦之書頗多，包括總領辦理《日下舊聞考》、《八旗通志》等。于敏中去世後，由他負責的書有的要添派總裁代辦，據「軍機大臣奏遵查于敏中原辦各書情形並進呈現辦各書及總裁名單片」（乾隆四十四年十二月十六日）載：「遵旨查原任大學士于敏中所辦各書，除《日下舊聞考》奉旨添派臣梁國治，《音韻述微》奉旨添派德保外，尚有《明史》係于敏中與英廉同辦，元、遼《史》係于敏中與金簡同辦，又《滿洲源流考》係于敏中與阿桂、臣和珅、臣董誥同辦。又查國史館、三通館，于敏中係總裁。謹將現在辦理各書及各總裁名單進呈，應否添派之處，伏候欽定。謹奏。」[58]從上可看出，于敏中主持辦理的書是相當多的。

---

57 北京大學信息管理系、臺北胡適紀念館編：《胡適王重民先生往來書信集》（臺北市：國家圖書館出版社，2009年），頁403，王重民致胡適（1945年7月28日）。

58 張書才主編：《纂修四庫全書檔案》（上海市：上海古籍出版社，1997年），頁1139。

關於總裁兼辦他書之情況，本書附錄一「四庫館館臣表」總裁一項備註中有說明，可資參考，故此不一一舉例說明。

五 小結

綜上所述，筆者認為：

其一，總裁可分為不閱書之總裁與閱書之總裁，前者以滿人為主，管理四庫館雜務；後者主要出身翰林，負責審查圖書。相對來說，後者更重要。

其二，四庫館真正的最高總裁應是乾隆皇帝，因為：首先，總裁的任命是由乾隆決定的。其次，四庫館諸大事的最終裁定權是在乾隆之手。再次，總裁人員眾多，政出多門，權不專一，相互制約。最後，總裁很多，卻沒有真正意義上的最高總裁：永瑢等雖統領全域，但不負責閱書（這是修書最核心的工作），而于敏中等負責閱書，但又不統領全域。

其三，總裁多兼任。就兼職總裁而言，相對來說，行政工作較修書更重要，修書是要服從於行政需要的。總裁可以根據行政的需要隨時去館，而且一般也無需添補。總裁兼職有利於協調各部門之關係，減少修書對行政的影響，但總裁不能專心辦書，諸事纏身，自然也會給修書帶來或多或少的消極影響。

附 總裁官王際華

王際華，字秋瑞，一字秋水，號白齋、夢舫居士，室名二十四福堂，浙江錢塘（今杭州）人，乾隆十年進士，歷官禮部、戶部尚書；乾隆三十八年二月四庫館開館時，他以禮部尚書、武英殿總裁出任

《四庫》總裁，到該年八月，改任戶部尚書，仍兼武英殿總裁、《四庫》總裁（自五月起專管《薈要》事）；卒於乾隆四十一年，年六十，謚文莊。[59]其子王朝梧，亦為四庫館分校官。可以說，在四庫館開館期間，王際華既是四庫館總裁，又是武英殿總裁，又是尚書，一身兼三任。而且，王際華還經常需要入直內廷。那麼，王際華是如何處理各兼職關係的呢？以何職為重呢？他作為總裁的具體工作是什麼呢？其工作之餘又有什麼活動呢？下面以王際華《王文莊日記》為主要材料來分析上述諸問題。

一　身兼數職

茲據王際華《王文莊日記》所載乾隆三十九年的日記，將其該年工作情況清單如下[60]：

時間	入直次數	入署次數	入殿次數	入館次數
乾隆三十九年正月（缺五天日記）	9	6	2	4
二月	9	16	3	7
三月（缺一天日記）	3	5	3	6

59 趙爾巽等：《清史稿》（北京市：中華書局，1976年），頁10780-10781。另據乾隆《四庫薈要聯句》附注可知，乾隆三十八年命武英殿總裁、尚書王際華特管編纂《四庫全書薈要》，未兩載際華物故，乃以董誥代之。參〔清〕紀昀等總纂：《文淵閣四庫全書》（臺北市：臺灣商務印書館，1982-1986年影印本），冊1308，頁400上。

60 〔清〕王際華撰：《王文莊日記》，稿本，國家圖書館古籍館藏，現收入劉家平、蘇曉君主編：《中華歷史人物別傳集》（北京市：線裝書局，2003年），冊40。該年有些天沒有記日記，有些天或遇公休日、生病、大雪不出門等而沒有其工作記錄，例如，《王文莊日記》載，乾隆三十九年二月十七日，「阻雪不出」；七月六日，「痤痱不能著衣，閉門理事竟日」；等等。

時間	入直次數	入署次數	入殿次數	入館次數
四月（缺一天日記）	5	8	1	4
五月	2	12	1	11
六月	2	22	4	16
七月	3	15	5	15
八月	2	14	4	11
九月	5	14	3	10
十月	23	5	1	9
十一	26	7	2	6
十二	25	7	4	5
合計	114	131	33	104

大致來說，入直是指其作為乾隆的顧問入直內廷（主要在南書房）[61]；入署是其作為戶部尚書而入戶部官署辦公；入殿是指其作為武英殿總裁、《薈要》總裁而入武英殿辦公；入館是指其作為四庫館總裁而入翰林院四庫館辦公。除了上述的四項主要工作，王際華還有一些其它工作，如經筵進講、上秋審班等，但所佔用的工作時間很短，因而在此不列入作為比較對象。

據上表可以發現：

61 王氏入直主要在宮中南書房（南齋），據《清高宗實錄》（北京市：中華書局，1986年），冊5，卷352，頁868載：「命詹事裘曰修、侍讀學士王際華俱在南書房行走。」這應該就是王氏入直之始。《（嘉慶）大清一統志》卷二八六載：「王際華，字秋瑞，錢塘人，乾隆乙丑第三人及第，授編修，入直南書房。」南書房，又稱南齋，在乾清宮西，與懋勤殿相近。王際華等入直之大臣經常在那裏用飯。據《王文莊日記》乾隆三十九年正月初一載：「……上於辰初上殿，予忝為百僚之首，導眾隨班列跪，俟宣讀表文，行慶賀禮。禮成，更吉服，進懋勤直次，拜殿神。金壇相公具食於南齋，邀同董學士、陳道長用畢，董首領復具小酌於直次。未初散。」（劉家平、蘇曉君主編：《中華歷史人物別傳集》〔北京市：線裝書局，2003年〕，冊40，頁558上）若乾隆在圓明園中，王氏也會入直圓明園。

其一，工作主次關係。[62]這可以通過分析其到崗頻率來看出：關於入直，一般來說，若皇上出行，有時會陪皇上出行；若不陪同，則不用入直。乾隆三十九年五月十六日至九月十二日，乾隆在避暑山莊，王際華沒有陪同，所以在這將近四個月（指五、六、七、八月）時間內就幾乎不用入直。因此，如果將這四個月排除掉，那麼，這一年（共八個月）王氏的入直頻率約為每月十三點一次。關於入署，其頻率約為每月十點九次。關於入館與入殿，因為兩者均與《四庫》編修有關，應合起來計算，則其頻率約為每月十一點四次。從其到崗頻率可知：首先，他對三項工作（入直、入署、辦《四庫》書）都能很好地兼顧，並不明顯側重於某一項工作。王氏工作勤奮，為人謹慎，於此可見一斑。而且，從日記中也可以看出，他在出門工作的一天時間內，往往是盡可能地到四個（直所、戶部、四庫館、武英殿）或三個（館和殿合為一處）地方都轉一轉。其次，相對來說，王氏更多地入直，這是與這一工作的重要性有關的，因為在這幾項工作中，當然是以入直最重要。[63]最後，乾隆要求閱書之總裁每日到館[64]，但是從王際華看，遠未達到這一要求。據《王文莊日記》乾隆三十九年三月

62 當然，四項工作並不是截然分開的，有時是可以同時兼辦的，例如，入館時，王氏也會抽空辦戶部事務，據《王文莊日記》乾隆三十九年九月二十七日載：「未正到館，並畫本部稿。」乾隆三十九年十月二十日載：「入翰院（並畫戶稿）。」以上分別見劉家平、蘇曉君主編：《中華歷史人物別傳集》（北京市：線裝書局，2003年），冊40，頁596上、頁597下。

63 《清高宗實錄》（北京市：中華書局，1986年），冊13，卷997，頁335載：「又諭曰：……戶部尚書王際華明年亦屆六十，且在內廷行走甚勤，著一體加恩在紫禁城內騎馬。」提到王氏入直甚勤。

64 參「諭內閣聖祖集詩內錯字未校出總裁王際華等交部察議」（乾隆三十九年二月二十一日），載張書才主編：《纂修四庫全書檔案》（上海市：上海古籍出版社，1997年），頁199。

十五日載：「入署，以冷甚，理事畢，不克再到館而歸。」[65]可見，四庫館是可去可不去的。以上雖然說的是王際華的情況，但筆者推想，當時閱書之總裁，其處理各種兼職的關係，大概也與王際華差不多。

其二，王際華兼武英殿總裁，而且又主辦《薈要》，而《薈要》的抄寫，是在武英殿，因而一般人會認為王際華的工作應以武英殿為重。其實，王氏經常入翰林院四庫館，而且其到館次數要比到武英殿次數多得多。從這可以看出，王氏工作的重心並不在武英殿。至於其原因，可能是武英殿的工作相對簡單，而且，王氏雖專管《薈要》之事，但因為《薈要》的纂辦是在翰林院四庫館，發寫才在武英殿，故仍常至翰林院四庫館。

其三，辦書是較為靈活的工作，不一定要到辦書機構才能辦書。無論是辦《四庫》還是《薈要》，王氏都會充分利用空餘時間。因此，雖然從表中看，其入館並不多，入殿也不多，但是其辦公之餘所做之事很多是與修《四庫》有關的，例如，《王文莊日記》乾隆三十九年四月十一日載：「杜門。……看薈要處書致疾，夜子方寢，氣即上逆，徹夜立以待旦，苦矣。」[66]可見，看《四庫》書是可以在家進行的。入直時，王氏亦乘機進言《四庫》之事，抽空看《四庫》書，據《王文莊日記》乾隆三十九年七月二十二日載：「入直，檢御書房影宋抄書，得廿三種，遂攜至翰苑，交紀、陸二公辦理。」十一月二十四日載：「入直，以復奏（《左傳事類始末》）。」十二月四日載：「入直。上幸悅心殿，遂步趨往，披奏分校並供事二摺。得請。仍入

65 劉家平、蘇曉君主編：《中華歷史人物別傳集》（北京市：線裝書局，2003年），冊40，頁568上。

66 劉家平、蘇曉君主編：《中華歷史人物別傳集》（北京市：線裝書局，2003年），冊40，頁570下。

直。」[67]入署時，王氏也會抽空看《四庫》書（參下文）。因此，儘管其入館、入殿次數不多，但並不能說其花在辦書的時間、精力就少。

其四，一般來說，入署多，入館也多；入署少，入館也少。反之亦然。這說明入館與入署往往是相聯繫的。這可能與這兩個機構相近，順便來往較方便有關。

二　有關《四庫》編修之工作[68]

（一）翰林院四庫館的工作

1 薦人

據《王文莊日記》乾隆三十九年正月初九載：「是日，予奏請以查瑩充纂修，蒙允行。」九月初五日載：「張羲年過謁，送《王文成集》、《全浙遺書目》。」[69]十月十九日，于敏中、王際華等奏請令張羲年在四庫館纂修上行走。[70]可見，張氏與王氏關係不錯，故得以被薦入館。

---

67 以上分別見劉家平、蘇曉君主編：《中華歷史人物別傳集》（北京市：線裝書局，2003年），冊40，頁587上、頁600下、頁601上。關於供事一摺，亦可參「多羅質郡王永瑢等奏明募選額外供事情形摺」（乾隆三十九年十二月初四日），載張書才主編：《纂修四庫全書檔案》（上海市：上海古籍出版社，1997年），頁305-306。

68 總裁的工作實不止以下所列各項，這裏只是就《日記》所載而論。

69 以上分別見劉家平、蘇曉君主編《中華歷史人物別傳集》（北京市：線裝書局，2003年），冊40，頁559下、頁593下。

70 參「多羅質郡王永瑢等奏請令張羲年在四庫全書處纂修上行走摺」（乾隆三十九年十月十九日），載張書才主編：《纂修四庫全書檔案》（上海市：上海古籍出版社，1997年），頁276-277頁。

2 制定章程

王際華是較早入館之總裁，故早期辦書之事，多參與且主持，據「諭內閣《永樂大典》體例未協著添派王際華裘曰修為總裁官詳定條例分晰校核」（乾隆三十八年二月十一日）載：「……著再添派王際華、裘曰修為總裁官，即會同遴簡分校各員，悉心酌定條例，將《永樂大典》分晰校核，除本係現在通行，及雖屬古書而詞義無關典要者，不必再行採錄外，其有實在流傳已少，其書足資啟牖後學、廣益多聞者，即將出（書）名摘出，撮取著書大指，敘列目錄進呈，候朕裁定，匯付剞劂。」[71]可見，校輯《大典》佚書的條例是由王際華負責擬訂的。又如「軍機大臣奏請旨將承辦《通鑒長編》未行敬避廟諱各員交部議處片」（乾隆四十七年二月十九日）載：「查開館之始，經總裁原任尚書王際華髮有刊刻條例一張，內稱：凡遇廟諱、御名本字，偏傍全寫者，俱敬謹缺筆。」可見，有關刊刻的條例也是王氏擬訂的。因此，陸錫熊《寶奎堂集》卷十二〈光祿大夫贈太子太保戶部尚書文莊王公墓誌銘〉稱讚其在館期間「自發凡起例，一切多決於公。公亦覃精殫思，曉夜研勘，蘄得釐然勒成善本，亦稱塞上意」。[72]

3 其它

關於《四庫》書的選取。據《花王閣剩稿》（清嘉慶四年紀氏閱微草堂刊本）所附紀昀跋語云：「右先高祖遺詩一卷，余編《四庫全書》，嘗錄入集部，會提調有搆余於王文莊者，謂余濫登其家集。文莊取閱良久，曰此衰世哀怨之音，少臺閣富貴之氣象，可勿錄也。遂

71 張書才主編：《纂修四庫全書檔案》（上海市：上海古籍出版社，1997年），頁57-58。

72 《續修四庫全書》（上海市：上海古籍出版社，1996-2003年影印本），冊1451，頁152下。

改存目。同館或咎余當以理爭，不必引嫌。嗟乎！此公豈可以理爭乎？拈記見斥之始末，俾後人知之而已。庚子八月，因曝書檢視偶記。昀。」[73]可見，作為總裁的王際華對收錄圖書有裁定權。從上述也可知，紀氏與王氏有一定的矛盾。庚子為乾隆四十五年，其時王際華已去世，故紀氏敢出此怨語。

關於謄錄的選取。據于敏中致陸錫熊信說：「謄錄一項，現在勿庸再添，其詳已具王大宗伯啟中，想必致閱也。（乾隆三十八年五月至六月）」、「候補謄錄即傳令抄書，未補之前所寫之書如何核計，似當定以章程，方為周妥。昨已有劄致王大農矣。（乾隆三十八年八月初五）」。[74]而《王文莊日記》乾隆三十九年二月十三日載：「本日奏捐納各謄錄留館憂敘（得旨允行）。」六月十日載：「明亭相公復欲收錄鈔胥，說以止之。」十一月三日載：「至翰苑，面試應考篆隸謄錄十八人、繪圖三人。試畢，封送金壇。」[75]可見，王際華也負責謄錄的選取，而且，于敏中還與其往復討論此事，似乎很重視王氏的意見。[76]

---

73 湯蔓媛纂輯：《傅斯年圖書館善本古籍題跋輯錄》（臺北市：中央研究院歷史語言研究所，2008年），冊1，釋文，頁210。

74 以上分別見〔清〕于敏中《于文襄手劄》（北京市：國立北平圖書館，1933年影印本），第3、24通。

75 以上分別見劉家平、蘇曉君主編《中華歷史人物別傳集》（北京市：線裝書局，2003年），冊40，頁563下、頁581下、頁599上。

76 關於於氏與王氏討論辦書之事，還可參于敏中《于文襄手劄》（北京市：國立北平圖書館，1933年影印本）所載：「刻書列銜名之說，宗伯所議未當，此時所刻，並不標四庫全書之名，且板片大小不一定，可列銜耶？稍遲當致劄宗伯（引者案：即王際華）也。匆匆不暇細及，餘再悉」、「《永樂大典》十種寫本四種已收到，略節亦得，其繕出正本似止須七月恭進一次，八月即可不辦（暫停）。俟回鑾再行彙進，已劄商王大宗伯矣。……散片不可不辦，其大略已與大宗伯言之，此時且不必瑣談，俟辦有眉目，總錄清單告之，諸城中堂當無異議耳。餘並悉大宗伯劄中」、「傾接大農（引者案：即王際華）劄，知有重出一事，尤為未妥，此後務設法杜之」。以上分別見《于文襄手劄》（北京市：國立北平圖書館，1933年影印本），第14、19、39通。

後來，王際華雖專辦《薈要》，但所做工作，並非僅為《薈要》，也還兼辦《全書》的工作，前述王氏常至四庫館而不是薈要處，應與此有關。例如，《王文莊日記》乾隆三十九年六月七日載：「早食後至四庫館催書，未初始歸。」六月二十八日載：「卯初，詣內閣遞請安，知四庫全書處有明白回奏之事，遂至傳心殿見六阿哥、舒、英二公議事。」七月五日載：「入館。奉命郵呈第二次書五種。」七月二十三日載：「入館（本日接到御題宋刻二種、影宋抄五種，即交丹叔）。」[77]丹叔，即陸費墀。

（二）武英殿之工作

1 薈要處之工作

乾隆三十八年五月，在《薈要》編修之始，王氏即被派專管《薈要》編修之事，據「諭內閣編《四庫全書薈要》著于敏中王際華專司其事」（乾隆三十八年五月初一日）載：「……著於全書中擷其菁華，繕為《薈要》。其篇式一如全書之例，蓋彼極其博，此取其精，不相妨而適相助，庶縹緗羅列，得以隨時流覽，更足資好古敏求之益。著總裁于敏中、王際華專司其事。」[78]薈要處在武英殿中，所以，王際華直武英殿時，其工作就多與編修《薈要》有關，例如，《王文莊日記》乾隆三十九年三月十八日載：「直武英（辦《春秋通說》）。」十一月五日載：「未刻至武英看書，銷簽，迫暮乃返。」[79]

其時王氏辦書甚為勤奮，利用一切可以利用的時間閱看書籍，據

77 以上分別見劉家平、蘇曉君主編：《中華歷史人物別傳集》（北京市：線裝書局，2003年），冊40，頁581上、頁583下、頁584下、頁587上。

78 張書才主編：《纂修四庫全書檔案》（上海市：上海古籍出版社，1997年），頁108。

79 以上分別見劉家平、蘇曉君主編：《中華歷史人物別傳集》（北京市：線裝書局，2003年），冊40，頁568上、頁599上。

《王文莊日記》乾隆三十九年四月十一日載：「杜門。……看薈要處書致疾，夜子方寢，氣即上逆，徹夜立以待旦，苦矣。」十月二十九日載：「卯初起，以風冷異常，上詣壽皇殿，於永恩殿用早膳，姑不入直，坐至辰正（閱《薈要》書），始赴午門前，……」[80]乾隆對王氏的工作給予了肯定，據「諭內閣四庫全書處進呈各書疵謬迭出總裁蔡新等著交部察議」（乾隆三十九年十月十八日）載：「四庫全書處進呈鈔錄書本，朕連日偶加翻閱，檢出舛漏處，不一而足。……至各總裁內，王際華於校勘《薈要》諸書，加簽標識者甚多。前此呈覽時，朕詳加批閱，並未見有字畫錯誤之處，辦理尚屬盡心。此次著免其議處。」[81]這在《王文莊日記》中也有記載：「（乾隆三十九年十月二十日）入直，……昨上以《薈要》進書無訛免予處分，今日奏謝。」[82]

《王文莊日記》中關於進呈《薈要》及乾隆審閱《薈要》的記載，可以說明我們瞭解及分析辦書之流程。其時，王氏將繕寫好的《薈要》分批進呈御覽，據《王文莊日記》乾隆三十九年十月初一載：「以《薈要》百一冊上呈。」[83]乾隆則審閱進呈之書後即發下交回薈要處。據《王文莊日記》乾隆三十九年十月六日載：「入直，……坐看書。午初，上回宮，看《薈要》，隨看隨下，至晡乃畢，予始歸。」[84]乾隆審閱是非常快的，此批書共一百〇一冊，午初開始看，

80 以上分別見劉家平、蘇曉君主編：《中華歷史人物別傳集》（北京市：線裝書局，2003年），冊40，頁570下、頁598上。

81 張書才主編：《纂修四庫全書檔案》（上海市：上海古籍出版社，1997年），頁274-275。

82 劉家平、蘇曉君主編：《中華歷史人物別傳集》（北京市：線裝書局，2003年），冊40，頁597下。

83 劉家平、蘇曉君主編：《中華歷史人物別傳集》（北京市：線裝書局，2003年），冊40，頁596上。

84 劉家平、蘇曉君主編：《中華歷史人物別傳集》（北京市：線裝書局，2003年），冊40，頁596下。

至晡時已全部閱看完畢。關於乾隆審閱的速度，還可參看：《王文莊日記》乾隆三十九年十月十日載：「入直（復進《薈要》答書五冊，薄暮下）。」[85]五冊書當天也審閱完。另據《王文莊日記》乾隆三十九年十一月二十日載：「入直。以《薈要》一百一冊上呈。未正歸。」十一月二十五日載：「卯初一刻進西華門，憩造辦處。《薈要》一百一冊都下。」[86]五天時間，一百〇一冊又已審閱完。又據《王文莊日記》乾隆三十九年二月三日載：「入直。以《薈要》書八十五冊呈覽。次日晚下，蒙恩許可。」[87]可見，只過了一天，就審閱完八十五冊。

從上可看出，乾隆確實是一一審閱過進呈本的，而且，審閱速度特別快。當然，由於時間關係，乾隆不可能很細緻地閱讀這些書。由此我們也可推想，四庫館進呈的不少《四庫》正本，乾隆是要一一審閱的，其速度也大概如此，故能審讀完不少的進呈本，而且還能不時從中挑出錯誤。

2 聚珍本之事

作為武英殿總裁及四庫館總裁，王際華還要兼管聚珍版事務，據《王文莊日記》乾隆三十九年二月二十三日載：「奏請國子貢生十人，祥慶管擺字；又供事六人。」五月十一日載：「奏武英殿通行書並聚珍版書，俱蒙溫旨。晚奏宋版杜詩，大愜聖意。」[88]「四庫全書

85 劉家平、蘇曉君主編：《中華歷史人物別傳集》（北京市：線裝書局，2003年），冊40，頁596下。

86 劉家平、蘇曉君主編：《中華歷史人物別傳集》（北京市：線裝書局，2003年），冊40，頁600上、頁600下。

87 劉家平、蘇曉君主編：《中華歷史人物別傳集》（北京市：線裝書局，2003年），冊40，頁562上。

88 以上分別見劉家平、蘇曉君主編：《中華歷史人物別傳集》（北京市：線裝書局，2003年），冊40，頁564下、頁574下。

處總裁王際華等奏請再領刻字刊書銀兩並給擺版供事分例飯食摺」（乾隆三十九年四月二十六日）載：「……其某種應印若幹部之處，臣等謹會同各總裁酌量多少，另繕清單，恭呈御覽。所需刷印紙張工料銀兩，除現在武英殿存貯通行書籍贏餘銀一千七十兩四錢五分八釐，堪以支用外，應請再於廣儲司支領銀二千兩，以備刷印。仍照武英殿通行書籍之例，俟收到價值，陸續歸款。其書內僻字，必須隨時增添，及將來刷多模糊，應行換補者，無庸另行支頒。應即於武英殿每年奏請備用銀兩項下，核實支銷。至此項書籍，既經頒發，嘉惠藝林，必須排列精審。現在已責成原任翰林祥慶、筆帖式福昌，專司其事。其原書樣本，尤須校對詳慎，應請即於每頁後幅版心下方，印某人校字樣，俾益專其責成，校對自更不敢草率。再，查御書處現行之例，凡做墨刻字人等，服役之日，俱給與分例飯食。今排印聚珍版處，亦照此辦理。至額設供事十二名，專供擺版，實與匠役無異，與別館供事僅供登記收發者有間，應請亦照匠役之例，遇有擺版之日，給與分例飯食，庶令常川供役，免致遲誤。其無書可擺之日，仍毋庸濫給。」[89]可見，王際華應該是主管聚珍本的總裁。

3 其它

督催辦書。據《清高宗實錄》卷九七二載：「乾隆三十九年，甲午，十二月，庚辰朔，諭曰：蔣賜棨著加恩令其在武英殿行走，隨同王際華查催書籍。」[90]另據《王文莊日記》乾隆三十九年十二月六日

89 張書才主編：《纂修四庫全書檔案》（上海市：上海古籍出版社，1997年），頁205。又可參「四庫全書處正總裁王際華等奏用聚珍版排印《鶡冠子》情形摺」（乾隆三十九年十二月二十六日），載張書才主編：《纂修四庫全書檔案》（上海市：上海古籍出版社，1997年），頁315。

90 《清高宗實錄》（北京市：中華書局，1986年），冊12，頁1268。

載：「午初直武英，蔣戟門始至此辦事（前月三十日奉旨復輕車都尉，次日奉旨命隨同予催查書籍）。」[91]

稽查功課。據《王文莊日記》乾隆三十九年六月十日載：「直武英殿（張、李二公同飯。嵇大司馬亦至，同吃飯，頗精潔）。定稽核一歲功課論單。」六月十五日載：「直武英殿。清查一年以年（來）功課，事畢乃食。」[92]謄錄姚岐謀曠課數月，分校鄭曦不查報，即是在此時被主管的總裁王際華查出的，而王際華也因沒有及時查出而受處分。[93]

查武英殿中存書。《王文莊日記》乾隆三十九年六月二十九日載：「直武英殿，奉旨查看舊書也。」七月初一載：「直武英殿，訂紀、陸三君共食，以奉旨命臣查存貯佳書寄行在也。隨繕奏片清單。」七月十一日載：「應進舊書今日俱已發訖，共十九種。」[94]

三　工作之餘

《王文莊日記》除了記述其工作外，還有不少篇幅涉及其公事之餘的私生活，反映了當時京中官員們私下的交接來往、人情世故。四

91 劉家平、蘇曉君主編：《中華歷史人物別傳集》（北京市：線裝書局，2003年），冊40，頁601下。蔣戟門，即蔣賜棨。蔣氏此前曾因罪撤職。《四庫》職名表中不收蔣氏，可能因這只是臨時性的工作，而且時間很短。本書所作的館臣表也因此未將其收入。

92 以上分別見劉家平、蘇曉君主編《中華歷史人物別傳集》（北京市：線裝書局，2003年），冊40，頁581下、頁582上。

93 參「戶部尚書王際華奏謄錄姚岐謨曠課數月分校鄭爔等不查報請交部議處摺」（乾隆三十九年七月十四日），載張書才主編：《纂修四庫全書檔案》（上海市：上海古籍出版社，1997年），頁224-225。

94 以上分別見劉家平、蘇曉君主編：《中華歷史人物別傳集》（北京市：線裝書局，2003年），冊40，頁584上、頁584上、頁585上。

庫館中的關係網，我們亦可於此窺見一斑。

王際華在開館期間賓朋交接眾多，聚會飲宴不斷。據《王文莊日記》載，他們有時是師生之聚會，如乾隆三十九年八月初二載：「延顧葵、董熙、陸學遜、常循、朱光、王鍾健、趙萬里、王青雲、王藻、楊昌霖、朱大庭飲，共四席。楊世綸、張仲芳、葛桂芳不至，皆戊子江南門人也。」[95]這些人均為王際華的門人，其中常循、王鍾健、楊昌霖、楊世綸四人都曾入為四庫館臣，而楊世綸與王際華因《四庫》之事來往還相當頻繁。我們有理由推測，當時通過王際華推薦入館的門生應該是比較多的。有時是同年聚會，如乾隆三十九年二月三十日載：「遂至浙紹會館。同年到者蔣時庵、李恒齋、毛鏡浦、吳□、丁□、勵自牧、莊方耕，又請年侄徐天柱、劉錫嘏、閔思誠、周□、周□……」有時是同鄉聚會，乾隆三十九年三月初一載：「同鄉到者為倪倉場承寬、錢閣學載、趙通參祐、朱司業棻元。」[96]有時是同事之聚會，包括四庫館中的同事和官場的同事[97]，如乾隆三十九年八月二十九日載：「杜門，延協揆程（景伊）、大宗伯蔡（新）、大司馬嵇（璜）、大司寇崔應階、總憲張若溎、少司馬周（煌）、少司空李友棠燕飲。」九月初一載：「祥、金二人來白事。延紀昀、陸錫熊、彭紹觀、宋銑、陸費墀飲。楊昌霖陪（王仲愚、百齡不至），晚始散。」[98]

館臣們頻繁的私下交往，有利於四庫館中各種複雜關係網的形

95 劉家平、蘇曉君主編：《中華歷史人物別傳集》（北京市：線裝書局，2003年），冊40，頁588上。

96 以上分別見劉家平、蘇曉君主編：《中華歷史人物別傳集》（北京市：線裝書局，2003年），冊40，頁565下、頁565下。

97 其時官場上多有輪流宴請之習慣，如入直之大臣即多如此。

98 以上分別見劉家平、蘇曉君主編《中華歷史人物別傳集》（北京市：線裝書局，2003年），冊40，頁592下、頁593上。

成，而這些關係網又會在多方面影響著《四庫》修書（參本書最後「總結與思考」一節），如官書私辦。

四　小結

相對于敏中等軍機大臣來說，王際華更專職於《四庫》修書之工作，不過，從其日記看，他也遠不是所有工作均圍繞於修書，甚至可以說，修書並不是其最主要的工作。然而，王際華恰恰是被乾隆和很多人視為早期四庫館工作最有貢獻者之一。這是值得很好思考的地方。

筆者認為，他之所以會被認為最有貢獻，主要有如下幾點原因：其一，當時總裁都是普遍兼職的，而王際華相對於其它總裁而言，對修書的投入應該是最大的。其二，專心，勤奮。從日記可看出，王際華的空餘時間也儘量用於辦書，如《王文莊日記》乾隆三十九年四月十二日載：「歸後，朱竹君、徐立綱來談《國子監志》。」[99]而且，他沒有一般士大夫的雅好，尤其是不喜歡像其它士大夫那樣唱酬、遊玩等。雖有交際，但要不與工作有關，要不是維繫關係之所必需。因此，其一生沒有什麼詩文傳世。其三，人品好。他在朝中與很多大臣保持良好關係，沒有牽涉到什麼政治鬥爭中，從而互相傾軋。乾隆比較欣賞他這一點，多次稱其為人端謹、稱職，如《清高宗實錄》卷九五四載：「協辦大學士尚書官保、程景伊、尚書阿桂、王際華、伊勒圖、豐昇額、英廉、福隆安、侍郎邁拉遜均勤慎稱職，宜加優獎，著交部議敘。」卷九九八載：「在廷大臣，受朕恩眷，理宜小心謹飭，以副任用，即如于敏中、程景伊、王際華，俱朕所親信者，伊等亦能

---

99 劉家平、蘇曉君主編：《中華歷史人物別傳集》（北京市：線裝書局，2003年），冊40，頁570下。

謹凜自持。」[100]「諭內閣王際華遽爾溘逝著晉贈太子太保」（乾隆四十一年三月二十日）載：「內閣奉上諭：戶部尚書王際華，才品端謹，學問優長，久直內廷，簡任部務，懋著勤勞。邇年承辦《四庫全書》及《薈要》事，尤為殫心經理，且年甫六旬，正資倚畀。今聞其因痰湧暴厥，醫治無及，遽爾溘逝，深為悼惜。」[101]從上述看，王際華之才能並不算突出，但是，對於集體修書的總裁官而言，以上幾點恰恰是最重要的。集體修書者，重要的是稱職、專心、勤奮，而不一定才能特別突出。事實上，那些才能突出的館臣，固然也有貢獻特別大者，但是，他們中有些人將很大部分的精力與時間用於日常應酬、唱和、文人的雅集以及文人的爭鬥、較量、傾軋中，而且還大量地利用入館之機幹私活，反不如才能一般之人貢獻大。

第二節　纂修官

纂修官，也可稱為分纂官。這裏所述，包括大典本、天文曆算書、採進本等纂修官。

一　人選

纂修官絕大多數出自翰林（包括當時在翰林院庶常館的庶起士），此外，還有極少數是來自於其它部門及社會上知名之士。

---

100 以上分別見《清高宗實錄》（北京市：中華書局，1986年），冊12，頁933；冊13，頁356。

101 張書才主編：《纂修四庫全書檔案》（上海市：上海古籍出版社，1997年），頁501。

1 翰林官（包括庶起士）

四庫館開館初期，時任翰林官者多被派任纂修官，據鄭福照編《姚惜抱先生年譜》乾隆三十八年載：「……詔開四庫全書館，選一時翰林宿學為纂修官。」[102]此外，開館初期的庶起士亦多出任　纂修官，例如，乾隆三十七年這一科的庶起士，開館時多為纂修官，包括黃壽齡、平恕、李堯棟、余集、潘曾起、蘇青鼇、李鎔、彭元統、莊通敏、鄒炳泰、俞大猷、王汝嘉、黎溢海、張家駒、陳國璽、陳科錦等。

2 其它

開館之初，五徵君（這五徵君也是有功名的，分別為進士與舉人）經總裁推薦而得以入館為纂修官，據《清史稿》卷一〇九《選舉志四》載：「（乾隆）三十八年，詔開四庫館。延置儒臣，以翰林官纂輯不敷，大學士劉統勳薦進士邵晉涵、周永年，尚書裘曰修薦進士余集、舉人戴震，尚書王際華薦舉人楊昌霖，同典秘笈。後皆改入翰林，時稱『五徵君』。此其著者也。」[103]

各部中的官員，也有入為纂修官的，如鄭福照編《姚惜抱先生年譜》乾隆三十八年載：「……詔開四庫全書館，……時非翰林為纂修者八人，先生與程魚門（晉芳）、任幼植（大椿）尤稱善。」[104]可見，開館之初非翰林而為纂修者只有八人，除上述五徵君外，還有這裏提到的程氏等三人。這三人也是通過舉薦而入館的。

---

102 北京圖書館編：《北京圖書館藏珍本年譜叢刊》（北京市：北京圖書館出版社，1999年），冊107，頁580-581。

103 趙爾巽等：《清史稿》（北京市：中華書局，1976年），頁3187。

104 北京圖書館編：《北京圖書館藏珍本年譜叢刊》（北京市：北京圖書館出版社，1999年），冊107，頁580-581。

此外，陸續還有一些非翰林之士入館為纂修官，如張羲年、徐步雲等，據「多羅質郡王永瑢等奏請令張羲年在四庫全書處纂修上行走摺」（乾隆三十九年十月十九日）載：「臣等查張羲年原係拔貢出身，學問尚優，以教職卓異，俸滿保薦，特蒙恩准例得即選知縣。前此，曾經該撫派入總局，承辦採訪遺書，詢以各種書籍，亦頗諳曉。今具呈情願赴館效力，情詞甚為懇切。理合據呈具奏，請令張羲年在纂修上行走，該員自必感激奮勉。」[105]不過，這種情況較為特殊。

二　主要工作

如前所述，閱書總裁是要求每天到館的，那麼纂修官更應該每天都到館工作。事實上也是如此，如翁方綱，每天清晨入館，午後歸寓，據《翁氏家事略記》載：「自癸巳春入院修書，……每日清晨入院，院設大廚，供給桌飯。午後歸寓。以是日所校閱某書，應考某處，在寶善亭與同修程魚門、姚姬川、任幼植諸人對案，詳舉所知，各開應考證之書目，是午攜至琉璃廠書肆訪查之。」又如姚鼐、程晉芳，據姚鼐〈贈程魚門序〉載：「余初識魚門於揚州人家坐上，白皙長身美髯，言論偉異，自是相愛敬。魚門來官京師，乃益親。去歲同纂《四庫全書》，因日日相見。」[106]「多羅質郡王永瑢等奏黃壽齡攜書私回不能覺察自請交部議處摺」（乾隆三十九年七月初二日）載：「……伏念《永樂大典》為人間未有之書，我皇上稽古右文，簡派翰林編校，匯入《四庫全書》，優給官餐，俾得從容翻閱。該纂修等自應逐日就館編纂，何得私自帶歸，致貽踈失。臣等蒙恩綜司館務，開

105 張書才主編：《纂修四庫全書檔案》（上海市：上海古籍出版社，1997年），頁276。
106 〔清〕姚鼐：《惜抱軒詩文集》（上海市：古籍出版社，1992年），卷7，頁111。

館以來，時飭知諸翰林，每日領閱書籍，務須隨領隨繳，並囑各提調隨時稽查。」[107]可見，校辦大典本的纂修官也是要日日到館的。

纂修官的工作主要包括下面兩項：

（一）分派辦書，擬寫提要，提出處理意見

1 關於派書

一般來說，《四庫》書在當時是均勻分派給纂修官校辦的，而且，採進書是隨到隨分隨辦，據「大學士劉統勳等奏遵議給還遺書辦法摺」（乾隆三十八年五月十八日）載：「伏查鹽政李質穎交館之書已七百七十餘種，現在派令纂修等分別校查。」[108]

當然，在分派書籍時也會適當考慮各纂修官之專長，據李元度《國朝先正事略》卷三十五〈任子田先生事略〉載：「（乾隆）三十八年修《四庫全書》，充纂修官，《禮經》裒輯為多，提要多出其手。」[109]「翰林院典簿廳為抄送永瑢等奏摺事致內閣典籍廳移會（附黏單）」（乾隆四十年正月初七日）載：「再查原任中書徐步雲，……查該員分纂《永樂大典》內之子、集二門，考訂頗見細心，前又經奏明派在武英殿分校《四庫全書》所辦各書，亦俱能認真校勘，尚屬勤勉。」[110]潘奕雋《三松堂集》卷十四《感舊詩·閩縣鄭內閣學士（際唐）》附注載：「君長於篆籀，校勘金石最精覈。」[111]應該是指鄭際唐在館期間以校辦金石類書為主。

---

107 張書才主編：《纂修四庫全書檔案》（上海市：上海古籍出版社，1997年），頁219。

108 張書才主編：《纂修四庫全書檔案》（上海市：上海古籍出版社，1997年），頁118。

109 〔清〕李元度輯：《國朝先正事略》（長沙市：嶽麓書社，2008年），頁1084。

110 張書才主編：《纂修四庫全書檔案》（上海市：上海古籍出版社，1997年），頁316-317。

111 《續修四庫全書》（上海市：上海古籍出版社，1996-2003年影印本），冊1460，頁688上。

2 關於提要、圖書處理意見

纂修官最初辦書，主要是寫出提要稿並提出處理意見，至於原書文字的校正、內容的增刪，則應該是在此之後的工作，因為纂修官還未知其書是否採用，不可能對書作詳細校勘。

關於提要的格式，大致應該如杜澤遜所總結的：「開頭為『謹按』，然後敘述某書幾卷，某朝某人撰，然後為內容大要。提要之末署有撰寫提要者『纂修某某』，然後鈐『存目』小木印（估計收入《四庫全書》者應鈐『著錄』小木印）。」[112]

關於提要所署的校上年月，據「軍機大臣奏遵查發下《四庫全書提要》填寫年月緣由片」（乾隆四十九年五月初六日）載：「遵查發下《四庫全書提要》末行有本年閏三月恭校上者。查向來繕校各書，所寫年分均繫按照各呈進年分填寫，從前進過一、二、三分書均繫如此辦理。惟月分有填寫在前、進呈在後者，因無甚關礙，是以進呈時即用原填月分，以省挖補痕跡。現在運送熱河備進各書所填月分，自二月至四月不等。理合據實復奏。謹奏。」[113]也就是說，提要上所署的年份，是進呈時填的（填的是進呈該年的年份），而月份是原來填的，與進呈時間並不相符。如此說來，我們在利用各閣本書前提要時就應注意這一點。例如，有的書填寫「乾隆四十九年十月恭校上」，「十月」是其校上的時間，而「乾隆四十九年」是其進呈時的年份。

提要寫好後，按規定是貼於書前副頁的右邊，據「諭著派軍機大臣為總裁官校核《永樂大典》」（乾隆三十八年二月初六日）載：「……應俟移取各省購書全到時，即令承辦各員將書中要指檃括，總

112 杜澤遜：《〈四庫存目〉標注》（濟南市：山東大學博士論文，2003年），王紹曾指導，頁39。

113 張書才主編：《纂修四庫全書檔案》（上海市：上海古籍出版社，1997年），頁1774。

敘厓略，黏貼開卷副頁右方，用便觀覽。」[114]但是，目前所見的提要稿，亦非均如此，看來並不嚴格執行。

此外，纂修官在提要稿的最後均要提出對該書的處理意見：應刊、應抄、存目、毋庸存目。

（二）校書

闕大典本的校對，可參第三章，這裏主要談談大典本之外的書籍的校辦。

若是應抄、應刊之書，纂修官還需對原書作校改。也就是說，纂修官擬定應抄、應刊之書，由總裁閱定後，返回讓原纂修官再校正，據「武英殿總裁王杰奏參提調陸費墀等遺失底本並請另選翰林充補摺」（乾隆四十五年三月初九日）載：「……伏思各省所進遺書，奉旨令翰林院鈐蓋印信，並奏派總纂、纂修諸臣校正，然後移送武英殿發繕，辦畢仍應遵旨發還藏書之家，不許絲毫損失。」[115]可見，纂修官是要校正原書的。翁方綱提要稿中就保留有不少其校正原書的例子，而且，翁方綱提要稿中凡涉擬抄、擬刊之書，均寫「恭校」，也說明是要校原書的。翁方綱《復初齋文集》卷十三〈次兒樹培小傳〉亦載：「是時余以再入翰林預修《四庫》書，日事校讎，不暇為舉業課。」[116]可見，作為纂修官的翁方綱也是經常要作校讎的。

那麼，纂修官的校改包括哪些內容，與分校官、復校官的校改有何區別呢？

纂修官的校改很寬泛，包括校正文字、刪改、增補、調整次序、簽記違礙等。

114 張書才主編：《纂修四庫全書檔案》（上海市：上海古籍出版社，1997年），頁56。

115 張書才主編：《纂修四庫全書檔案》（上海市：上海古籍出版社，1997年），頁1153。

116 《續修四庫全書》（上海市：上海古籍出版社，1996-2003年影印本），冊1455，頁475上。

關於校正文字。若原書文字有誤，纂修官需要簽記出來。《于文襄手劄》載：「昨送到馬裕家書十種，內《鶡冠子》已奉御題，先行寄回，即派纂修詳細校勘。其書計一百三十餘頁，約計校勘幾日，似宜酌定章程，將來雖諸書紛集，辦之自有條理。其期不可太緩，致有耽延，亦不可太速而失之草率。書內訛舛甚多，頃隨手繙閱，記有三四條。將來纂修校勘後，可將校出誤處錄一草單寄來，不必楷書，以便印證愚見是否相合。」「《鶡冠子》蓧塘添出處甚多，此番可謂盡心。但止寄簽出之條，無書可對，難於懸定。因將來單寄回足下，可並前日之單，回原書校勘，酌其去留，無庸再寄此間也。……卷後纂修之名，似可不添，因其書仍鬚髮還本家，毋庸多此一辦。且官書須署臣某，而給還各家又不宜用臣某，莫若不列名為妥。（乾隆三十八年七月十六日）」[117]可知，《鶡冠子》是應抄（刊）之書，經總裁審閱過後，又發回給纂修官校勘文字錯誤。[118]

另外，從前引于敏中信可知，纂修校辦完各書後，原計劃在原書卷後署上纂修官之姓名，大概如《國家圖書館善本書志初稿》所載：「《唐史論斷》三卷三冊，舊鈔本。……自序標題下方題『纂修梁上國改正訖』，文中多其朱墨筆手校。」[119]此書為《四庫》底本，經纂修官梁上國校辦，卷中署有其姓名。但是，於氏並不同意這一做法，所以這一署名方式後來沒有被普遍採用。

117 以上分別見〔清〕于敏中《于文襄手劄》（北京市：國立北平圖書館，1933年影印本），第7、19通。

118 又可參〔清〕于敏中《于文襄手劄》（北京市：國立北平圖書館，1933年影印本），第19通載：「《鶡冠子》蓧塘添出處甚多，此番可謂盡心。但此寄簽出之條，無書可對，難於懸定，因將來單寄回足下，可並前日之單，回原書校勘，酌其去留，無庸再寄此間也。」

119 國家圖書館特藏組編：《國家圖書館善本書志初稿》（臺北市：國家圖書館，1999年），史部，冊2，頁403。

關於刪改、重訂卷目。《四庫》所收之書，多有刪節，尤以序跋之刪除為多，據傅增湘《藏園群書經眼錄》載：「《山窗餘稿》一卷，影寫明成化刊本，……以余所見，凡《四庫》所收書序跋多不完，若文字有闕失不能妄補，輒徑行刪落，茲集亦其例也。」[120]另據《國家圖書館善本書志初稿》載：「《張莊僖公文集》六卷六冊，明萬曆己酉張氏家刊後代修補本，……本書為清四庫館編《四庫全書》之底本，館臣刪去『禮集』與外紀，將所餘各集定為卷一至五，並重訂各卷、各篇標題，入《四庫全書》著錄。故本書中可見多處館臣所作之刪補、塗改。」[121]可見，館臣還重訂了原書卷目。

關於簽記違礙之處。纂修官在校辦時，若遇違礙之內容，要簽出改正，據「吏部為知照辦理《詞話》錯謬之總纂官紀昀等處分事致典籍廳移會（附黏單）」（乾隆四十七年十一月二十八日）載：「……查四庫館書籍，該纂修等俱應詳慎確核，遇有背謬字句，即行簽改進呈。」「軍機大臣和珅等奏遵旨將罰校看書及外任各員分別議罰片（附清單一）」（乾隆五十二年十月十八日）載：「……又查此項書籍俱由原纂官纂辦，書內有語句偏繆及引用禁書，該纂修從前未經刪削，咎實難辭。……附清單，文淵、文源、文津三閣記出錯誤，應往熱河看書人員名單：……莫瞻菉係原纂官。《松陽講義》引呂留良語，未經刪削，應罰令同校對錯誤各員前赴熱河看書。」[122]傅增湘《藏園群書經眼錄》載：「《渚山堂詞話》三卷，明嘉靖刊本，……鈐有翰林院大官印。卷中有四庫館臣簽記各條，卷一第六葉至元間傳按

120 傅增湘：《藏園群書經眼錄》（北京市：中華書局，1983年），冊5，頁1364。

121 國家圖書館特藏組編：《國家圖書館善本書志初稿》（臺北市：國家圖書館，1999年），集部，冊2，頁380。

122 張書才主編：《纂修四庫全書檔案》（上海市：上海古籍出版社，1997年），頁2075-2076。

察錢塘懷古長闋內塗抹三十三字，當是觸忌諱之語，閣中著錄已刪去。」[123]在這方面，翁方綱做過大量工作。

隨著修書的進展，禁書的查核更為廣泛而嚴格，各纂修官除了校正應抄、應刊之書的違礙內容外，還要配合總裁審查禁燬書，據「軍機大臣福隆安等奏請將閱過全毀抽毀各書摘開書目刊行片」（乾隆四十七年十二月初十日）載：「所有各省解送四庫館遺書內，其應行全毀及抽毀之本，業經大學士英廉於本年三月內奏明，派令各纂修等復加檢核，逐一開繕清單，行知各該督撫，令其遵照嚴查，分別辦理在案。至外省查辦違礙書籍，俱係解交軍機處轉交總纂紀昀、陸錫熊等協同各纂修逐細檢閱，分別呈進。」[124]

既然纂修與校對官（主要是分校）都校書，那麼，他們的區別在哪裏呢？筆者認為：其一，纂修校原書，而分校在主要校謄抄本的同時，被鼓勵校原書。纂修官校正原書的錯，是其分內之事。分校校謄錄本的錯誤，也是分內之事；若是校出原本之錯，則可記功，說明這是其分外之事。纂修官的校改（除違礙之處外），大多是在原書中直接改動，而分校官的校改，大多是加簽說明。例如，中國國家圖書館藏《四庫》底本《蛻庵詩》，書中有一些校改，都是寫於書眉，沒有用紙簽，也沒有署名，可能為纂修或總纂作的。校語多是據「玉山」本作的校對修正，比較多，也很認真。這些校語，與書中其它地方的墨筆所加格式提示（應為分校所加）的筆跡不同。其二，纂修官的校改一般不署名，而分校官對原書的簽改基本要署名（這也是為了記功之需要）。

123 傅增湘：《藏園群書經眼錄》（北京市：中華書局，1983年），冊5，頁1610。

124 張書才主編：《纂修四庫全書檔案》（上海市：上海古籍出版社，1997年），頁1693。

三　兼職

纂修官都是專職的辦書者，例如，姚鼐本為刑部郎中，但並不做其作為郎中的工作，而是一心辦書，所以伊秉綬《留春草堂詩鈔》卷五〈姚姬傳先生鼐〉載：「先生在郎署，猶兼四庫勤。所以於先子，省同職則分。」[125]另外，一些庶起士散館授職部屬官時，因辦書之需要，也留館工作，而不預部事。

但是，纂修官在專職辦書的同時，也有兼任，這包括兩種情況：

其一，除《四庫》外，纂修官中有不少人還兼辦多種其它書籍，據章學誠《周書昌別傳》載：「庚子、辛丑間，《四庫全書》將竣，而館閣被命特修之書若《開國方略》、《滿洲源流》、《職官表》、《河源考》之屬，指不勝屈，皆欲趣成以入《四庫》著錄，撰述需人，翰林知名者一人常兼數館，又借才外曹，若進士、舉貢、諸生未得官者，或藉以超資換階，紛然競赴功名之會，而書昌皆不得預，意泊如也。」[126]

其二，不少纂修官兼任或曾任過四庫館其它館職，例如，隨著修書之進展，纂修工作漸少，而分校工作漸多，纂修官就多轉為分校官。又如，祝坤（堃），是大典本纂修官，但是，他又兼辦過《總目》及《簡明目錄》，據「質郡王永瑢等奏劉權之協同校辦《簡明目錄》可否遇缺補用片」（乾隆四十七年七月十九日）載：「……又查校官祝堃一員，由中書中式進士，改授庶起士，前後在館六年，歷經派辦《總目》及《簡明目錄》，行走亦屬勤奮，可否一併准其照例授職

125 《續修四庫全書》（上海市：上海古籍出版社，1996-2003年影印本），冊1475，頁745下。

126 〔清〕章學誠：《章學誠遺書》（北京市：文物出版社，1985年），卷18，頁181-182。

之處，均出自聖恩。」[127]

第三節　分校官

分校官是館臣中人數最多的，也是最複雜的。

一　人選

四庫館分校人數眾多，其充任相對較為容易，所以其原任官職一般都較低，而且參差不齊，有以翰林充，有以中書充，有以國子監官員充，有以部院之小京官充，有以候補之官員充，等等，據「辦理四庫全書處奏遵旨酌議排纂《四庫全書》應行事宜摺」（乾隆三十八年閏三月十一日）載：「……並於職事稍閒及候補之各京官內添派張培……等三十二員，分司校對，並令於每冊後副頁填寫銜名，以便稽核。」「多羅質郡王永瑢等奏戈源請將謄錄計字議敘應毋庸議摺」（乾隆四十年四月十五日）載：「……若因書多而添派分校，則現在翰林、中書、國子監各員，選派已遍，亦難再添。」[128]翰林之於修書，為其本職，所以出任分校沒有任何障礙。至於中書、國子監官員、各部院之低級官員之出任分校，一般是職事較閒者，由各部門選送。據永瑢等「奏為請旨事」（乾隆四十八年十月初十日）載：「竊臣等奉命辦《四庫全書》三分，……必須多員分校，方能迅速辦理，而各衙門送到分校官只有二十一員，此外翰林、中書及小京官，現在仍行文各

---

127 張書才主編：《纂修四庫全書檔案》（上海市：上海古籍出版社，1997年），頁1604。

128 以上分別見張書才主編：《纂修四庫全書檔案》（上海市：上海古籍出版社，1997年），頁75、頁378。

衙門查取，但亦無多餘職事較閒之人堪以添派。」[129]此奏雖然是針對續辦三份全書而言的，但也可看出分校官的選取範圍主要是翰林、中書及其它小京官。尤其值得注意的是，該奏附有「武英殿分校撥派校勘續繕全書三十五員名單：

翰林：朱紱、裴謙、張能照、潘庭筠、張九鐔、馮敏昌、蕭九成、王福清、李調元、洪其紳、潘紹觀、王受。

國子監：胡予襄、周鋐、李岩、陳木、常循、沈培、周琰。

中書：邱桂山、江漣、李斯詠、楊揆、邵志望、劉英、沈颺、董聯穀、閔忠毅、馬猶龍、劉源溥、翼成、賈俠。

部屬：張愼和、牛稔文、吳雲棟。」[130]

從此份名單可以明顯看出，分校官有四個來源，即翰林、國子監、中書、部屬小京官。另外，儘管這裏所列只是部分人員名單，但應該可以反映分校官來源的大致比例：以翰林、中書為主，其次是國子監官員，最少是部屬小京官。以上這種認識，也可通過《四庫總目》所附職名表得到印證。該職名表中所收的分校官有二百餘位，最多的是翰林官，其次是中書，再其次是國子監官，最少是來自於部屬官員（只有寥寥數員）。

（一）翰林（包括庶起士）

翰林任分校的例子很多，例如，馮敏昌，據馮士鑣編《先君子太史公年譜》（譜主：馮敏昌）載：「是年（乾隆四十六年）在院供職，題詠日益工富，時四庫全書館開，硃派武英殿分校官，遂盡覽天祿石

129 張升編：《四庫全書提要稿輯存》（北京市：圖書館出版社，2006年），冊4，《江蘇採進遺書目錄》，卷首，頁70-71。

130 此名單個別姓名記錄可能有誤：李調元，疑為李鼎元；閔忠毅，疑為閔思毅；翼成，疑為吳翼成；賈俠，疑為賈鋏；吳雲棟，疑為呂雲棟；周琰，疑為周炎。

渠之富。……是年（乾隆四十七年）在京供職校書。……先於五月初七，恩賜分校四庫館諸臣香袋，先君與賞，捧歸以志榮幸云。……是年（乾隆四十八年）在京供職，兼辦三分全書館分校。」[131]孫玉庭，據其《寄圃老人自記年譜》（譜主：孫玉庭）乾隆四十三年載：「散館，授職檢討，充四庫館分校官。」[132]周厚轅（馭遠），據趙懷玉《亦有生齋集》文卷二〈雙蔭堂奏冊存稿序〉載：「馭遠先生以辛卯通籍，官翰林者十五年，《四庫》書成，始終預校勘之事。」[133]

庶起士任分校也相當普遍。[134]如果說，乾隆三十七年一科庶起士多任四庫館纂修官，那麼，在開館前期的其它科庶起士，則多任分校官，例如，吳錫麒為乾隆四十年該科庶起士，於五月四日入館選，五月十九日即被命為分校。[135]這些任分校官的庶起士，若散館後授職翰林，一般仍任分校；若散館後未能入為翰林官，有的因校書有功，亦會留館繼續為分校，而所授之職則留待以後再補，至於有的未留館的庶起士，也會呈請留館效力，例如，「軍機大臣奏吳樹萱等呈請自備資斧充當全書處分校片」（乾隆四十六年五月初七日）載：「據散館改歸進士原班銓選之吳樹萱、柴模呈請自備資斧，仍在四庫全書處充當

131 北京圖書館編：《北京圖書館藏珍本年譜叢刊》（北京市：北京圖書館出版社，1999年），冊117，頁22-24。

132 北京圖書館編：《北京圖書館藏珍本年譜叢刊》（北京市：北京圖書館出版社，1999年），冊119，頁554。

133 《續修四庫全書》（上海市：上海古籍出版社，1996-2003年影印本），冊1470，頁35下。

134 庶起士雖非正式之官，但也屬翰林，故永瑢等「奏為奏明請旨事」（乾隆四十二年八月十一日）稱：「……除庶起士倉聖脈、何思鈞係現任翰林，毋庸恩敘外，……」載張升編：《四庫全書提要稿輯存》（北京市：圖書館出版社，2006年），冊4，《江蘇採進遺書目錄》，卷首，頁35-38。

135 〔清〕吳錫麒《有正味齋詩集》卷4《五月四日乾清宮引見館選恭紀》；《十九日被命入武英殿分校恭紀》：「五月薰風拂玉除，校讎身喜傍宸居。」《續修四庫全書》（上海市：上海古籍出版社，1996-2003年影印本），冊1468，頁412上。

分校，懇求據情代奏，理合將原呈進呈。應否准其在四庫館效力之處，伏候訓示。謹奏。」[136]他們原來是庶起士，也是分校，後來散館，歸進士原班銓選，又提出自願（自備資斧）還做分校。又如，何思鈞為乾隆四十年該科庶起士，先為分校，後又為總校，而且，他因辦書能幹，散館授部職後仍留翰林院繼續辦書，據王芑孫《淵雅堂全集》《惕甫未定稿》卷十五〈誥封朝議大夫累封中憲大夫翰林院檢討何公行狀〉載：「公姓何，諱思鈞，字季甄，……乾隆三十五年中山西鄉試副榜，明年中鄉試舉人，後三年薦充四庫全書館謄錄，又三年中會試，以吳錫齡榜同進士出身改庶起士。其年冬充武英殿纂修，入四庫全書館為分校官，又二年改總校官。明年散館，改部主事，以總校故，仍留教習。明年書成，敘勞改授檢討，仍充總校。」[137]

（二）中書

中書任分校的也比較多，據「漢票簽為查明龔敬身等在四庫全書處行走事致典籍廳移付」（乾隆三十九年三月二十九日）載：「漢票簽為移付事。準吏部片稱：所有諮送考試試差各員，有無在四庫全書館行走之處，查明聲復。等因前來。查本衙門諮送進士中書十一員內，龔敬身、王琸、胡紹基、鮑之鍾、呂雲從、孫梅等六員，均在四庫全書館校對，其餘五員係在本處行走。」[138]可見，漢票簽處就有六名進士出身的中書在四庫館任分校。

---

136 張書才主編：《纂修四庫全書檔案》（上海市：上海古籍出版社，1997年），頁1350。

137 《續修四庫全書》（上海市：上海古籍出版社，1996-2003年影印本），冊1481，頁156下。還可參姚鼐：〈何季甄家傳〉載：「何季甄者，名思鈞，霍州靈石人。……乾隆四十年成進士，改庶起士。纂修《四庫全書》，善於其職。四十三年散館，改部屬矣，旋以校書之善，仍留庶常館。」載〔清〕姚鼐：《惜抱軒詩文集》（上海市：古籍出版社，1992年），頁151。

138 張書才主編：《纂修四庫全書檔案》（上海市：上海古籍出版社，1997年），頁202。

關於中書任分校的例子還有很多，如中書李荃為分校，據李兆洛《養一齋集》《文集》卷十六〈傳〉〈李竹軒〉載：「君名荃，字佩玉，宜興橫塘裏人，宋忠定公綱之裔，乾隆庚寅舉於鄉，壬辰登中正榜，授內閣中書，分校《四庫》書。」[139]中書孫希旦為分校，據孫衣言《遜學齋文鈔》卷六〈敬軒先生行狀〉載：「先生孫氏，諱希旦，字紹周，自號曰敬軒，……辛卯補授中書，四庫全書館開，先生為分校官。」[140]中書王慶長原為分校官，在議敘時，仍要求留補京職，繼續做分校的工作，據「軍機大臣奏《四庫全書》分校王慶長呈請留館片」（乾隆四十七年二月二十三日）載：「據《四庫全書》分校·議敘一等內閣中書王慶長呈請留補京職，仍在分校上行走。理合據呈轉奏，將該員留館分校，仍照吏部原議以京員補用，並將原呈一併進呈。謹奏。」[141]

（三）其它

國子監博士、助教等任分校者，有國子監助教陳木、國子監監丞金兆燕、國子監學正沈培、國子監學錄常循等。

各部院主事等低級官員任分校者，有宗人府主事呂雲棟、刑部主事胡敏、工部主事王慶長等。

（四）天文算學、繪圖、篆隸分校的人選

天文算學、繪圖、篆隸圖書的校對，需要較為專門的知識，所以這些分校的來源較為特殊，主要有兩種管道：

139　《續修四庫全書》（上海市：上海古籍出版社，1996-2003年影印本），冊1495，頁284上。

140　《續修四庫全書》（上海市：上海古籍出版社，1996-2003年影印本），冊1544，頁355下。

141　張書才主編：《纂修四庫全書檔案》（上海市：上海古籍出版社，1997年），頁1518。

一方面是選取有這方面專長的京官入館為分校，如算學館助教郭長發、理藩院主事門應兆等，據「多羅質郡王永瑢等奏令郭長發在《四庫全書》分校上行走摺」（乾隆三十九年二月二十三日）載：「臣等辦理《四庫全書》，內有天文算法等書，必須專門之人分校。查有算學館助教郭長發，留心算法，堪司校閱。理合奏明，令其在《四庫全書》分校上行走。」[142]「軍機大臣奏請令門應兆在《四庫全書》校對上行走俾校勘圖樣片」（乾隆四十一年十二月二十八日）載：「查四庫全書處凡有繪畫圖樣等事，前經奏明另設繪圖謄錄承辦，但一切校勘更改，需人辦理。查有理藩院主事門應兆，係漢軍，前在禮器館繪圖，頗為得力，蒙恩議敘，由筆帖式歷升今職。該員精於繪畫，漢字尚能通曉，而於蒙古字未經學習，若在本衙門辦事，無可措手。相應請旨，令在四庫全書處校對上行走，俾校勘圖樣，似屬人地相宜。為此謹奏。」[143]

另一方面是從社會上選取擅長繪畫、篆隸之士為分校，如王念孫、朱文震等，據閔爾昌編《王石臞年譜》（譜主：王念孫）乾隆四十七年載：「……先生充《四庫全書》篆隸分校官，當亦在辛丑、壬寅間。」[144]汪啟淑《續印人傳》卷四〈朱文震傳〉載：「朱文震，字青雷，號去羨，山東歷城人也。早孤，家徒四壁，然岐嶷好學不倦，尤肆力於六書、八分，不屑作科舉文字。……北來候銓，會開四

142 張書才主編：《纂修四庫全書檔案》（上海市：上海古籍出版社，1997年），頁201。

143 張書才主編：《纂修四庫全書檔案》（上海市：上海古籍出版社，1997年），頁564-565。另據〔清〕胡敬《胡氏書畫考三種》《國朝院畫錄》卷下載：「門應兆，字吉占，正黃旗漢軍人，工人物花卉，由工部主事派懋勤殿修書，充四庫館繪圖分校官。」《續修四庫全書》（上海市：上海古籍出版社，1996-2003年影印本），冊1082，頁56上。

144 北京圖書館編：《北京圖書館藏珍本年譜叢刊》（北京市：北京圖書館出版社，1999年），冊110，頁620。

庫全書館，需善校篆隸之員，本館總裁保奏，改授京員，得詹事府主簿，充篆隸校對官。」[145]永瑢等「奏明選取翰林謄錄等事」（乾隆三十九年十二月初四日）載：「……再臣等前奏准添設篆隸謄錄四人，業已公同考取得舉人王念孫等四名，現在發書繕寫，但必得通曉篆隸之員匯總校閱，方無舛誤。現據有在京候補之原任廣西西隆州州同朱文震，呈稱素習篆隸三十餘年，恭遇《四庫全書》開館，千古難逢，情願與校讎之列等語。臣等查得該員頗諳篆隸，應請准其所呈，令在武英殿分校上行走，以資篆隸校閱。但佐貳無各館行走之例，臣等酌議，合無仰懇天恩，準以州同與京員相當之職，賞給詹事府主簿銜，並給與半俸，以資辦公。依議。」[146]王念孫、朱文震在館中即任篆隸校對官。時人徐堅亦以書畫名，有人欲薦其為分校，可惜未遂，據汪啟淑《續印人傳》卷四〈徐友竹傳〉載：「徐堅，字孝先，號友竹，江蘇吳縣人，……遂工丹青，專宗大癡筆法，兼嗜六書，研究鐫印之藝，臨摹秦漢官私印幾千餘鈕，……舊識秋帆畢大中丞適撫全陝，聞其至，招留鈴閣，頗相推重。會其甥殿撰張公書勳聞知，寓書迎之入都，求詩畫鐵筆者戶限幾斷，有欲薦之四庫全書館校對篆及繪圖者，以病辭，飄然出都去。」[147]

另外，在修書過程中，分校是隨時添派的，例如，「大學士于敏中等奏請添派《四庫全書薈要》校對摺」（乾隆四十年五月十六日）載：「迄今數月，謄錄等具呈效力者漸增，所有原派校對之員，辦理未能裕如。臣等酌擬添派翰林四員，俾得從容校閱。再，查聚珍版各

145 〔清〕汪啟淑：《續印人傳》（南京市：江蘇廣陵古籍刻印社，1998年影印本），卷4，頁1。

146 國家清史編纂委員會「國家清史工程數位資源總庫·錄副庫」，檔案號為：03-0141-020；縮微號為：010-0971。

147 〔清〕汪啟淑：《續印人傳》（南京市：江蘇廣陵古籍刻印社，1998年影印本），卷4，頁4-5。

書，前奏派翰林四員，專司校刊，嗣因辦理《薈要》，需員分校，而翰林人數不敷選派，即以所派校刊之員，兼司其事，但日久書多，未免顧此失彼。臣等亦擬添派四員，俾校繕與校刊，各專其責。以上二項，共擬添派校對八員。」[148]此摺提到添派的兩個原因：其一，因為有額外謄錄，抄書自然較原來要多，所以要添派校對來處理；其二，聚珍本的分校要兼辦《薈要》，任務重，人數太少，需要添派。此摺雖然是針對《薈要》與聚珍本而言的，但也適用於《四庫》書，因為四庫館的分校原來也不太多，到後來額設增至九十二名。在額設九十二員分校後，四庫館大概就沒有再增加分校名額了。

另外，四庫館的分校、復校，遇缺是需要添補的，因為每名分校是有任務的（參下文），下述的分校官郭祚熾、鄭爔出缺需補就是這種情況。

二　兼職

分校官與纂修官一樣，在辦《四庫》書期間往往也會兼辦他書，而且其本身在館中的事務也多有變化，或分校，或總校，或復校，或提調，按需而定。例如，曹錫齡，據其《翠微山房自訂年譜》載：「乾隆四十一年，充《四庫全書》分校官。……四十四年，……充國史館協修官。……四十六年，充《四庫全書薈要》復校官。」[149]羅修源，據羅汝懷《綠漪草堂文集》卷二十九〈羅府君行略〉載：「公諱修源，字星來，又字碧泉。……中間屢充日講起居注官、文淵閣校

---

148 張書才主編：《纂修四庫全書檔案》（上海市：上海古籍出版社，1997年），頁392-393。

149 《續修四庫全書》（上海市：上海古籍出版社，1996-2003年影印本），冊110，頁222-228。

理、國史館纂修、方略館協修、《四庫全書》分校、續繕四庫全書館提調。」[150]孫希旦，據孫衣言《遜學齋文鈔》卷六〈敬軒先生行狀〉載：「先生孫氏諱希旦，字紹周，自號曰敬軒。……四庫全書館開，先生為分校官。……復以母憂歸，服除，充武英殿分校官、國史三通館纂修官。……先生素清羸，既為校纂官，日有國史、三通之役，歸則從事二志，而《四庫全書》尚未成，天子屢下詔敦趣，先生又在繕書所分校。」[151]關槐，據李鈞簡編《青城山人年譜》（譜主：關槐）載：「字柱生，號雲岩，一號晉軒。……乾隆四十一年，夏四月赴津門應召試，欽取一等第四，賜內閣中書。……充《四庫全書薈要》分校官兼修《永樂大典》。……四十五年，……充武英殿纂修官兼聚珍版書校勘。四十六年，……充《四庫全書》提調官兼武英殿提調。」[152]

分校在兼辦他書的過程中，一般不會放棄四庫館的工作而專辦他書，而是在分校《四庫》的同時兼辦他書，而且是以分校《四庫》為主。例如，永瑢等「奏為請旨事」（乾隆四十八年十月初十日）載：「竊臣等奉命辦《四庫全書》三分，……必須多員分校，方能迅速辦理，……臣等再四籌酌，原辦《四庫全書》第三分告竣，其第四分業經繕校亦復不少，所有原充分校各官日課漸減，此內除兼修別館書籍者五十七員，自未便再令兼辦，以致顧此失彼，應仍留武英殿校勘第四分全書。」[153]也就是說，當時在四庫館任分校官中有五十七名是兼辦他書的，這些人不便讓其再兼校續辦三份全書。

150 《續修四庫全書》（上海市：上海古籍出版社，1996-2003年影印本），冊1531，頁132下-頁133上。

151 《續修四庫全書》（上海市：上海古籍出版社，1996-2003年影印本），冊1544，頁355下-頁356上。

152 北京圖書館編：《北京圖書館藏珍本年譜叢刊》（北京市：北京圖書館出版社，1999年），冊117，頁507-547。

153 張升編：《四庫全書提要稿輯存》（北京市：圖書館出版社，2006年），冊4，《江蘇採進遺書目錄》，卷首，頁71。

除了兼辦他書，個別分校官還兼辦行政事務，這是其與纂修官不同的地方。

分校官來源較廣，若是來自翰林官或非現任官員者，自然都是專職辦書的，因為翰林官本職即為辦書，應是不會兼任其它行政事務的；而來自非現任官員者，當然也沒有其它行政事務。至於來自於其它部門現任官員的分校官，則有可能是兼職的[154]：既辦書，又要處理行政事務。所以，如前所述，在選取的時候，就要特別考慮由那些職事稍閒的京官充任。例如：

據「多羅質郡王永瑢等奏請準郭祚熾在額外校對上效力行走摺」（乾隆四十年七月初三日）載：「乾隆四十年六月二十九日，據四庫全書處分校原任太常寺典簿郭祚熾呈稱：竊熾於乾隆三十八年閏三月充全書處分校，現於太常寺典簿任內，因地壇神座擦污，未經預先看出，部議革職。所有在館以來承領各謄錄分繕工課，現在造具清冊，交明提調，恭候派員接辦。伏思熾係辛巳進士，在京歷俸七年，毫無報效，欣逢我皇上開館搜輯群書，得廁校勘之列，方以躬與右文盛典，稍效微勞為幸。今緣事革職，罪由自取。清夜捫心，慚惶倍切。但自顧年力尚堪奔走，又未敢輒就廢閒，致滋歉負。情願自備資斧，在額外校對上效力行走，以贖前愆。呈請代奏。具呈前來。臣等謹查郭祚熾自奏派分校以來，尚知勤勉，校對書籍，亦頗留心。茲於太常寺典簿任內，緣事部議革職，固屬咎所應得，但該員在館行走三年，校對頗稱熟手，工課亦並無貽誤，且其年力強壯，尚堪驅策。今既據呈請自備資斧，在館效力，情詞懇切，可否仰懇皇上天恩，准其在額外校對上效力行走。該員感激聖恩，自必倍加黽勉，於辦書不無裨

154 但是，也不是所有來自於非翰林的官員都一定要兼辦原職事務，如前述的門應兆，大臣認為其在原衙門反而不好，不如讓其校書。

益。……乾隆四十年七月初四日奉旨：准其留館校對。欽此。」[155]

郭祚熾原為職閒之京官，故被派為分校，據「辦理四庫全書處奏遵旨酌議排纂《四庫全書》應行事宜摺」（乾隆三十八年閏三月十一日）載：「並於職事稍閒及候補之各京官內添派張培、……郭祚熾、傅朝、張塡、胡士震等三十二員，分司校對，並令於每冊後副頁填寫銜名，以便稽核。」[156]不過，在任分校三年後，郭祚熾因其作為太常寺典簿的工作沒做好而被革去官職（典簿），可見，郭祚熾在任分校期間，還得兼任著太常寺典簿的工作。

郭氏因被革去原官職，也要辭去館職，所以他只好將自己承接的校書任務清點好，交人接辦，後又請求自備資斧效力。據此可看出，有行政官職之館臣的職位若有變化，其所充任的館職也會受影響。

三　主要工作

（一）校對

分校官既要校對謄抄本，也要校對原書（底本）。因為對謄抄本的校對比較簡單，這裏主要想談談分校官對原書的校對。

據「多羅質郡王永瑢等奏議添派復校官及功過處分條例摺」（乾隆三十八年十月十八日）所附「功過處分條例」載：「一、嚴核功過，以示勸懲也。……至分校各員，除校改謄錄錯誤，分所應為，毋庸記功外，若能將原本訛舛應改之處，校正簽出，精確得當者，每一處記功一次。校畢後交復校官校勘，如謄錄有錯，分校官未得看出，

155 張書才主編：《纂修四庫全書檔案》（上海市：上海古籍出版社，1997年），頁417-418。

156 張書才主編：《纂修四庫全書檔案》（上海市：上海古籍出版社，1997年），頁75。

經復校之員查改者，將原辦之分校、謄錄各記過一次。若復校人員能於原本錯誤處簽改切當者，將復校官記功一次。至校畢送武英殿後，經臣等隨意抽查，如見有謄錄錯字，未經各員校改者，將承辦疎忽之復校、分校、謄錄人員，各記過一次。若進呈後，經皇上指出錯誤，即將復校、分校、謄錄人員加倍記過，並將臣等總裁交部察議。」[157]從上述可看出，分校、復校均被鼓勵儘量校出原書的錯誤：校出謄錄本的錯誤是分所應該，而校出原書的錯誤是可以記功的。

關於分校官需校對原書的情況，從前述的《四庫》採進本《晏元獻公類要》中所附「移送單」也可以看出：武英殿先將底本交分校處由分校簽校，然後才交謄錄。因此，《四庫》底本多留有分校之校簽。例如：

李棨，據《木犀軒藏書題記及書錄》載：「《春草集》五卷，明烏斯道。此為《四庫》底本，中有分校李棨校簽可證。」[158]嚴紹璗《日藏漢籍善本書錄》載：「《梅岩胡先生文集》十卷，是本係《四庫全書》底本，有分校者李棨簽印之校語附箋。本文及行款有墨筆校改處。卷中有『翰林院』……等印記。」[159]

陳木，國圖所藏《四庫》底本影宋抄《樂全先生文集》四十卷附錄一卷，共十八冊，書中有分校陳木的校簽。

胡予襄，據臺灣《「國家圖書館」善本書志初稿》載：「《江湖小集》九十卷二十冊，舊鈔本。……按：本書系四庫館稿本，內中多館臣墨筆校注，或提示抄寫格式，以符《四庫》之體例。……各書卷首皆有浮貼標示，庶免謄錄監生誤書也。……內頁中夾簽許多鈐有『胡

157 張書才主編：《纂修四庫全書檔案》（上海市：上海古籍出版社，1997年），頁169。

158 李盛鐸著，張玉範整理：《木犀軒藏書題記及書錄》（北京市：北京大學出版社，1985年），頁45。

159 嚴紹璗：《日藏漢籍善本書錄》（北京市：中華書局，2007年），頁1588。

予襄』三字朱色無匡印記，疑是繕書人員，唯分校官中未見其名，尚待考。」[160]胡予襄實為分校官，非繕書人員。

吳俊、黃昌禔，中國國家圖書館藏《四庫》底本《陶學士先生文集》，其中有不少蓋「分校吳俊簽」木記的校簽。另外，該書卷十第五頁還有一紙簽：「跨訛牓，黃簽。」「黃簽」二字是手寫的，與分校的木記不同。查文淵閣本《陶學士先生文集》副頁可知，該書分校官為吳俊、黃昌禔，而卷十恰恰就是黃氏校的。因此，我們可以推知：其一，並不是所有的分校的校簽都使用木記，有的校簽上只有分校手寫姓名或姓氏。其二，分校的校簽署名並不統一，只要能辨明身份就可以。其三，因為校簽最後會被銷簽，或者會被揭下再抄，或者脫落，等等，所以，現存底本的校簽，並不能完全反映當時的實際情況。

吳甸華，《香港大學馮平山圖書館藏善本書錄》載：「《了齋易說》，乙冊。……明鈔本，清曹溶藏，有翰林院印。……此鈔本內貼有『分校吳甸華簽』條多處，並識語。……翰林院印（有滿漢文）。」[161]

劉景岳，據傅增湘《藏園群書經眼錄》載：「《秋聲集》四卷，舊寫本。……有翰林院大官印。卷中有分校劉景岳黏簽，蓋《四庫全書》底本也。」[162]

潘奕雋，據《北京大學圖書館藏善本書錄》載：「《馬石田文集》十五卷，附錄一卷，元馬祖常撰。明弘治間刻本。……此為《四庫》底本。有翰林院印，並館臣刪改之處頗多，《附錄》則全刪。」此書

160　國家圖書館特藏組編：《國家圖書館善本書志初稿》（臺北市：國家圖書館，1999年），集部，冊4，頁46。

161　饒宗頤編：《香港大學馮平山圖書館藏善本書錄》（香港：龍門書店，1970年），頁111。

162　傅增湘：《藏園群書經眼錄》（北京市：中華書局，1983年），冊5，頁1344。

有一些黏簽，黏簽上有「分校潘奕雋」的朱文木記。[163]

潘庭筠，據《文祿堂訪書記》載：「《淵穎吳先生集》十二卷附錄一卷，元吳萊撰。……卷中附簽條曰：『分校潘庭筠。』」[164]

蔡必昌、金兆燕、楊世綸、汪鏞、李荃，《四庫》底本《春容堂集》，有「分校官、復校官多處簽條。如《前集》有『分校□必昌』朱記一處，『分校金兆燕』朱記一處，《續集》有『楊世綸』朱記九處，『分校汪鏞』朱記二處，『分校李荃』朱記六處。通篇還有『復校康儀鈞』朱記十八處」。[165]□必昌，應為蔡必昌。

分校、復校對原書的加簽，應由總校或總裁核准。[166]也有分校對總裁的意見提異議，堅持己見的，據張塤《竹葉庵文集》卷十三〈拜文淵閣檢閱之命二首〉載：「書局隨身屆四年，白頭謹慎答青氈。古人一字輕難改（進呈晉書音義，總裁王尚書際華據後人之韻塗改唐人，予堅持不可，乃止），公道千秋劇可憐。」[167]當然，這應該是個例外。

總裁或總校對分校的簽改認可後，每一條作一紀錄，以為記功。這些紀錄可作為議敘之依據，也可以抵消其校書的過錯。這對分校來說還是有很大的激勵作用的。分校官為了獲得這些紀錄（獎勵），可能會更用力於簽出原書錯誤。

---

163 張玉範、沈乃文主編：《北京大學圖書館藏善本書錄》（北京市：北京大學出版社，1998年），頁97。

164 王文進：《文祿堂訪書記》（上海市：古籍出版社，1998年），頁331。

165 唐桂豔：〈山東圖書館藏四庫全書進呈本考略〉，載《文獻》2008年第3期，頁138-144。

166 有學者說，分校官校完再經纂修、總纂之手。參唐桂豔：〈山東圖書館藏四庫全書進呈本考略〉，載《文獻》2008年第3期，頁138-144。對大典本之外的書而言，這種說法是不對的。

167 《續修四庫全書》（上海市：上海古籍出版社，1996-2003年影印本），冊1449，頁191下。

分校的校簽一般都會署名，這是校書的慣例，也是為方便記錄，據周廣業《過夏雜錄》卷五〈簽貼挖補〉條載：「凡校勘書籍，有疑誤，多用小紙簽貼眉上，以便更定。……今翰苑校官書，每簽必具名。」[168]《標點善本題跋集錄》下冊載：「《信天巢遺稿》一卷一冊，……清康熙丁卯高士奇編刊本，清四庫館臣校訂，近人羅振常手書題記。……前有翰林院印，知即《四庫》著錄之底本也。其改定格式均批明於書眉，字甚劣，知非出通人，至改誤字則楷法可觀，且下有名戳，知當時校者定例如此，署名乃令其人負責之意。……羅振常記。」[169]從上述看，絕大多數分校官的校簽均為署名的。校簽署名，一般是用木印蓋在小簽條上。這些簽條應是事先由分校官裁剪好並加蓋木印的，故簽條上所書文字是在木記之上的。

既然纂修官與分校官都校原書，那麼，他們的區別在哪裏呢？筆者在「纂修官」一節中指出：其一，纂修校原書，而分校在主要校謄抄本的同時，被鼓勵校原書。其二，纂修官的校改一般不署名，而分校官對原書的簽改基本要署名（這也是為了記功之需要）。茲可以進一步作解釋：因為校簽是體現校對官成績的證明，所以要用具名簽，但對於纂修官而言，似乎並沒有相應的獎勵措施，所以他們的校改，如果是可以在書中直接改動的，就直接改動於原書中；如果不好在原書中改動，則會用校簽，但這些校簽一般是沒有纂修官具名的。現存小校簽中，一般只有分校官、復校官的木記，就說明了這種情況。由此我們可以推測，《四庫》底本中那些直接的改動及沒有具名的校

168 《續修四庫全書》（上海市：上海古籍出版社，1996-2003年影印本），冊1154，頁537。

169 國家圖書館特藏組編：《標點善本題跋集錄》（臺北市：中央圖書館，1992年），下冊，頁548。

簽，一般應該就是纂修官所作的。[170]

(二)需要注意的兩點

1 分校官可以領書回家校對

據賦泰、張秉愚「奏為翰林院庶起士《四庫全書》分校官錢四錫赴武英殿領出官書十三本在回家途中被竊請旨交部嚴處事」(乾隆四十五年五月十日)[171]可知，分校是可以領書回家辦理的。乾隆五十二年，祝德麟在詳校《四庫》書時，也提到希望仿照前例讓校對官攜書回家辦理：「……臣與叨校閱之榮，惟有踊躍奉公，隨班趨直，第細加體察，如此辦理，於公事深慮無裨。……查三分書籍本須外發，尚未裝潢，與兩閣之業經排架者有間，倘許照從前分校之例，聽其攜歸私宅，則道途奔走之時，皆几案研紬之候，並可焚膏繼晷，校勘從容，實可收事半功倍之益。……乾隆五十二年十月二十日奉旨：著照所請行。欽此。」[172]這「前例」應該就是指辦理《四庫》而言的。

2 分校按股份管謄錄[173]

如前所述，分校管理謄錄，包括定課程、驗功課等，例如，「戶部尚書王際華奏謄錄姚岐謨曠課數月分校鄭爔等不查報請交部議處

---

170 需要注意的是，有的校簽及原書中，還會有總纂、總校和總裁的校改，這些校改一般就直接加在原簽上。

171 臺灣故宮博物院圖書文獻館所藏清朝檔案，檔案號為：026989。錢四錫，應即分校官錢世錫。

172 「掌湖廣道監察御史祝德麟奏請準詳校三分全書各員攜歸私宅校勘摺」(乾隆五十二年十月二十日)，載張書才主編：《纂修四庫全書檔案》(上海市：上海古籍出版社，1997年)，頁2079-2080。

173 吳哲夫認為，各分校名下，負責一定的謄錄人員。參見其《四庫全書纂修之研究》(臺北市：國立故宮博物院，1976年)，頁91。

摺」（乾隆三十九年七月十四日）載：「竊臣遵旨同大學士于敏中辦理《四庫全書薈要》，所有謄錄應繳每日功課，先經酌定，責令各該分校官催收，校畢送復校官復閱，由復校官匯交提調驗明，裝訂成書，登記檔冊，俟臣稽核進呈。……至嗣後各分校所收謄錄課程，按期校畢，應令即送提調，核明並無短缺，再發復校官復閱，俾提調得以按月查核，倘有虧短不清，仍即時揭報，以憑參處。」[174]武英殿四庫館的辦書程序大致是這樣的：武英殿提調將底本分下給分校，分校校好後，分給自己負責的謄錄，謄錄抄好後，再交回分校，分校再校此謄抄稿，而且可以據此檢覈其功課。分校校好後，再交復校，復校校好後匯交提調，若沒有問題就裝訂成正本，交總裁審閱，進呈。在審核過程中，若有問題，隨時發回改補。從中可以看出，分校官是對謄錄官負責的。

另據「吏部為議處分校官鄭爔等人事致稽察房移會」（乾隆三十九年八月）所附黏單載：「竊臣遵旨同大學士于敏中辦理《四庫全書薈要》，所有謄錄應繳每日功課，先經酌定，責令各該分校官催收校畢，送復校官復閱，由復校官匯交提調，驗明裝訂成書，登記檔冊，俟臣稽核進呈。茲據提調陸費墀回稱，各謄錄名下應交功課，逐一分晰核計，內有謄錄姚岐謨一名，曠欠至數月之多。隨詢之該分校，邱庭潨，據稱：上年九年間分校鄭爔丁憂出京，庭潨蒙總裁奏派接辦，當時並未據有鄭爔交出名單，後見發書檔內本股下尚有姚岐謨一名，從未謀面，亦未領書繕寫，隨經徧訪，迄今尚未得其住址等語。」[175]又可以看出：其一，分校官要每日負責核查謄錄功課；其二，謄錄按

174 張書才主編：《纂修四庫全書檔案》（上海市：上海古籍出版社，1997年），頁224-225。

175 張書才主編：《纂修四庫全書檔案》（上海市：上海古籍出版社，1997年），頁247-248。

股歸不同的分校負責。也就是說，一分校設為一股，一股之下分管謄錄數名，核查、驗收功課，並負責校對所管謄錄所抄的書，故「多羅質郡王永瑢等奏戈源請將謄錄計字議敘應毋庸議摺」（乾隆四十年四月十五日）載：「……且現在辦書大局，非繕寫之難，而校對之為難。約計每日所收書篇，可得六十餘萬字，其各名下盈餘之字，又可得十萬餘。今分校、復校各員，多至百餘人，按股詳校，幾於日不暇給。」[176]

至於一名分校分管謄錄的人數，據「武英殿總裁王杰奏請增提調收掌以專責成摺」（乾隆四十五年三月初九日）載：「……臣與董誥商分經、史、子、集四項，派員暫管，庶幾眉目易清。惟是每項有分校二十餘員，謄錄二百四五十人，（提調）收發書籍，查閱繕本，職任非輕，若不專其責成，無以稽其功過。」[177]可知，每名分校約管十名謄錄。另據「大學士于敏中等奏請將《薈要》復校改為分校並添設總校二員摺」（乾隆四十年十二月初九日）載：「……查本處額設分校官二十二員，復校官十二員。向以分校收校謄錄之書，以復校稽核分校之書，層層相臨，原期毫無舛誤。但行之既久，覺多一層轉折，即多數日稽遲，且或分校、復校彼此互相倚恃，反致多有掛漏。應請將《薈要》復校通改為分校，所有謄錄二百人，均勻分派，每員約管六人，則每日僅各收繕書六千字，盡可從容詳校。」[178]這是就《薈要》而言的，每名分校約管六名謄錄，相對比較輕鬆。

---

176 張書才主編：《纂修四庫全書檔案》（上海市：上海古籍出版社，1997年），頁378。
177 張書才主編：《纂修四庫全書檔案》（上海市：上海古籍出版社，1997年），頁1155。
178 張書才主編：《纂修四庫全書檔案》（上海市：上海古籍出版社，1997年），頁488。

四　獎懲

校訂，是修書最後一道關鍵性工序。為了保證校訂工作的順利進行，四庫館制訂了〈功過處分條例〉，其中主要是針對分校、復校的獎懲措施。對分校而言，《條例》規定：所錯之字如係原本訛誤者，免其記過；如原本無訛，確係謄錄致誤者，每錯一字記過一次；如能查出原本錯誤，簽請改正者，每一處記功一次。館中設有功過簿登錄這些功過記錄，到五年期滿時，據此功過簿來議敘（論功行賞）：「……一、添設功過簿，以專責成也。查辦理繕寫《四庫全書》，向祇設有稽核字數考勤簿。今既定以功過，應將復校、分校、謄錄人員，各設功過簿二本。每交書一次，臣等查核填注，一貼武英殿備查，一交本員收執，俾各觸目警心，咸知儆勉。至五年期滿後，將功過簿詳加核對，……至復校、分校各員，與別館支給公費者不同，似應略示鼓勵。如五年後，覈其功多過少者為上等，功過相抵者為次等，分別班次，帶領引見，恭候皇上酌量加恩。其過多功少者，止須交部，分別加級紀錄。若有過無功之員，五次以上〔者〕，留之無益，即行汰回本衙門，另行揀員補換。」[179]

從上述可看出，四庫館據功過簿將校對官分為四等，分別來處理。因此，有的分校官在四庫館中儘管任職時間很長，但最後也只是獲得加一級的獎勵，如潘奕雋，據其《三松自訂年譜》載：「乾隆三十八年，……充四庫全書館分校官。……乾隆五十二年，……《四

179 「多羅質郡王永瑢等奏議添派復校官及功過處分條例摺（附條例）」（乾隆三十八年十月十八日）所附「功過處分條例」，載張書才主編：《纂修四庫全書檔案》（上海市：上海古籍出版社，1997年），頁169-171。

庫》書告成，議敘加一級。」[180]

如前所述，分校官的紀錄（記功）是可以與校書過錯相抵的，因此，雖然後來　不少分校官在每季一次的核查中被記過多次，但是真正被罰俸的分校官並不太多。張塤《竹葉庵文集》卷十九〈新正四日謝賜蘋果丹橘〉載：「六載校書寬薄罰，烏焉三寫恐荒唐（臣在書局六年，未曾以錯字罰俸）。」[181]推想張塤應該並不是未曾被記過，而很可能是以紀錄抵消了罰俸。

以功過多少作為考覈之依據，很大程度上會激勵分校官更多地參與校正原書的錯誤。與此相對，分校、復校官可能會更少關注謄抄的錯誤，因為：即使分校們發現了錯誤也不算其功勞；分校們會寄希望於審核者的疏忽。也就是說，記功是可努力爭取的，而記過則可以僥倖避免。另外，館臣中還有複雜的關係網，影響圖書的審核。因為復校校出分校的過錯，對自己來說沒有好處，還不如給分校一個人情，所以這樣的記過可能在關係網中就自行消解了或自行掩飾了：復校一般不指出分校的過錯，總裁也不指出復校的過錯。這樣，《四庫》書中遺留的問題就很多，而且最後只能依賴乾隆來解決。乾隆的審核畢竟有限，因而《四庫》書遺留下不少校對問題也就可以理解了。

五　小結

綜上所述，筆者認為：

（一）、四庫館分校人數眾多，其充任之人的原任官職一般都較

180 北京圖書館編：《北京圖書館藏珍本年譜叢刊》（北京市：北京圖書館出版社，1999年），冊110，頁155-164。

181 《續修四庫全書》（上海市：上海古籍出版社，1996-2003年影印本），冊1449，頁230上。

低。分校官來源主要有以下四個方面：以翰林（包括庶起士）為主，其次是中書，再其次是國子監官員，最少是部屬小京官。

（二）、分校的主要工作：既要校對謄抄本，也要校對原書（底本）。由於有紀錄（獎勵）的刺激，分校可能對原書校對更積極，貢獻更多。這與我們以往對此的認識是有很大區別的：以往多認為纂修官對底本校正更多。此外，分校官可以領書回家校對，並按股份管謄錄，包括定課程、驗功課等。

（三）、纂修、分校、復校、總裁在校書時層層把關，反而容易產生廣泛的推諉現象，而且，這中間也有複雜的人情等因素，影響著校對品質。因此，《四庫》中的錯誤，有很多可能是館臣層層推諉、掩飾所遺留下來的。[182]

第四節　編次黃簽考證官
——兼論黃簽及《四庫全書考證》

編次黃簽考證官，主要負責將纂修官、分校官、復校官等就《四庫》底本所作的考訂文字（黃簽）彙編起來，形成後來的《四庫全書考證》一書。《四庫全書考證》是《四庫全書》重要的衍生品，對瞭解《四庫》的編纂具有十分重要的參考價值，因此，筆者在此借介紹編次黃簽考證官之機擬對《四庫全書考證》的成書及主要內容作一考

182 孟森說，在鈔補文瀾閣本時，發現誤字多在首字，實為故意寫錯，以便乾隆易於發現，以表乾隆之聖明。參見吳哲夫：《四庫全書纂修之研究》（臺北市：國立故宮博物院，1976年），頁279。筆者認為這一說法不太可信。誰主張的，敢這樣冒險？而且，修書是集體項目，抄寫校對人眾，必須人人懂此潛規則，才能實行。乾隆那麼聰明，當不至於蒙在鼓裏。而且，《四庫》書中的錯誤，書內也不少，不全在書前。這一說法，是後來用來攻擊《四庫》及乾隆的一種想當然的推想。其實，吳哲夫在其書中對此說也持保留態度。

論，以期引起四庫學研究者對該書的重視。[183]

一　什麼是黃簽

四庫館中一般的校簽，都是白色的紙條，而黃簽是指選取原有的校簽中較合適的，用黃紙謄抄清楚，黏於進呈本相應校改之處的眉端，專供進呈御覽之用的校簽。可見，黃簽是特殊的校簽，有特殊的含義。這些黃簽相當大一部分都被收入《四庫全書考證》一書中。

據李國慶介紹，天津圖書館所藏文淵閣底本《公是集》眉端保存稀見的四庫館臣批校簽語，展卷可見批校無處不有，每條均工筆書寫、黏貼整齊，取校是書的文淵閣《四庫全書》本，校文俱改，據此推知，此書是文淵閣《四庫全書》謄清時所依據的本子，故名文淵閣底本（應為稿本）。[184]以上所說的校簽實即黃簽，而此書是四庫館謄清本（格式完全同《四庫》正本），說明黃簽是貼於謄清本上以供進呈的。[185]《天津圖書館古籍善本圖錄· 鑒賞圖錄》收有此書的書影一頁（原書首頁），題：公是集五十四卷，清四庫全書館寫本。此頁貼有兩紙黃簽，書寫很工整，其中第一條為：「第一頁前四行。案：攽序云：古賦歸之內集，律賦歸之小集。今既編為一集，古賦存者僅七篇，列之於前，而律賦則列之於後。其餘各體俱不復存內集、小集、

183 筆者利用學術期刊網、萬方資料資源系統等檢索工具檢索不到一篇關於這方面的論文。目前《四庫全書總目》已出版有多個整理本，而《四庫全書考證》不僅未有整理本，且僅有三種影印本。本書所用為北京圖書館出版社一九九一年影印本《(欽定）四庫全書考證》。

184 李國慶：〈四庫遺珍傳本揚學——記天津圖書館藏清代乾隆皇帝與紀曉嵐等館臣編寫的四庫善本書〉，載《城市快報》副刊，天津建城600年紀念特刊，第60版，2004年12月23日。

185 民國十年（1921）江西熊羅宿影庫本《舊五代史》一百五十卷，其底本即為四庫館進呈本，上面貼有不少黃簽。

外集等細目。」也就是說，四庫本將《公是集》的內、外、小集均編成一集，不復細分。因此，古賦、律賦也自然不另分入不同的集中，而均列於開篇。這種改變比較重要，館臣特通過黃簽加以說明。第二條為：「一頁後一二行。案：《宋史》敞本傳：舉進士，廷試第一，編排官王堯臣其內兄也，以親嫌自列，乃以為第二。此謂使予居天下第一，應指此事。」[186]此條並無校改，只是解釋原文之蘊意。

我們知道，校簽一般是附貼在底本或稿本之上的，以指明應改動之處及如何改動。但是，四庫館黃簽都是貼在進呈本（即定本）之上的，相應的原文已作過改正，而這些黃簽只是指明在原書什麼地方作過什麼改動，依據是什麼，似乎有些多餘。這是為什麼呢？筆者認為，在四庫館中，黃簽的主要作用是：其一，表明館臣校對認真，有成績；其二，表明這些校改的最終裁訂權是在乾隆手上（這只是一個姿態，並不表示或希望真正需要乾隆作什麼具體的改動）。所以，抄成的定本（進呈本）要附上黃簽。

至於黃簽黏貼的位置，據「軍機大臣等奏將發下《通鑒綱目續編》擬改各字黏簽呈覽等事片」（乾隆四十七年十一月初八日）載：「臣等將發下《通鑒綱目續編》，遵照皇上閱定二冊，於各冊內悉心酌核，謹將擬改各字用黃簽注明黏貼，並於書頭黏簽標識，恭呈御覽。」[187]可見，黃簽一般是黏貼於相應校改之處的書眉。例如，據光

186 天津圖書館編：《天津圖書館古籍善本圖錄．鑒賞圖錄》（天津市：古籍出版社，2008年），頁197。後一條黃簽，筆者沒有找到相對應的出簽之處，即原文並無「使予居天下第一」。此存以待考。

187 張書才主編：《纂修四庫全書檔案》（上海市：上海古籍出版社，1997年），頁1677。四庫館閉館後，進呈之書也用黃簽，例如，「軍機大臣奏遵旨詢明《琴譜》係世俗常用之法合將原書繳進片」（乾隆五十二年正月十一日）載：「乾隆五十二年正月十一日，臣等遵旨將楊掄《琴譜》交祭酒鄒奕孝閱看。」「軍機大臣奏遵旨將鄒奕孝駁正案語並楊倫《琴譜》黏簽進呈片（附案語）」（乾隆五十二年正月二十五日）載：「遵旨交鄒奕孝將駁正世俗彈琴法摘敘案語，並於楊倫《琴譜》黏貼

緒年間王頌蔚入值樞院時所見的列傳部分《明史》可知，進呈本為藍面冊《明史》列傳，列傳首尾略具案語，用黃簽黏於書之上方，人名地名改譯和修改處用黃簽黏在原文上。[188]天津圖書館藏四庫底本《大清一統志》一冊，正文內容有四庫館臣墨筆圈畫手跡，天頭眉端有四庫館臣黃簽批語，合計十餘處。[189]

另據「軍機大臣為查明《古今說海》內人物等事交四庫館總纂片」（乾隆四十七年二月初七日）載：「交四庫館總纂：……此後訛錯字句，黃簽黏貼下方，如有違礙刪改之處，將黃簽黏貼上方，俾一覽了然，方妥。」[190]可見，乾隆規定，若是訛錯字句，黃簽黏貼於下方（地腳）；若有違礙刪改之處，黃簽黏貼於上方（應即為書眉）。不過，這只是乾隆四十七年作的規定，並不能以此來概論之前黏貼黃簽的情況。

二 黃簽的選定

一般來說，《四庫》書經纂修、分校、復校等校辦後，黏貼校簽，然後經由總纂、總校、總裁等審核，酌定、認可其中的一些校簽，並從中選取一些寫成黃簽。可以說，黃簽是校簽的精選。那麼，為何要作選擇呢？因為：其一，原簽太多，不一定都簽改得當。其

黃簽進呈。謹奏。」（以上分別見張書才主編：《纂修四庫全書檔案》〔上海市：上海古籍出版社，1997年〕，頁1984、頁1985）可見，黃簽有特殊作用。

188 喬治忠、楊豔秋：〈《四庫全書》本《明史》發覆〉，《清史研究》1999年第4期，頁67-63。

189 李國慶：〈四庫遺珍傳本揚學——記天津圖書館藏清代乾隆皇帝與紀曉嵐等館臣編寫的四庫善本書〉，載《城市快報》副刊，天津建城600年紀念特刊，第60版，2004年12月23日。

190 張書才主編：《纂修四庫全書檔案》（上海市：上海古籍出版社，1997年），頁1464-1465。

二，簽改得當的校簽也太多，不可能都抄給乾隆看。其三，原簽涉及校書的方方面面，如順序調整、文字、內容、格式等，不一定都適合在進呈本中出簽（因為與底本不同）。例如，《四庫全書考證》「唐儲光羲詩集」中有考證文字錯誤十數條，然其中只有「卷二，同王十三維偶然作，黃河流向東，原本流東二字互訛，據《全唐詩》改」一條在翁方綱提要稿中有所體現[191]，其餘則不同。這說明，翁氏所簽，並非都能入《考證》。

黃簽是何人選定的呢？原書的校簽中選取何者抄成黃簽呢？這應是總裁或總校選定的，而且往往選的是其中考證正確、證據充分、有代表性的校簽。

大典本黃簽的寫作程序大致是這樣的：纂修官初擬（一般的校簽），總纂審閱（間有修改），總裁閱定（選定何者入黃簽），校勘處對選定者作修補，謄錄再抄成黃簽，貼於進呈本中（可參本書第三章）。

至於非大典本之書黃簽的寫作程序，可能是這樣的：纂修官校正黏簽，分校再出校簽，復校再核對，並添加校簽，總校、總裁對纂修、分校、復校的校簽作審訂[192]，選取其中的抄成黃簽。據葉啟發《稿本華鄂堂讀書小識》「來齋金石刻考略三卷（稿本，朱筠簽校）」載：「卷上第三十三頁右一行有黏簽云：『原本柬訛東，據□字記改□。五頁後四行。』右二行有黏簽云：『□喙，原本喙訛家，□石文字記改□。十五頁後五行。』又第三十七頁右九行有黏簽云：『□□

191 〔清〕王太岳等編：《(欽定）四庫全書考證》（北京市：書目文獻出版社，1991年），頁1869下。吳格整理：《翁方綱纂四庫提要稿》（上海市：科學技術文獻出版社，2005年），頁666「唐儲光羲詩集」載：「卷之二，五言古詩（卷二第四頁下四行，『向東流』改『流向東』）。」

192 例如，〔清〕于敏中：《于文襄手劄》（北京市：國立北平圖書館，1933年影印本）第19通載：「校對遺書夾簽，送總裁閱定，即於書內改正，此法甚好。可即回明各位總裁酌定而行，即或將塗乙之本進呈，亦屬無礙，惟改寫略工，以備呈覽。」可見，纂修的簽改，是要總裁閱看的。

滎澤令，按《隋書》〈地理志〉作滎。何焯云，滎榮古人□。姑仍原本。四十頁前八行。』卷中第十三頁右七行有黏簽云：『開元十四年，原本脫四字，衍月字。據《金石文字記》增刪。十四頁前八行。』第十五頁右一行有黏簽云：『天寶二年，原本闕二字，據《金石文字記》補。十六頁前五行。』卷下第十頁左四行有黏簽云：『曰剛，原本剛訛網，據《石墨鐫華》改。十一頁前七行。』各簽上均蓋有黃簽二木字朱記。仲兄定侯謂此書為乾隆修《四庫全書》時福建巡撫所呈進，分由筍河編修校辦。編修加以考訂，黏簽後移送黃簽考證官王太岳、曹錫寶，二人於編修原簽上加蓋黃簽二木字朱印，以便抄錄。時別以黃紙謄錄簽注，黏於抄本之上，以備呈進御覽。後經發還，為編修所得者。餘細閱簽條上所注文字，異同之處與此稿相合，而所載頁數行次則不相符。蓋此係福建呈進之原稿，當時於例先繕副本，送校辦之人考訂簽注，後再另繕正本，而以黃紙謄錄考訂簽注之語，黏貼其上，呈進御覽。副本及呈覽之本行次與此原稿本不同，此簽條則為編修移副本上所黏者貼於此呈進原稿本之上，故頁數行次互異。簽條上端均缺壞不全，其為揭簽移黏時所毀損，毫無疑義矣。黏簽上所稱原本訛脫闕誤之處，此稿本無不與之同，是其明證也。……家又藏有明劉錫元《掃餘之餘》四本，書首亦有翰林院大方印。書中『送徐肩虞守濟南序』……均已裁割，黏有黃色粉紙簽條云：『此處抽毀。』係呈繳抽毀禁書可證。此書黃簽木印記之來歷也。」「慎子一卷（四庫館抄本）」載：「清乾隆三十七年修《四庫全書》，各省採輯及私家呈進之本，均由四庫館繕書處先行錄副，送纂修諸臣考訂黏簽，再繕錄正本，以黃色紙簽鈔謄簽注按語，黏貼其上，齎呈御覽。」[193]筆者認為，以上關於黃簽的描述是目前為止最為詳細的。上

193 以上分別見葉啟發：《稿本華鄂堂讀書小識》（北京市：中華全國圖書館文獻縮微複製中心，1996年），頁177、頁215。「□」，推測文意，當指空一格之意。

述簽條應該不是纂校官最初的出簽，而是修改過的校簽，因為它們已經非常接近於黃簽的內容：包括原文如何，校改依據，校改之處的頁、行數。「原文」指原稿本，此校改的是謄清本[194]，故單引號內所標的謄清本頁、行數，當然與原稿本的頁、行數（在單引號之外）不同。但是，這些校簽與一般黃簽的內容也有不同：黃簽標示頁、行數一般是在簽條的開頭，而這些校簽的頁、行數在末尾。因此，這些校簽只是從初次校簽到黃簽的過渡。儘管如此，筆者認為可以據此推斷黃簽辦理的流程：原稿本由纂校官校辦後，其中的校簽被裁定認可，經纂校官修改，再回貼於原稿本上，加蓋「黃簽」朱記，然後謄錄成黃簽黏貼於謄清本（進呈本）上。此外，前引《稿本華鄂堂讀書小識》所述，還有兩點需注意：其一，黃簽也用於簽記抽毀、禁燬情況。其二，黃簽的選定者應該是總裁、總校，而不是黃簽考證官王太岳、曹錫寶（參下文）。

一般來說，選取中的校簽要加蓋「黃簽」木記。這些蓋印的校簽，自然要被揭下重抄成黃簽，然後貼於進呈本中，而揭下的原校簽可能並不再回貼於原底本之上，所以，目前《四庫》底本中所見之校簽就很少有加蓋「黃簽」木記的。進呈本返回之後，黃簽考證官將這些黃簽從進呈本中揭下，登錄入《四庫全書考證》一書。之後，再將這些黃簽又重貼於原稿上，因而其頁數、行數（是針對進呈本而言的）與原稿本就不相符。

有的黃簽是在乾隆指示下作的，例如，「軍機大臣奏將《兩朝綱目備要》年月參錯各條黏簽呈覽片」（乾隆四十五年十一月二十二日）載：「查《兩朝綱目備要》內仰蒙睿鑒指示之處，因卷七內『立

194 葉啟發認為是錄副本，筆者認為不準確。進呈本在校辦前不一定均需錄副，只有乾隆御題之書才在辦理前抄錄副本。此書非乾隆御題之書，故應該不會先錄副，再校辦。

貴妃楊氏為皇后』一條，目內已敘入韓侂胄誅死以後事，而下條綱內復書以韓侂胄為太師，序次顛倒，首尾不明。此外，紀述無緒及干支錯互之處尚多。前於初次進呈時，蒙聖訓詳悉指示，令臣等通行查明訂正，臣等凜遵諭訓，詳加考覈。其敘事年月前後參錯者，俱行加案駁正，其或有因追敘補敘，以致節次混淆者，亦俱為推尋文義，逐一加案聲明，以清端緒。謹逐條查出，黏貼黃簽，恭呈御覽。謹奏。」[195]「軍機大臣和珅等奏遵旨查對《戒庵漫筆》並改正黏簽進呈片」（乾隆四十六年二月初四日）載：「奉旨指出《戒庵漫筆》第一卷內，《端陽競渡圖》『元黃振鵬』改『王振鵬』、《南都打春金陵春》『前一月』改『前一日』，查對俱係原本錯誤，謹遵旨改正，並將原本黏貼黃簽進呈。謹奏。」[196]據此也可看出，黃簽確實是為供乾隆御覽所黏貼的。

三　黃簽的加工

在選定之後，有的校簽在抄成黃簽之前還需經過加工（一般應該是出簽者本人作的），主要是補充考證材料，因為原來的校簽寫得相對較為簡單。我們在現存《四庫》底本中看到的校簽其內容一般較少，但是，《四庫全書考證》所收的一些考證內容則較多，如《四庫全書考證》卷三十「史部・續資治通鑑長編」載：「《續資治通鑑長編》，宋李燾撰。原表。案：李燾撰《長編》，先後凡四次表進，此乃乾道四年進建隆至治平五朝事蹟所上之表，其餘三次原表，《永樂大典》內徧檢未得，蓋已亡佚矣。」卷三十二「史部・東觀漢記」載：

195 張書才主編：《纂修四庫全書檔案》（上海市：上海古籍出版社，1997年），頁1232-1233。

196 張書才主編：《纂修四庫全書檔案》（上海市：上海古籍出版社，1997年），頁1277。

「《東觀漢記》，漢劉珍等撰。原序。案：羅願此序載《文獻通考》。維時《東觀漢記》祇存八篇，至元時遂全佚，今所裒輯者，已與序語不相符合，以其為本書原序，故仍冠卷端。」[197]可見，選定的黃簽後來應該作過一些修改，如前述的校勘處修補。

至於黃簽修改的內容，可以從目前所見《四庫》校簽與黃簽的區別得知：其一，黃簽已根據總纂、總裁的意見對校簽內容作修改。例如，纂校官出簽時，有時會使用擬改、疑、酌改等商量性的表述，其用意即是希望總裁等作裁定。黃簽是經過認可的校簽，這些商量性的表述當然就不需要了。其二，黃簽一般會標明校改在進呈本的位置，方便乾隆檢閱。在編入《四庫全書考證》時，這些位置信息均已刪去（因為沒有必要）。而一般的校簽是黏貼在相對應的原文之上的眉端的，所以不用標明位置。其三，黃簽增加了校改的依據。如：某字訛，據某某改為某。一般的校簽只指出需改動之處及如何改動，不出依據。但黃簽是為了讓乾隆看的，所以要補上校改依據。其四，黃簽是為了進呈御覽的，故書寫工整。原校簽書寫較草，這從底本校簽可以看出。其五，黃簽是用黃紙條寫的，而一般的校簽是用白紙條寫的。

可見，黃簽是精選的校簽，而且是經過加工的校簽。

四　黃處與編次黃簽考證官

武英殿四庫館有專門辦理抄錄黃簽的地方，即黃簽考證處，又可稱為黃簽處、考證處。《四庫總目》職名表中開列的黃簽考證官有兩人，即王太岳、曹錫寶。王太岳，字基平，號芥子，定興人，乾隆七

197 以上分別見〔清〕王太岳等編：《（欽定）四庫全書考證》（北京市：書目文獻出版社，1991年），頁719下、頁761下。

年進士，歷官雲南布政使，著有《青虛山房集》。曹錫寶，字鴻書，號檢亭，又號劍亭，上海人，乾隆二十二年進士，改庶起士，授刑部主事，歷官御史，贈左副都御史。據朱珪《知足齋文集》卷五〈掌陝西道監察御史特恩贈副都御史曹公墓誌銘〉載：「……公諱錫寶，字鴻書，號劍亭，晚號容圃，江蘇上海人。……丁酉，以旗丁鬥毆命案，罣吏議，來京以部員用，在四庫全書處行走，分辦黃簽考證，書成議敘，以國子監司業用。」[198]梁章鉅《樞垣記略》卷二十七載：「上海曹劍亭侍御，由軍機章京觀察山右，鐫級歸，復在四庫書館效力，考證黃簽，成，議敘，與王介子方伯皆以國子司業候補，未得缺，遂官御史。」[199]均提到曹氏分辦黃簽考證的事情。

另據許兆椿《秋水閣雜著》〈靖萬安木齋行狀〉載：「君姓靖氏，諱本誼，字國儀，號木齋，湖北黃岡縣人。……乙未捷南宮，登吳錫齡榜，賜同進士出身，大宗伯王文莊公際華奏擇進士工書者在武英殿黃簽處行走，君與焉，期滿議敘，謁選得福建霞浦縣知縣。」[200]錢儀吉《衎石齋記事續稿》卷六〈瑟譜識後〉載：「先伯父侍講公未第時，效力四庫館黃簽處，旋入翰林充纂修官。」[201]可見，靖本誼（曾任聚珍本分校官）、錢開仕（為錢儀吉伯父，字補之，號漆林，嘉興人。乾隆五十四年進士，改庶起士，授檢討，歷官侍講。有《漆林集》）均曾在武英殿黃簽處效力，但職名表中對此並沒有反映。

黃簽處也就是考證處，即王太岳、曹錫寶編輯《四庫全書考證》

198 《續修四庫全書》（上海市：上海古籍出版社，1996-2003年影印本），冊1452，頁320。

199 〔清〕梁章鉅：《樞垣記略》（北京市：中華書局，1984年），頁333。

200 《續修四庫全書》（上海市：上海古籍出版社，1996-2003年影印本），冊1472，頁669下。

201 《續修四庫全書》（上海市：上海古籍出版社，1996-2003年影印本），冊1509，頁172上。

的地方，據「質郡王永瑢等奏劉權之協同校辦《簡明目錄》可否遇缺補用片」（乾隆四十七年七月十九日）載：「其辦理《考證》之纂修王太岳、曹錫寶，亦已於本年正月內蒙恩擢授司業。……至派辦總目處謄錄二十二名、供事八名，考證處謄錄七名、供事四名，及向辦《總目》、續辦《簡明目錄》之查校謄錄一名、供事七名，均繫自備資斧效力行走，可否照此次《永樂大典》之例，給予議敘，出自皇上天恩。如蒙俞允，臣等即諮部照例分別辦理。再，《全書總目》、《簡明目錄》及《考證》各部，現在進呈者祇係稿本，應俟發下後，另行趕繕正本各四分，預備陳設，應即令原派《總目》、《考證》上行走之謄錄二十九名、供事十二名，上緊趕辦，俟四分正本完竣後，再行諮部銓選。謹奏。」[202]可見，考證處還有謄錄、供事多人。

五　黃簽與《四庫全書考證》

《四庫全書考證》一百卷，清王太岳、王燕緒等輯，有清內府抄本及聚珍本。全書分為經、史、子、集四類，對一千一百多種書進行考證，包括文字、順序、內容等辨誤訂正。這些考證是彙編上述的黃簽而成的。

據「多羅質郡王永瑢等奏議添派復校官及功過處分條例折」（乾隆三十八年十月十八日）附「功過處分條例」載：「……查舊有刊本及進到之抄本，其中錯誤，皆所不免。一經分校、復校各員校出，自應另載卷末。如僅係筆劃之訛，僅載某字訛某，今校改。如有關文義考訂者，並略附按語於下。如此，則校辦全書，更為精當。」[203]可

202 張書才主編：《纂修四庫全書檔案》（上海市：上海古籍出版社，1997年），頁1604-1605。

203 張書才主編：《纂修四庫全書檔案》（上海市：上海古籍出版社，1997年），頁171。

見，校簽主要是分校與復校所作的。〈功過處分條例〉又載：「……倘能將原本訛字看出，簽請酌改得當者，每一處記功一次。」可見，他們對原書的校改，應該是需要由總裁核定的。

這些黃簽大概是先經人從原書中錄出，然後再編成《四庫全書考證》的，據《于文襄手劄》第五十三通載：「曹老先生在此，言及纂辦黃簽一事，只有錄出底檔，並無原書可查，難於核校，陸少詹所慮亦同。日前兩學士酌議章程曾為籌及否？希即核定示知，以便催其趲辦，因已屢蒙詢及此事也。率布不一。紀陸兩學士同覽。」曹老先生，應為曹錫寶。他在編輯《四庫全書考證》時，只有錄出的黃簽可用，無法核對原書情況。

在《四庫》修書過程中，乾隆屢次下達上諭，要求認真校讎。據「諭內閣著總裁等編刊《四庫全書考證》」（乾隆四十一年九月三十日）載：「昨四庫全書薈要處呈進抄錄各種書籍。朕於幾餘披閱，見黏簽考訂之處，頗為詳細。所有各簽，向曾令其附錄於每卷之末，即官板諸事，亦可附刊卷尾。惟民間藏板及坊肆鐫行之本，難以概行刊入，其原書訛舛業經訂正者，外間仍無由得知，尚未足以公好於天下也。前經降旨，令將《四庫全書總目》及各書提要，編刊頒行。所有諸書校訂各簽，並著該總裁等另為編次，與《總目提要》一體付聚珍版排刊流傳。既不虛諸臣校勘之勤，而海內承學者，得以由此研尋。凡所藏書，皆成善本，亦以示嘉惠士林至意。欽此。」[204]乾隆的意思是，所有的考訂（進呈本中所貼之黃簽），寫得非常好，之前曾要求附於各卷卷末[205]，現在為了讓更多的人都能知道這些考訂，以便改正

---

204 張書才主編：《纂修四庫全書檔案》（上海市：上海古籍出版社，1997年），頁537-538。《四庫薈要》各冊所附校勘記，與《四庫全書考證》一書也有關。參吳哲夫：《四庫全書薈要纂修考》（臺北市：國立故宮博物院，1976年），頁49。

205 原來是要將所有的校簽附載每卷之末的，但實際上並沒有這樣做，只有少部分《四庫》書在卷後或書後附有考證。

民間的傳本，要求編輯這些考訂為《四庫全書考證》，和《總目提要》一併刊行。

乾隆四十六年二月，乾隆要求將來《四庫全書考證》編成時，將其置於《四庫》之首：「此次所進《總目提要》，並王太岳、曹錫寶所辦黃簽考證，將來書成時，俱著列於《四庫全書》之首。欽此。」[206] 乾隆四十七年七月，《四庫全書考證》編成，據「質郡王永瑢等奏《四庫全書簡明目錄》等書告竣呈覽請旨陳設刊行摺」（乾隆四十七年七月十九日）載：「……又《四庫全書考證》，亦據纂修官王太岳、曹錫寶等匯總排纂，編成一百卷，裝作十函，理合一併進呈。……其《總目提要》及《考證》全部，臣等均擬繕寫正本，於文淵閣中間東西御案上次第陳設。此係全書綱領，未便仍分四色裝潢，應請用黃絹面頁以符中央土色，俾卷軸森嚴，益昭美備。」[207]

具體負責編輯這些考訂的是四庫館中的編次黃簽考證官。不過，《四庫全書考證》（聚珍本）全書總目後載：「纂輯官：王太岳、曹錫寶；原纂官：王燕緒、朱鈐、何思鈞、倉聖脈、楊懋珩、繆琪。」[208] 可知，編輯《四庫全書考證》一書，除王太岳、曹錫寶外，還有王燕緒等六人。據《四庫》職名表可知，王燕緒等六人均為武英殿四庫館總校官。那麼，纂輯官與原纂官到底是什麼關係呢？筆者推測，這些總校官應該是最初選定黃簽之人（原纂官），而王太岳、曹錫寶只不過是將進呈本中的黃簽搜集起來，編成《四庫全書考證》。據「大學士于敏中等奏請將《薈要》復校改為分校並添設總校二員摺」（乾隆

206 「諭《總目提要》並黃簽考證書成時俱著列於《四庫全書》之首」（乾隆四十六年二月十九日），載張書才主編：《纂修四庫全書檔案》（上海市：上海古籍出版社，1997年），頁1295。

207 張書才主編：《纂修四庫全書檔案》（上海市：上海古籍出版社，1997年），頁1603。

208 〔清〕王太岳等編：《（欽定）四庫全書考證》（北京市：書目文獻出版社，1991年），頁6。

四十年十二月初九日）載：「……臣等公同商酌，應請添設總校二員，專司其事。凡各分校已校之書，匯交提調登冊，由提調分發兩總校，細加磨勘，分別功過，改正舛誤，登列黃簽，並各書銜於上，以專責成。」[209]可見，選定（登列）黃簽是總校的工作。

《四庫全書考證》所收的考證，是廣義的校勘，既包括訛、衍、闕、倒置等一般問題的校正，也包括史實、觀點等的校正。茲分述如下：

其一，訛錯。這種改動最多。例如，《考證》卷三「御纂周易折中」載：「卷二，同人於野。《集說》：與人同者，物必歸焉。刊本焉訛之，據序卦傳改。」卷五「書集傳纂疏」（元陳櫟撰）載：「（卷一）方命圮族。《集傳》：《楚辭》言鯀婞直。刊本婞訛悻，據蔡傳及《楚辭》改。」卷六「毛詩注疏」載：「卷三，報我不述。箋云：不循，不循禮也。刊本上循字訛述，據宋本改。」[210]

其二，缺、脫。例如，《考證》卷一「易小傳」（宋沈該撰）載：「卷二上，泰六五，坎中男。刊本闕男字，今補。」「厚齋易學」（宋馮椅撰）載：「（卷四十五）上古結繩而治。注，龔氏曰、郭子和曰。案：二條原本缺，今據《義海撮要》及《傳家易說》補。」卷四「書傳」（宋蘇軾撰）載：「（卷五）雷夏既澤。傳，雷澤在濟陰城陽縣西北。原本脫陽字，據孔疏增。」[211]

其三，衍。例如，《考證》卷三「葉八白易傳」（明葉山撰）載：「（卷九）明夷卦。傳，濁世不可以富貴也。原本貴下衍樂字，據

209 張書才主編：《纂修四庫全書檔案》（上海市：上海古籍出版社，1997年），頁489。

210 以上分別見〔清〕王太岳等編：《（欽定）四庫全書考證》（北京市：書目文獻出版社，1991年），頁79下，頁114下，頁131下。

211 以上分別見〔清〕王太岳等編：《（欽定）四庫全書考證》（北京市：書目文獻出版社，1991年），頁13上，頁35上，頁92下。

《文選》刪。」卷四「尚書要義」（宋魏了翁撰）載：「卷五，宗彝條以五采，成此畫焉。原本採訛色，又成下衍採字，並據孔疏改、刪。」[212]

其四，倒。例如，《考證》卷一「易小傳」（宋沈該撰）載：「卷三上，噬嗑六五。傳：位尊民服。刊本位尊二字互倒，今改。」卷四「書傳」（宋蘇軾撰）載：「卷十七，皆布乘黃朱。傳：陳四黃馬朱鬣。原本黃馬二字互倒，據孔傳改。」卷五「書集傳纂疏」（元陳櫟撰）載：「卷六，業廣惟勤。纂疏：學問思辨皆學業。刊本問思二字互倒，今改。」「尚書古文疏證」（國朝閻若璩撰）載：「州縣之設，有時而更；江山之秀，千古不易。案語：左合漢為北江。原本北江二字互倒，今改。」[213]

其五，糾正事實、史實之誤。例如，《考證》卷一「周易窺余」（宋鄭剛中撰）載：「（卷二）九二。注：李鼎祚謂坤為戶，乾為百，三爻故為三百戶。案：《易集解》，此係虞翻說，今竟作鼎祚，似誤。」「卷四，大有初九。鼎祚《易》謂：比初動成屯。案：此係虞翻說，非鼎祚。」[214]

其六，解釋文意、書旨，或對文中的觀點提出糾正、批評、補充或解釋等。例如，《考證》卷一「讀易詳說」（宋李光撰）載：「卷一，乾彖，說聖人作《易》之意，首立乾坤兩卦，以明君臣之大分。案：光《易說》專引史事明《易》，此二句已括全書之旨。」「六四，說蓋坤之六五，非女君則攝主也。案：六五爻象，文言皆無貶辭，李

212 以上分別見〔清〕王太岳等編：《（欽定）四庫全書考證》（北京市：書目文獻出版社，1991年），頁74上，頁93上。

213 以上分別見〔清〕王太岳等編：《（欽定）四庫全書考證》（北京市：書目文獻出版社，1991年），頁13上，頁92下，頁116下，頁123。

214 以上分別見〔清〕王太岳等編：《（欽定）四庫全書考證》（北京市：書目文獻出版社，1991年），頁14下，頁15上。

氏拘於君臣之說，故曰非女君則攝主。本爻實無此義，此蓋本程傳。李氏舜臣曰：乾之九五，堯、舜之君也。坤之六五，皋陶、稷、契之臣也。斯為得之。」「周易窺餘」（宋鄭剛中撰）載：「卷一，屯彖佳，注，荀爽謂：屯本純。坎，初升二，二降初，是皆剛柔之變。案：李鼎祚《易集解》載荀爽曰，此本坎卦，下有案字。則初六升二，九二降初，係鼎祚之說。今概冠以爽謂云云，似欠明晰。」「易說」（宋趙善譽撰）載：「卷二，臨卦。說：惟九二之象，曰未順命也，最為難解。案：未順命也，蘇軾曰：四陰在上，負其強而未順命，故咸臨之則吉。梁寅曰：四陰黨盛，尚未順命於陽也。此所載諸說俱不如二說為安。」「易傳燈」（宋徐氏撰）載：「卷一，三代制度篇。文王作《易》該三代制度，以為《易》象，如《比》九五言『王用三驅』，茲見玉田不合圍之禮。案：《易》爻辭，孔穎達以為周公作，今徐氏以為文王作，蓋用《參同契》之說。宋儒若李過、李舜臣、馮椅皆主此義。」卷二「易學變通」（元曾貫撰）載：「卷四，恒卦。恒之六爻，無有能盡恒之道，何也。曰：不特恒也，雖咸亦然。盡咸之道者，惟聖人感人心而和平，乃為咸之正。盡恒之道者，惟聖人久於其道而天下化成，乃為恒之至。案：此義前儒皆未之及。」卷三十八「唐才子傳」（元辛文房撰）載：「卷七，『羅隱傳』：隱，錢塘人也。案：《吳越備史》作新登縣人，與此異。又，深怨唐室，詩文多以譏刺為主。案：隱在梁時，累徵不起，且勸錢鏐討溫，可謂忠於唐者。原本殊未允協。」[215]

另外，《考證》中的每條考訂一般都會標明校改依據，但也有個別沒標明，大概是得之理校之故，例如，《考證》卷三「易義古象通」（明魏濬撰）載：「卷二，蒙，六二。注：三動則成巽。原本巽訛

215 以上分別見〔清〕王太岳等編：《（欽定）四庫全書考證》（北京市：書目文獻出版社，1991年），頁11上，頁11上，頁14上，頁23上，頁24上，頁65上，頁910上。

兌，今改。」「卷三，隨，上六。注：上體兌，西方之卦。原本方訛山，今改。」「卷六，損，初九。注：犯天下不韙而損其名。原本韙訛諱，今改。」「卷七，革，九三。注：二已日至於三，已經三番籌畫。原本畫訛害，今改。」「周易像象述」（明吳桂森撰）載：「卷一，乾九二條。注：然內外總一體。原本外訛卦，今改。」「易用」（明陳祖念撰）載：「卷五，健順章吉，事必有禨祥。刊本禨訛機，今改。」[216]

關於《考證》一書的編訂及內容，我們還應注意如下幾點：

一、在抄入《考證》時，編輯者應該又對黃簽作過一些修改。例如，黃簽上所標的某頁某行，對《考證》一書而言無意義，在抄入《考證》時就均刪去，而改標原文的卷次、篇名及原句，據《考證》卷一「周易注疏」載：「卷首上，伯授太山毛莫如，案：毛，《前漢書》作屯。卷一，《乾卦文言》疏，或在事後言之。刊本言訛者，據毛本改。」[217]因為《考證》不附原書，只有這樣標示才能讓讀者清楚其校改對象。

二、進呈御覽後，黃簽被揭下來抄入《考證》。考證官在刪去黃簽標示的頁、行數的同時，要補充上原書的篇名等出處信息，所以考證官必須看原書。有時，考證官為方便核對，可能會將黃簽貼回原稿本或底本（但絕大部分沒有貼回）。因為黃簽的頁、行數是針對進呈本而言的，所以其與原稿本或底本的頁、行數就不相符。

三、編成《考證》一書，本意是為了讓民間可據此參考改正相關書籍，但是，該書又不收每條考證，因此，《考證》的參考價值是頗

216 以上均見〔清〕王太岳等編：《(欽定）四庫全書考證》（北京市：書目文獻出版社，1991年），頁76下-頁77下。

217 〔清〕王太岳等編：《(欽定）四庫全書考證》（北京市：書目文獻出版社，1991年），頁7下。

有限的。例如，某一書，《四庫》本改動了數十處，而《考證》只收其中的十數條考證，那麼，民間可參考的就只有這十數條考證。

四、《四庫全書考證》是修《四庫》的副產品，所考證的書應該都收入《四庫》，但是，據傅以禮《華延年室題跋》「欽定四庫全書考證」條載：「謹案：……考此書體例，本按《四庫》所收經史子集各種，考證異同得失。乃經部載有《易韻》、《增修書說》、《儀禮經傳通釋》暨《續編》、《春秋條貫篇》、《春秋遵經集說》、《中原音韻》、《古音駢字》暨《續編》；史部載有《季漢書》、《閩學源流》、《水經注釋、附錄》、《史義拾遺》；子部載有《小心齋札記》、《問學錄》、《廣治平略》、《餘冬序錄》、《戒庵漫筆》、《廣事類賦》、《玄學正宗》、《簡端錄》、《天官翼》；集部載有《瓊琯集》、《雙江集》、《三易集》、《鬲津草堂集》、《？堂詞》、《後村別調》。共二十八種，皆出《四庫全書》之外。雖其中亦有《總目》附存其目者，究非《四庫》著錄之書也。」[218] 可見，《考證》所收之書，並不都在《四庫》及《總目》中。此外，該條還談到《考證》與《總目》歸類不統一、書名不一致等情況。

五、《四庫全書考證》所收只是校簽中的黃簽，但也不是所有的黃簽均收。前引葉啟發《稿本華鄂堂讀書小識》「來齋金石刻考略三卷（稿本，朱筠簽校）」所提到的那些加蓋了「黃簽」二木字朱記的校簽，只有「開元十四年，原本脫四字，衍月字。據《金石文字記》增刪。十四頁前八行」一條在《四庫全書考證》〈來齋金石刻考略〉中有反映[219]，其餘均未見記載。另外，前述天津圖書館藏《公是集》有兩紙黃簽，但《四庫考證》根本就沒有收《公是集》，當然也就沒收這兩條黃簽。

---

218 〔清〕傅以禮：《華延年室題跋》（上海市：古籍出版社，2009年）卷上，頁92-93。

219 〔清〕王太岳等編：《（欽定）四庫全書考證》（北京市：書目文獻出版社，1991年），頁1120下。

六、《四庫》本書末或卷末所附之考訂與《考證》一書所收的考訂均是來源於黃簽，但兩者所收多有不同。換言之，《四庫》本書末或卷末所附的考證，一般都不收入《考證》一書中。既然都是對同一書的考訂，而且均出自於黃簽，為什麼《考證》所收絕大多數條目與《四庫》本所附「考證」不同呢？筆者推測其原因是：編纂者有意避免《四庫》本所附「考證」與《考證》所收黃簽重複，例如，《四庫》本《緣督集》只有卷六末附考證一卷，而《考證》收《緣督集》的考證卻是從卷七開始，前六卷均無考證。又如，《考證》所收《灊山集》三卷均有考證，其中卷一共六條，而四庫本《灊山集》原書只有卷一末附「考證」四條，而且兩者所收的條目只有一條是相同的。這相同的一條，《考證》為：「次韻胡明仲見寄：去年玉筍班，仰覩見櫑具。原本櫑訛礧，據《漢書》改。」[220]《四庫》本所附「考證」為：「第六頁前八行，櫑具，原本訛作礧具。按：櫑具乃劍首之飾，出《漢書・雋不疑傳》，今考正。」[221]兩者的考訂略有不同。它們所參考的黃簽應該是一樣的，為什麼其考訂會有不同呢？筆者認為，這是因為黃簽在抄入《考證》及《四庫》本所附「考證」時分別被加工過。

可見，《考證》一書所收是非常有限的，不但對黃簽是如此，而且對一般的校簽更是如此。因此，乾隆雖然將《考證》與《總目》並列在《四庫》之首，極為推重，但其影響並不大，根本無法與《總目》的影響相提並論。不過，筆者認為，《四庫全書考證》儘管不能涵蓋館臣所有的考證成果，但仍有較高的文獻價值：其一，將一千多種《四庫》書的考證彙編在一起，方便檢閱和利用。其二，《四庫全

---

220 〔清〕王太岳等編：《(欽定）四庫全書考證》(北京市：書目文獻出版社，1991年)，頁2111。

221 〔清〕紀昀等總纂：《文淵閣四庫全書》(臺北市：臺灣商務印書館，1982-1986年影印本)，冊1133，頁827上。

書考證》所收的考證多經加工過，往往較詳細（如加入校改依據等）、可靠。其三，《四庫全書考證》與四庫本書後或卷後所附考訂多不重複，兩者可以起到互補的作用。

綜上所述，四庫館開館期間《四庫》書的考訂，經歷了從校簽到黃簽再到《考證》的過程：先經纂校官簽改，再經總纂、總校、總裁裁定，選定黃簽，黏貼於進呈本之上，再由編次黃簽考證官將這些黃簽編成《四庫全書考證》一書。在每個階段，校簽都有可能被加工、修改過。可以說，《四庫全書考證》中的考訂，是眾多館臣合作的成果。因此，儘管相對於所有《四庫》書的所有考訂而言，《四庫全書考證》所收很有限，但其文獻價值應該得到充分的肯定。

第五節　其它館臣

其它館臣，是指除了前述的總裁、纂修、分校、黃簽考證官之外的館臣，包括總閱、總纂、總校（復校）、提調、總目協勘官、收掌、督催等。由於有關總目協勘官、收掌、督催官的材料不多，而且其職責較單一，故這裏主要論述前四項館臣。

一　總閱官

由於四庫館校勘工作進展較慢，乾隆決定添派人員幫助總裁來抽閱《四庫》書，據「諭內閣著派皇八子等分與應校之書同總裁一體校勘」（乾隆四十二年五月二十七日）載：「四庫全書館繕寫之書雖多，而各總裁校勘者少，不能供進呈披閱。即再添總裁數人，仍恐無益。著派皇八子、皇十一子及書房行走之侍郎周煌、內閣學士汪廷璵、卿吳綬詔、侍講學士朱珪、侍講姚頤、編修倪承寬，分與應校之書，同該管總裁一體校勘，陸續呈進。欽此。」[222]其時還沒有總閱之名，只是派這些人幫同總裁校書。又據「軍機大臣奏遵旨選得阿哥書房行走人員謝墉等五員閱看全書片」（乾隆四十四年二月初一日）載：「謹查阿哥書房行走之翰林等，前歲經臣于敏中等遵旨選派周煌、汪廷璵、朱珪、倪承寬閱看全書，續經吉夢熊面奏俯準，一體閱看。今臣復遵旨於現在行走人員內選得謝墉、達椿、錢載、吳（胡）高望、李汪度五員，均堪閱看全書。謹擬寫諭旨進呈。謹奏。」[223]可知，上述周煌、汪廷璵、朱珪、倪承寬四人（後來又加上一個吉夢熊），是皇阿哥書房中的翰林，於乾隆四十二年被選派幫助總裁抽閱《四庫》書。而吳綬詔、姚頤，顯然不是皇阿哥書房中的翰林，是從其它部門選派的。乾隆四十四年，又從皇阿哥書房中的翰林選派謝墉、達椿、錢載、吳（胡）高望、李汪度幫助校閱《四庫》書。從下文可知，以上這些人均為總閱官之人選。

另據「軍機大臣奏將科甲出身現任三品京堂開單進呈片（附清單）」（乾隆四十四年二月初一日）載：「昨據董誥告稱，召見時面奉諭旨，令臣等將三品京堂開列名單，恭候欽派總閱《四庫全書》。臣等謹將科甲出身之現任三品京堂，開單進呈。謹奏。附清單：現任科甲出身三品京堂：都察院副都御史羅源漢、曹文埴；宗人府府丞竇光鼐；太常寺卿吳玉綸；詹事府詹事金士松。」[224]可知，在同一天，其它部門也提供了一份總閱官候選名單。當天乾隆即從以上兩份名單中選定了一些人作為總閱官幫助抽閱《四庫》書：「謝墉、周煌、達椿、汪廷璵、錢載、胡高望、竇光鼐、曹文埴、金士松、李汪度、朱

222 張書才主編：《纂修四庫全書檔案》（上海市：上海古籍出版社，1997年），頁620。
223 張書才主編：《纂修四庫全書檔案》（上海市：上海古籍出版社，1997年），頁998。
224 張書才主編：《纂修四庫全書檔案》（上海市：上海古籍出版社，1997年），頁997-998。

珪、倪承寬、吉夢熊俱著充四庫全書館總閱，書成時與總裁一體列名。欽此。」[225]原先選派幫助校書的吳綬詔、姚頤沒有出現在上述派充總閱官的名單中，筆者推測，有可能在此之前，吳綬詔、姚頤或有其它任務，已不再幫助校書。因此，除吳綬詔（未入職名表）、姚頤（在職名表中列為纂修官）外，以上選定諸人均在《四庫》職名表中被著錄為總閱官。

從上述可看出，總閱官是乾隆四十四年正月初一正式設立的，但他們中的一部分人早在乾隆四十二年五月已開始參與校書。

翰林官多有派外差為考試官的，翰林出身的總閱官當然也是如此，據朱錫經編《南厓府君年譜》（譜主：朱珪）卷上載：「乾隆四十四年己亥，府君（案：指朱珪）四十九歲，春，充四庫全書館總閱，五月奉命為福建鄉試正考官。」[226]不過，他們出差回京後一般仍要兼辦《四庫》書。

總閱官只是幫同校書，所以均應是兼任的。除原先就在懋勤殿、上書房等處辦事者外，他們還兼辦他書，例如，據「諭著德保同辦《音韻述微》」（乾隆四十四年十二月初十日）載：「《音韻述微》著派德保同辦。欽此。」[227]可見，總閱官德保還要兼辦《音韻述微》一書。

---

225 「諭著永瑢等充四庫全書館正總裁謝墉等充總閱」（乾隆四十四年二月初一日），載張書才主編：《纂修四庫全書檔案》（上海市：上海古籍出版社，1997年），頁998-999。臺灣「故宮博物院」圖書文獻館所藏清朝檔案（檔案號403037714）收有汪廷璵「奏為恭謝著充任四庫全書館總聞事」（乾隆四十四年二月八日），汪廷璵實為總閱官，故「總聞」應為「總閱」之誤。（清）邵晉涵：〈胡希呂先生壽序〉（代），《南江文鈔》卷7云：「四部之書，則總其校閱。」（《續修四庫全書》〔上海市：上海古籍出版社，1996-2003年影印本〕，冊1463，頁470下）這是指胡高望任總閱官。

226 北京圖書館編：《北京圖書館藏珍本年譜叢刊》（北京市：北京圖書館出版社，1999年），冊106，頁553-554。

227 張書才主編：《纂修四庫全書檔案》（上海市：上海古籍出版社，1997年），頁1137。

二　總纂

（一）關於人員

總纂官共有三人：紀昀、陸錫熊、孫士毅。閣本書前提要之末均有此三人之署名。此外，王太岳亦曾在總纂官上行走，據「諭內閣王太岳著在四庫全書處總纂上行走」（乾隆四十二年三月十二日）載：「王太岳著加恩在四庫全書處總纂上行走。欽此。」[228]但是，可能是因為他只是臨時在此館職上行走，而且時間較短，所以後來在《四庫總目》職名表中並沒有被列入總纂官，而是被列入黃簽考證官。

在總纂中，以紀昀與陸錫熊貢獻最大（其中紀昀的貢獻相對更大些）。關於這兩人，當時及後人均作過充分的肯定，認為他們是真正的總主編，據「諭內閣《總目提要》辦竣總纂官紀昀陸錫熊等交部從優議敘」（乾隆四十六年二月十六日）載：「《四庫全書總目提要》現已辦竣呈覽，頗為詳覈，所有總纂官紀昀、陸錫熊著交部從優議敘，其協勘查校各員，俱著照例議敘。欽此。」[229]在從優議敘中，根本就沒有提到孫士毅，可見孫士毅的作用無法與前兩人相提並論。

1 紀昀

關於紀昀的研究已很多，以下擇取一些當時人概述紀氏在館貢獻之記載，以為評價紀氏之參考：

李文藻《嶺南詩集》《潮陽集》卷一〈上紀曉嵐先生二首〉載：

228 張書才主編：《纂修四庫全書檔案》（上海市：上海古籍出版社，1997年），頁575。

229 張書才主編：《纂修四庫全書檔案》（上海市：上海古籍出版社，1997年），頁1292。

「四庫全書管領新，揚雄劉向是前身。」[230]

朱珪《知足齋文集》卷五〈監事諡文達紀公墓誌銘〉載：「……（乾隆）三十八年擢侍讀，時開四庫全書館，命為總纂官，搜羅逸書，與內廷翰林一體宴賚，同事者陸君錫熊，提調則陸君費墀，而公實總其成。……公綰書局，筆削考覈，一手刪定為全書總目，裒然巨觀，弆之七閣，真本朝大手筆也。……奉旨：紀昀學問淹貫，辦理《四庫全書》，始終其事，十有餘年，甚為出力。」[231]

楊芳燦《芙蓉山館文鈔》卷七〈大宗伯紀曉嵐先生八十壽序〉載：「開四庫之崇閎，括千秋之著作。先生欽承睿命，倍竭精思。寢抱緗緗，行提鉛槧。陳農奉使，竹素咸收；公玉呈圖，琳琅備列。然藜達旦，削牘窮年。鉤元提要，實總其成。」[232]

李調元《童山文集》卷十〈與紀曉嵐先生書〉載：「調自歸籍以後，久不與京華大人通音問矣，而獨於先生有不能恝然置者，蓋以先生當今博學之第一人也。……未幾，恭逢聖天子重修《永樂大典》，開纂《四庫全書》，當時宰相有薦四庫館非先生不可者，於是特恩賜環，仍命以翰林原官纂修《四庫》。其時林林總總，無非待詔著作之廷者也，而每遇一事之疑，則必曰問先生；一字之缺，則必曰問先生。或謂遠而張華可以比先生，則皆曰不如先生也。又謂近而楊慎可以比先生，則皆曰不如先生也。是豈非當今博學之第一人乎？以故文望日重，聖眷日隆，官歷貳卿，秩登司伯，迭掌秋闈，總裁春榜，出

230 《續修四庫全書》（上海市：上海古籍出版社，1996-2003年影印本），冊1449，頁19上。

231 《續修四庫全書》（上海市：上海古籍出版社，1996-2003年影印本），冊1452，頁333上-頁334上。

232 《續修四庫全書》（上海市：上海古籍出版社，1996-2003年影印本），冊1477冊，頁237上。

其門下者，皆如出孔子之門。嗚呼，稽古之榮，莫榮於此矣。」[233]

儘管以上所論有些諛辭，但應能在很大程度上反映紀昀在四庫館中之影響及作用。

2 陸錫熊

陸氏在館中勤勤懇懇，作用頗大，這從于敏中與陸氏有關編修《四庫》的多通書信（收入《于文襄手劄》）可以看出。但是，其光芒多被紀昀所遮蓋，故後人對其評價並不高。有感於此，司馬朝軍曾作文予以申述，可資參考。[234]

其實，在當時，學界對他的評價還是頗高的，例如，錢大昕〈封通議大夫日講起居注官文淵閣直閣事翰林院侍讀學士加三級陸公〉載：「（陸錫熊）以博洽通儒，承天子知遇，由郎官入詞垣，領袖《四庫》書局，洊登學士，遂列九卿。」[235]趙翼《甌北集》卷二十八〈喜同年陸耳山廷尉過訪有贈〉載：「……換官獨荷非常遇，覽古應無未見書（公總纂《四庫全書》，由部曹特改翰林，洊歷卿寺）。」[236]陸錫熊《寶奎堂集》卷首王昶〈誥授通奉大夫都察院左副都御史陸公墓誌銘〉載：「皇上稽古典學，復開《四庫全書》之館，用惠藝林，先取翰林院所弆《永樂大典》，錄其未經見者，又求遺書於天下。書至，令仿劉向、曾鞏之例作提要，載於卷首，而特命陸公錫熊偕紀君昀任

---

233 《續修四庫全書》（上海市：上海古籍出版社，1996-2003年影印本），冊1456冊，頁560下-頁561上。

234 司馬朝軍：〈陸錫熊與四庫學〉，《圖書‧情報‧知識》2005年第6期（2005年12月），頁56-58。

235 陳文和主編：《嘉定錢大昕全集》（南京市：江蘇古籍出版社，1997年），冊9，頁755。

236 《續修四庫全書》（上海市：上海古籍出版社，1996-2003年影印本），冊1446，頁582下。

之。公考字畫之訛者，卷帙之脫落者，卷第之倒置，與他本之互異，是否不於聖人，及晁公武、陳振孫諸人議論之不同，總撰人之生平，撮全書之大概，凡十年書成，論者謂公之功最多。」[237]以上評價均出自其好友，未免有誇大的成分，但仍可資參考。

3 孫士毅

孫士毅入館較晚（在乾隆四十五年五月），據鄒炳泰《午風堂叢談》卷二載：「孫補山士毅由郎中歷任雲南巡撫，罷任，總纂館書，特授編修。」[238]祝德麟《悅親樓詩集》卷十一〈補山罷雲南巡撫任充四庫書總纂特授編修小詩稱賀二首〉載：「一周花甲再逢庚（君生於庚子，時年六十二），重到儒冠隊裏行。文簡詩才應辟易（王新城亦由他官改翰林），元成經學共修明（時韋約軒亦罷貴州巡撫，重授編修，約軒善談《易》）。」[239]而且他在工作上與紀、陸有區別，據「諭楊懋珩季學錦等俱著罰俸一年以示懲儆」（乾隆五十五年九月二十三日）載：「乾隆五十五年九月二十三日奉旨：孫士毅前在雲南巡撫任內獲咎革職，賞給編修，令在四庫館效力，辦理總纂事務為日未久，且係紀昀、陸錫熊總司其事，伊本非專辦之員。」[240]乾隆即明確指出《四庫》是由紀、陸總司其事的，而孫氏則是非專辦之人，所以孫氏在四庫館中的貢獻相對較小。

---

237 《續修四庫全書》（上海市：上海古籍出版社，1996-2003年影印本），冊1451，頁7上。

238 《續修四庫全書》（上海市：上海古籍出版社，1996-2003年影印本），冊1462，頁170上。

239 《續修四庫全書》（上海市：上海古籍出版社，1996-2003年影印本），冊1462，頁650上。

240 張書才主編：《纂修四庫全書檔案》（上海市：上海古籍出版社，1997年），頁2199。

（二）關於工作

黃燕生曾就總纂對《總目》提要稿的修改工作總結說：「由紀昀所作批改，有這樣幾種情況：一、對提要稿文字的校正。二、對書寫格式提出要求。三、對分類及排列次序的重新條理。四、增補條目。五、刪削條目。六、對提要的修改。」[241]茲參考黃氏的總結，綜述總纂的工作如下：

1 篩查採進書

據劉統勳等「啟為編纂馬裕家書《永樂大典》等書事」載：「所有奉旨揀查馬裕家書籍已交總纂等詳細揀擇，繕寫略節，隨報寄圍，希閱定進呈。應否再加說片，並祈酌辦。其浙江各家所進之書，現在未到。俟解到時，再為遵辦。」[242]可知，總纂（與纂修官一起）需要對採進書進行初步的篩查，並修改提要稿，然後進呈審閱。

2 閱定處理意見

總纂，是負責全書事宜的，是實際上的主編，也可稱總辦，據《清高宗實錄》卷九三〇載：「大學士劉統勳等奏，纂輯《四庫全書》，卷帙浩博，必須斟酌綜覈，方免掛漏參差，請將現充纂修紀昀、提調陸錫熊作為總辦。」[243]其辦事處即為總辦處。

總纂（總辦）負責審閱纂修校辦過的書，並加蓋印章。從目前所

241 黃燕生：〈校理《四庫全書總目》殘稿的再發現〉，《中華文史論叢》（上海市：上海古籍出版社，1991年），第48輯，頁199-219。

242 國家清史編纂委員會「國家清史工程數位資源總庫·錄副庫」，檔案號為：03-1147-047；縮微號為：082-0327。整理者所標此檔「具文時間」為乾隆三十二年，不對，此檔應作於修《四庫》期間。

243 《清高宗實錄》（北京市：中華書局，1986年），冊12，頁514。

瞭解的情況看，印章有兩種：一為處理意見章，如「總辦處閱定，擬抄錄」、「總辦處閱定，擬存目」章；一為署名章，如「臣昀、臣錫熊恭閱」章。例如，山東圖書館藏《古文尚書疏證》，內封有「總辦處閱定，擬抄錄」朱記兩處，又有「臣昀臣錫熊恭閱」印。[244]北京大學圖書館藏《周禮疑義》四卷（清吳廷華撰，清乾隆四庫館抄本，有翰林院印），內封上有一紙簽「總辦處閱定，擬存目」。[245]又據臺灣《「國家圖書館」善本書志初稿》載：「《易說》二卷二冊，明崇禎丙子茅氏浣花居刊本。……封面有長方朱印，上刻『乾隆三十八年十二月浙江巡撫三寶進到鮑士恭家藏易說一部計書二本』。扉葉有浮簽，印有『總辦（事）處閱定，擬存目』字樣，墨筆題『易說』、『重本』。此書為四庫修書時浙江巡撫進呈本。書中鈐有……『翰林院印』滿漢朱文大方印。」[246]「《三易備遺》十卷二冊，清乾隆三十八年浙江巡撫進呈明澹生堂藍格鈔本。……扉葉有朱文長方印，上刻『乾隆三十八年十一月浙江巡撫送□大節家藏三易備遺壹部計書貳本』。……書中鈐有『臣昀臣錫／熊恭閱』朱文長方印、……『翰林院印』滿漢朱文大方印。」[247]「《唐史論斷》三卷一冊，清乾隆三十八年（1773）浙江巡撫呈舊鈔本。……原封面有朱文方印題『乾隆三十八年十一月浙江巡撫三寶送到鮑士恭家藏唐史論斷一部計書一本』。扉頁浮簽二，左方題書名『唐史論斷』，並有『總辦處閱定／擬抄錄』朱文印。右方浮簽題『唐史論／斷一本／四次／鮑士恭』。內

---

244 唐桂豔：〈山東圖書館藏四庫全書進呈本考略〉，《文獻》2008年第3期，頁138-144。

245 劉小琴：《八十二種四庫底本刪改淺析》（北京市：北京大學碩士論文，1982年），頁4。

246 國家圖書館特藏組編：《國家圖書館善本書志初稿》（臺北市：國家圖書館，1999年），經部，頁14。原文作「總辦事處閱定，擬存目」，「事」，應為衍字。

247 國家圖書館特藏組編：《國家圖書館善本書志初稿》（臺北市：國家圖書館，1999年），經部，頁15。

文朱墨筆校字。書中鈐有『臣昀臣錫／熊恭閱』朱文長方印、『翰林／院印』滿漢朱文大方印。」[248]王同策在介紹《四庫》底本《雅樂發微》中也提到：「（該書）綠灰色相間硬紙封面上尚黏有一張宣紙紙條，因長出書約二分之一，故加折迭。中間墨筆行書『雅樂發微』四字，四字上方及下方分鈐同一楷書印（無周邊），印文二行：『總辦處閱定，擬存目』，下方該印旁多一圓圈印，或為另一工序之記號。書名四字旁鈐一陽文篆書長章，印文二行：『臣昀臣錫熊恭閱』，當為紀、陸二總纂過目審定後加蓋。」[249]

從上述亦可推知：總纂實際上就是紀、陸二人。在其署名章中，兩人之名是連在一起的，而且紀昀在前，說明這是當時的安排。而且，目前沒有發現作為總纂官孫士毅的署名印，所以，前述孫氏並非專辦，是有道理的。

關於處理意見章，據當時辦書之流程可知，書經纂修審閱，提出四種處理意見，即應刊、應抄、存目和毋庸存目，然後再經總纂官審核通過後，根據不同的處理意見，蓋上相對應的印章。筆者推測當時還應有「總辦處閱定，擬刊印」和「總辦處閱定，毋庸存目」兩種印章（最後一種，也可能不需要）。另外，從上述可知，有的印章是蓋在浮簽上，然後貼於所辦之書上的。

需要注意的是，總纂官的處理意見章中有「擬」字，說明總纂的意見並不是最後的裁定，還應上報給總裁審閱，必要時再經御覽裁定。

248 國家圖書館特藏組編：《國家圖書館善本書志初稿》（臺北市：國家圖書館，1999年），史部，冊2，頁402。

249 王同策：〈《雅樂發微》及其四庫進呈本的文獻價值〉，載中國歷史文獻研究會編：《中國歷史文獻研究會成立30週年紀念集》（上海市：華東師範大學出版社，2009年），頁473。

3 修改提要，編輯《總目》與《簡明目錄》

《四庫》提要均應是由分纂官撰寫的，然後交由總纂加工修改，據「諭內閣紀昀陸錫熊校書勤勉著授為翰林院侍讀以示獎勵」（乾隆三十八年八月十八日）載：「辦理四庫全書處將《永樂大典》內檢出各書，陸續進呈。朕親加披閱，間予題評，見其考訂分排，具有條理，而撰述提要，粲然可觀，則成於紀昀、陸錫熊之手。二人學問本優，校書亦極勤勉，甚屬可嘉。紀昀曾任學士，陸錫熊現任郎中，著加恩均授為翰林院侍讀，遇缺即補，以示獎勵。欽此。」[250]乾隆之言，是說總纂二人總提要稿之大成，所作加工頗多。從現存的提要稿中，即可看出二人之加工情況[251]，而且于敏中在給陸錫熊的信中也明確說：「接信已悉，提要稿吾固知其難，非經足下及曉嵐學士之手不得為定稿，諸公即有高自位置者，愚亦未敢深信也。」[252]對總纂的工作評價頗高。

如前所述，紀昀排序在陸錫熊之前，而且其作用與貢獻應較陸氏為大，例如，對提要稿的修改，紀昀所作為多，據沈津說：「《四庫全書簡明目錄》（稿本）。……二冊，……書中眉批計兩處，……書不甚工，經與……紀昀批改字體相對，完全出於一人手筆。在眉端上尚有多張夾簽小注，部分已脫落，這些夾簽間也有紀昀所書。」[253]《標點

250 張書才主編：《纂修四庫全書檔案》（上海市：上海古籍出版社，1997年），頁145。

251 可參沈津：〈校理《四庫全書總目提要》殘稿的一點新發現〉，《中華文史論叢》（上海市：上海古籍出版社，1982年），第1輯，頁133-180；黃燕生：〈校理《四庫全書總目》殘稿的再發現〉，《中華文史論叢》（上海市：上海古籍出版社，1991年），第48輯，頁199-219。

252 〔清〕于敏中：《于文襄手劄》（北京市：國立北平圖書館，1933年影印本），第42通。

253 沈津：《中國珍稀古籍善本書錄》（桂林市：廣西師範大學出版社，2006年），頁176。

善本題跋集錄》載：「《四庫全書總目提要》不分卷存一冊，清紀昀等撰，清乾隆間四庫館批改底稿本，近人馮雄題記。《欽定四庫全書總目》稿本一冊，朱墨筆改削是紀曉嵐先生手跡。彊齋題記。舊鈔本《欽定四庫全書總目》殘本一冊，乃史部第四十五至四十九各卷零葉，共四十一葉，審是四庫館編纂《總目》時，改寫撤換訂存者。其中途乙鉤勒，並夾校簽，有朱墨兩筆，取刊本校之，多與所改者相同，知即總纂紀氏手跡也。其全篇用朱筆勾去者，刊本或改入別卷（如編年類《宋元通鑑》、《成憲錄》，別史類《季漢書》、《晉書別本》，俱改入存目；別史類《宋史紀事本末》、《元史紀事本末》、《明史紀事本末》，《繹史》，俱改入紀事本末類），或刪削不錄（如《鳳洲綱鑒》、《大事記講義》、《南北史合注》），大約《總目》初稿編成之時，紀氏詳覈，復定去取，並稍改更部類，如紀事本末類，即自別史類析出是也。而各書進呈以後，經高宗閱覽，間有意見宣示，亦須補入提要之中，如《契丹國志》篇末所論書法顛舛百數十言，寫本無此一段是也。可見《總目》成書，蓋屢經易稿矣。……民國二十九年十二月十五日，南通馮雄記於灌縣東郊寓舍。」[254]此外，紀氏還會對陸氏的修改意見再修改。沈津曾指出，在陸氏改定的提要稿旁，還有紀昀的朱筆批語：「依此本改。」不過，經紀昀改正之稿也並不等於定稿，通常又經人修改方才定稿。[255]總之，紀氏在館中的地位較陸氏為高。[256]

---

254 中央圖書館特藏組編：《標點善本題跋集錄》（臺北市：中央圖書館，1992年），上冊，頁210。

255 沈津：〈校理《四庫全書總目提要》殘稿的一點新發現〉，《中華文史論叢》（上海市：上海古籍出版社，1982年），第1輯，頁133-180。

256 據「軍機大臣奏遵旨查明《四庫全書表》係大理寺卿陸錫熊等編纂片」（乾隆四十七年七月十九日）載：「遵旨查得本日恭進《四庫全書表》，係大理寺卿陸錫熊、編修吳省蘭公同編纂，復經侍郎紀昀敬謹改定進呈。謹奏。」見張書才主編：《纂

4 審核內容、校正文字

總纂還要對所辦之書的內容、文字進行審核、校正，據「禮部尚書紀昀奏瀝陳愧悔並懇恩准重校賠繕文源閣明神宗後諸書折」（乾隆五十二年六月十一日）載：「……當初辦之時，或與他書參雜閱看，不能專意研尋；或因謄錄急待領寫，不能從容磨勘，一經送武英殿繕寫之後，即散在眾手，各趲功課，臣無從再行核校。」[257]

除了審查纂修的意見是否合適，並在此基礎上進一步校正原書文字外，總纂還要審查所辦之書有無違礙內容，據于敏中在給總纂陸錫熊的信中說：「前以檢查有無干礙之書，專仗足下及曉嵐先生，曾囑大農轉致，並劄致舒中堂知，以上諭稿交閱，恭繹聖訓，便可得辦理之道也。」[258]

三　總校（復校）

武英殿四庫館原設有總校一員，即陸費墀。陸費氏也兼四庫館提調，其職責相當於武英殿四庫館的總管[259]，並不負責具體校書。這裏所討論的總校，是指具體負責校書的總校，是對分校所校書的審核、覆查，因而也就相當於復校。事實上，武英殿四庫館中負責校書的總

修四庫全書檔案》（上海市：上海古籍出版社，1997年），頁1606。《四庫》進書表，原為吳省蘭稿，陸氏改定，又經紀氏修改。

257 張書才主編：《纂修四庫全書檔案》（上海市：上海古籍出版社，1997年），頁2024。

258 〔清〕于敏中：《于文襄手劄》（北京市：國立北平圖書館，1933年影印本），第44通。

259 其負責查看各書款式、篇卷次第等。可參黃愛平：《四庫全書纂修研究》（北京市：中國人民大學出版社，1989年），頁139。

校與復校經常互相轉換，兩者並無實質的區別[260]，因而在這裏一併作討論。

(一) 總校、復校的設置與充任

隨著修書的進展，總裁覺得分校的工作無人審核，而原來的總校又起不到一一審核文字的作用，於是就添設了復校。據「多羅質郡王永瑢等奏議添派復校官及功過處分條例褶（附條例）」（乾隆三十八年十月十八日）載：「……查《四庫全書》每日可得四十餘萬字，設有分校官三十二員，《薈要》每日可得二十餘萬字，設有分校官十二員，於每冊繕成校畢後，匯交武英殿查檢裝潢，以備隨時呈覽。該處雖設有總校之翰林一員，專司收發督催，稽考字體、課程及款式、篇頁諸事，而於每日所得之六十餘萬字，非但磨校勢難徧及，即抽查亦力有未遑，若不添設復校一層，則分校、謄錄之是否盡心，無從稽核，仍恐因循貽誤。謹擬嗣後《四庫全書》繕本添派復校官十六員，《薈要》繕本添派復校官六員，均於現在分校各員內，擇其校書精確者，如數充當。其分校之缺，另為選補。每於分校交書後，令復校之員，細加復勘。仍各嚴立功過處分，俾其共知儆勉，庶不致復滋輕率謬誤。」[261]

後來，因為分校人數太少，而復校相對人數太多，且分校、復校互相推諉，於是薈要處首先改復校為分校，再添設另外兩名總校，據「大學士于敏中等奏請將《薈要》復校改為分校並添設總校二員摺」（乾隆四十年十二月初九日）載：「查本處額設分校官二十二員，復校官十二員。向以分校收校謄錄之書，以復校稽核分校之書，層層相

---

260 例如，浙本職名表「繕書處總校官」一項，殿本改稱為「復校官」。

261 張書才主編：《纂修四庫全書檔案》（上海市：上海古籍出版社，1997年），頁168。

臨，原期毫無舛誤。但行之既久，覺多一層轉折，即多數日稽遲，且或分校、復校彼此互相倚恃，反致多有掛漏。應請將《薈要》復校通改為分校，所有謄錄二百人，均勻分派，每員約管六人，則每日僅各收繕書六千字，盡可從容詳校。……至各分校校出之書，臣等自應逐一復閱進呈。但書籍浩繁，目力一時難周，仍恐不能迅速。臣等公同商酌，應請添設總校二員，專司其事。凡各分校已校之書，匯交提調登冊，由提調分發兩總校，細加磨勘，分別功過，改正舛誤，登列黃簽並各書銜於上，以專責成。」[262]乾隆四十二年，薈要處總校添設至四名，據「大學士于敏中等奏請再添設總校辦理《四庫全書薈要》摺」（乾隆四十二年七月十一日）載：「乾隆四十年十二月內，臣于敏中、臣王際華籌辦《四庫全書薈要》公同酌議，請旨添設總校侍朝、張能照二員，專司辦理，勒限速完，並蒙恩賞給庶起士在案。……臣等伏思俟至第一分全竣後再行辦理，未免有羈時日，莫若先行另派妥員校辦，庶可迅速無誤。且侍朝現患瘡疾，勢頗沉重，雖承辦之書照常校勘，但恐精神一時不能照應，或致遲延。查有進士候補中書吳紹澯、進士候選知縣胡榮，均繫乾隆四十年朝考欽取歸班，在武英殿效力行走之員。兩年以來，臣等留心察看，該二員學問尚優，行走亦能勤慎，可否仰懇天恩，將此二員充為總校，先將寫得之書三千二百餘冊分給辦理。」[263]這些總校，實際上做的就是原來復校的工作。

四庫館與薈要處的情況類似，乾隆四十二年八月添設了六名總校[264]，據永瑢等「奏為奏明請旨事」（乾隆四十二年八月十一日）

262 張書才主編：《纂修四庫全書檔案》（上海市：上海古籍出版社，1997年），頁488-489。

263 張書才主編：《纂修四庫全書檔案》（上海市：上海古籍出版社，1997年），頁634-635。

264 〔清〕陳康祺：《郎潛紀聞初筆》（北京市：中華書局，1984年），卷4，頁67載，「靈石何太史思鈞，乾隆乙未進士，改庶起士，旋充四庫全書館分校。時總裁請載：「竊查《四庫全書》三萬六千冊，臣等辦理以來，節次進過四千九百餘冊。又《永樂大典》內辦出整散各書已進者一千七百餘冊，計六千六百餘冊，其未經進呈者尚幾及三萬冊，雖現在總裁、復校、分校層層督率趨辦，不敢遲延，無如按日計功，不能妥速完成。……請旨仿照辦理薈要處之例，添設總校六員，每員分給五千冊，令其上緊詳閱，勒限於乾隆四十二年全行告竣，所有一切改補加簽之處，俱交該員等辦理。……至一年期滿，統行覈其勤惰。」[265]可見，從乾隆四十二年開始，全書處有總校六名。而到四部抄完之時，總校已增加至十名。[266]

添派總校四員，以君居首。明年散館，改部主事，因總校故，仍留庶常。又明年議敘，授職檢討，亦詞林中一故實也。」這裏說是四員總校，大概是就第一份《四庫》的總校官而言的，據「《四庫全書》總裁等奏請準議敘繕校第一分書籍各員摺奉旨依議」（乾隆四十七年正月十一日）載：「又奏繕校《四庫全書》第一分完竣，除總校之少詹事陸費墀屢次蒙恩不敢仰邀議敘外，應將總校·編修原任中允王燕緒請旨賞給中允職銜，總校·庶起士散館歸班中書朱鈐請旨賞給編修職銜，總校疎忽部議降調原任編修倉聖脈請旨賞給庶起士，總校·檢討何思鈞請旨准其加二級。」（載張書才主編：《纂修四庫全書檔案》〔上海市：上海古籍出版社，1997年〕，頁1458）《四庫》職名表中所列的繕書處總校官（復校官）就只有此四人。

265 張升編：《四庫全書提要稿輯存》（北京市：圖書館出版社，2006年），冊4，《江蘇採進遺書目錄》，卷首，頁35-38。「勒限於乾隆四十二年完竣」，應該不太可能，可能是寫錯了。據「諭王燕緒著加恩授為翰林院編修倉聖脈等分別議敘」（乾隆四十四年五月二十五日）載：「四庫全書處奏，所有辦理《四庫全書》依限完竣之革職中允王燕緒，庶起士倉聖脈、何思鈞，中書朱鈐，進士楊懋珩、繆琪等，可否准其議敘一疏，奉諭旨：王燕緒著加恩授為翰林院編修，倉聖脈、何思鈞著照該員甲第授職，朱鈐著賞給庶起士，楊懋珩、繆琪俱著以知縣即用。餘依議。」（載張書才主編：《纂修四庫全書檔案》〔上海市：上海古籍出版社，1997年〕，頁1055-1056）以上六人即是前摺所說的六名總校。此上諭是針對前折「至一年期滿，統行覈其勤惰」而言的。也就是說，乾隆四十二年立限，立限一年，應是在乾隆四十三年依限完竣。而乾隆四十四年的議敘，即是就此而作的。

266 參「多羅質郡王永瑢等奏遵旨議敘四庫館各項人員摺」（乾隆五十年正月二十三日），載張書才主編：《纂修四庫全書檔案》（上海市：上海古籍出版社，1997年），頁1849-1855。

總之，復校（總校）的設置較晚，而且隨需要而不斷改變，如復校變分校，復校變總校，等等。

總校之充任，由總裁舉薦，其出身（如中允、中書、庶起士、進士、舉人）並不高。據沈叔埏《頤綵堂文集》卷十四〈國子監博士充四庫全書總校官議敘主事茗花徐君暨配汪朱兩恭人墓誌銘〉載：「……君姓徐氏，諱以坤，字谷函，號根苑，又號茗花，……至戊子，始領鄉薦，出副憲陸耳山先生門，……連上公車，俱被薦不售，循例授國子監博士，需次春明。恭值詔開四庫館之八年，首部未成，而三編又積，乃全書浩如煙海，以次領校，亟難其人。大學士于文襄公、程文恭公特疏薦君以原官充武英殿總校，先派文源閣書。……復以第三分文津閣書奏派校閱。」[267]「大學士于敏中等奏請將《薈要》復校改為分校並添設總校二員摺」（乾隆四十年十二月初九日）載：「……所需之員，臣等查有候補國子監監丞侍朝，原充本處復校，又查有候選內閣中書張能照，臣等現在延致辦書，二人俱係江南進士，學問素優，辦事實心，堪任其事。理合奏明請旨，即令二人補《薈要》處總校官。」[268]這兩位充《薈要》總校者也只是候補之員。[269]

此外，降職者申請自效，也可充任總校，據朱珪《知足齋文集》卷三〈湖南布政使司布政使葉君墓誌銘〉載：「……君諱佩蓀，……

267 《續修四庫全書》（上海市：上海古籍出版社，1996-2003年影印本），冊1458，頁503上-頁504上。

268 張書才主編：《纂修四庫全書檔案》（上海市：上海古籍出版社，1997年），頁489。

269 據「大學士于敏中等奏請再添設總校辦理《四庫全書薈要》摺」（乾隆四十二年七月十一日）載：「查有進士候補中書吳紹澯、進士候選知縣胡榮，均繫乾隆四十年朝考欽取歸班，在武英殿效力行走之員。兩年以來，臣等留心察看，該二員學問尚優，行走亦能勤慎，可否仰懇天恩，將此二員充為總校，先將寫得之書三千二百餘冊分給辦理。」載張書才主編：《纂修四庫全書檔案》（上海市：上海古籍出版社，1997年），頁635。吳紹澯、胡榮均為候補之員，先在武英殿任分校，後又出任總校。

壬寅，護湖南巡撫事，東撫敗，以不先舉發，吏議當革職，奉旨降補知府。君入都，請校書萬冊自效。」[270]葉氏後來即任四庫館總校。

（二）總校的工作

1 校書量

據「多羅質郡王永瑢等奏遵旨議敘四庫館各項人員摺」（乾隆五十年正月二十三日）載：

> 總校十員：
>
> 王燕緒，由原任中允奏充。四十四年蒙恩賞給編修。四十六年賞給中允銜，遇應升之缺列名在前。四十七年實授中允，仍開列在前。前後共校過頭、二、四分書二萬一千餘冊。查該員係開列講讀在前之員，應請遇有講讀缺出，即行補用。
>
> 朱鈐，由進士、中書奏充。四十四年蒙恩賞給庶起士，因散館歸班，仍在館行走。四十六年賞給編修銜，四十七年實授編修。前後共校過頭、二、四分書二萬一千餘冊。茲請以應升之處列名在前。
>
> 何思鈞，由庶起士奏充。四十四年蒙恩授職檢討，四十六年議敘加二級。前後共校過頭、二、三分書一萬四千餘冊。茲請以應升之處列名在前。
>
> 倉聖脈，由庶起士奏充。四十四年蒙恩授職編修。因校勘疎忽部議降調，仍在館行走，四十六年賞給庶起士。前後共校過頭、二、三分書一萬四千餘冊。茲請旨實授編修。

270 《續修四庫全書》（上海市：上海古籍出版社，1996-2003年影印本），冊1452，頁300-301上。

> 潘有為，由舉人內閣中書奏充。校過第二、三分書八千六百餘冊。但伊父潘文岩現欠帑銀十二萬兩，俟完清之日，再行照例給予議敘。
>
> 孫溶，由中書科中書奏充，續經中式舉人。校過第二、三分書八千六百餘冊。應請改為內閣中書即用。
>
> 徐以坤，由舉人國子監博士奏充。校過第二、三分書八千六百餘冊。但該員年力衰邁，應請給予主事職銜。
>
> 程嘉謨，由歸班進士奏充。校過第四分書八千餘冊。應請賞給庶起士，與甲辰科庶起士一體散館。
>
> 章維桓，由舉人捐員外郎銜奏充。校過第四分書八千餘冊。應請分部學習行走，俟六年後再行題補。
>
> 葉佩蓀，由候補知府奏充。校過第四分書七千餘冊，身故。其子舉人葉紹楏接辦三千餘冊，共一萬餘冊。應毋庸議。[271]

可見，總校校書量在七千餘冊至二萬一千餘冊之間[272]，差距頗大，應該是主要視其入館時間長短而定的。

2 校正謄抄本及原本（底本）

總校最主要的工作是審核分校校過之書，即前引「大學士于敏中等奏請將《薈要》復校改為分校並添設總校二員摺」（乾隆四十年十二月初九日）所說的：「凡各分校已校之書，匯交提調登冊，由提調

271 「多羅質郡王永瑢等奏遵旨議敘四庫館各項人員摺」（乾隆五十年正月二十三日），載張書才主編：《纂修四庫全書檔案》（上海市：上海古籍出版社，1997年），頁1849-1855。

272 〔清〕祝德麟：〈送前韻簡辛麓〉，《悅親樓詩集》卷13載，「注《易》九師都東閣，校書萬卷尚充幃（辛麓著《易守》初成，總校《四庫全書》應得一萬冊）。」《續修四庫全書》（上海市：上海古籍出版社，1996-2003年影印本），冊1462，頁665上。

分發兩總校，細加磨勘，分別功過，改正舛誤，登列黃簽並各書銜於上，以專責成。」

此外，復校還會對原本（底本）作校正，據「諭內閣將《諸史同異錄》從全書內掣出銷毀並將總纂等交部議處」（乾隆五十二年三月十九日）載：「……李清所撰《諸史同異錄》書內，稱我朝世祖章皇帝與明崇禎四事相同，妄誕不經，閱之殊堪駭異。……因檢閱文淵、文源兩閣所貯書內已刪去此條，查係從前復校官· 編修許烺初閱時簽出擬刪，是以未經繕入。但此等悖妄之書，一無可採，既據復校官簽出擬刪，該總纂、總校等即應詳加查閱，奏明銷毀。何以僅從刪節，仍留其底本？」「軍機大臣奏查《四庫》書內應行撤出銷毀各書情形片」（乾隆五十三年十月二十四日）所附清單載：「……此係文淵閣繕進之本，其悖妄語句，已經原辦之總校刪去。全書應毀。……此係文淵閣繕進之本，其違礙語句，已經原辦之總校挖改。」[273]

國圖所藏《四庫》底本《梅溪先生廷試策》一卷《奏議》四卷《文集》二十卷《後集》二十九卷附錄一卷（宋，王十朋，明正統五年劉謙刻，天順六年重修本，二十冊），首葉蓋「翰林院典簿廳關防」滿漢文印，書中有一些分校及復校的校簽。例如，《前集》卷一第九葉，有一簽：「效者改今者，十二頁前乙行。」此校簽原蓋有「復校田尹衡簽」木記。也就是說，小簽條上原蓋有復校官的姓名，校改的文字是寫在印上的。另外，校簽上所說的頁碼與原書頁碼不對。此復校的頁碼是針對謄錄本而言的，但簽條是貼在原書校改的該行之上。推想這是將謄錄本上的校簽揭下貼於原書之上所致。

由於復校若校出原書錯誤，是可以記功的，所以其校簽一般均具名，如前述的「復校田尹衡簽」木記。又如，《墨池編》，美國普林斯

---

273 以上分別見張書才主編：《纂修四庫全書檔案》（上海市：上海古籍出版社，1997年），頁1992、頁2144-2145。

頓大學葛思德東方圖書館所藏，書中有校簽題「復校張虎□」、「復校張簽」。[274]張虎□，應為張虎拜，在《四庫》職名表中列為分校官。

至於總校所校過的書，也應該是要具名的，即前述的「各書銜於上」。據臺灣《「國家圖書館」善本書志初稿》載：「《芳蘭軒集》一卷一冊。清乾隆癸巳（三十八年，1773）歙縣鮑廷博手鈔進呈本。……書中並以朱、墨筆圈點批校，密密麻麻。部分批校且以小紙箋浮貼於書眉處，其中一紙箋並署『總校潘有為』數字。……書中鈐有……『翰林院印』滿漢朱文大方印。」[275]文淵閣本《四庫》每書副頁大多都有總校官的署名，就反映了這種情況。

四 提調

（一）人員

翰林院四庫館提調有劉種之等人[276]，多時七八員，少時五六員。

武英殿四庫館原設提調只有陸費墀一人。陸費氏於乾隆四十五年因遺失底本事被撤去提調，武英殿四庫館的提調由韋謙恒、彭元琉二人接任，據「武英殿總裁王杰奏請增提調收掌以專責成摺」（乾隆四十五年三月初九日）載：「竊查翰林院纂輯《永樂大典》及辦理各省遺書，向來即以辦事翰林作為提調，多至七八員，少至五六員不等，誠以卷帙浩繁，非一二人所能辦理。至武英殿全書處事務，更覺繁

274 沈津：《中國珍稀古籍善本書錄》（桂林市：廣西師範大學出版社，2006年），頁236。此書原定為《四庫》底本。沈津據無翰林院藏印、無鮑氏印及校簽（館臣中並無張虎□其人）認為此書非《四庫》底本。筆者認為沈津之說值得再商。

275 國家圖書館特藏組編：《國家圖書館善本書志初稿》（臺北市：國家圖書館，1999年），集部，冊1，頁412。

276 參張書才主編：《纂修四庫全書檔案》（上海市：上海古籍出版社，1997年），頁1169。

重，原設提調二員，既專司進呈書籍並查點裝潢諸事，又經管各項補缺、議敘、定稿、行文事件，頭緒頗為紛雜，於一切收發書籍，稽查功課，實難兼顧。……臣與董誥商分經、史、子、集四項，派員暫管，庶幾眉目易清。……似應於現在館中行走人員內派撥四員，分辦提調事務。……如蒙俞允，所有經、史、子、集四項提調，臣前與董誥酌商，於纂修、分校內派出翰林王爾烈、項家達、戴均元、谷際岐暫行管理，現在查點正副各本，已漸有頭緒，擬即令該員等充補。嗣後進呈書籍，令專掌之員列名，如有遲誤舛錯，惟該員是問。」[277]

這一建議可能並未真正實行，因為筆者沒有發現王爾烈、項家達、戴均元、谷際岐曾任提調的相關記載。據「質郡王永瑢等奏查明《四庫全書》遺失有印底本請將提調等分別議處摺」（乾隆五十二年七月三十日）載：「……伏查乾隆四十五年原任大學士英廉等查明陸費墀遺失有印底本，奏明交部議處，撤回提調後，即係韋謙恒、彭元琉二員接辦，又續派吳裕德、關槐、周興岱一同辦理。」[278]可見，在韋謙恒、彭元琉之後，添加的提調為吳裕德、關槐、周興岱，前後共為五人，故「質郡王永瑢等奏查出遺失《四庫全書》有印底本緣由摺」（乾隆五十二年六月二十九日）載：「以上各底本，自陸費墀撤回提調後，即係接辦之提調韋謙恒等五員經管。」[279]

（二）工作

提調的主要工作是收發圖書、文移，稽查功課。據「怡親王永琅等奏復遵旨面詢御史祝德麟從前所見浙人書籍情形摺」（乾隆五十一年九月初十日）載：「……據稱：我於乾隆三十八、九年在翰林院辦

---

277 張書才主編：《纂修四庫全書檔案》（上海市：上海古籍出版社，1997年），頁1155。

278 張書才主編：《纂修四庫全書檔案》（上海市：上海古籍出版社，1997年），頁2053。

279 張書才主編：《纂修四庫全書檔案》（上海市：上海古籍出版社，1997年），頁2033。

事，充當四庫全書處提調，其中兼纂辦三通館書籍，係逐捲進呈御覽。至四庫館各省所進遺書，由總纂閱定，分別抄刻存目各款，另加提要進呈。我係提調，專司收發文移及稽查謄錄功課之事，所進各書並不寓目，實從未有評論訾議何人所著書不妥之處。」[280]于敏中在《于文襄手劄》第一通中也說：「頃奉還書諭旨並議定印記章程，已錄稿寄館，如此，日可保無遺失訛舛，但為提調諸公多添一忙耳。」可見，處理還書及蓋印記，也是提調的工作。

以上所說的提調，是翰林院四庫館的提調。至於武英殿四庫館提調，所負責的工作似乎要多得多，據前引「武英殿總裁王杰奏請增提調收掌以專責成摺」（乾隆四十五年三月初九日）載：「至武英殿全書處事務，更覺繁重，原設提調二員，既專司進呈書籍並查點裝潢諸事，又經管各項補缺、議敘、定稿、行文事件，頭緒頗為紛雜，於一切收發書籍，稽查功課，實難兼顧。」這裏雖說「實難兼顧」，但實際上，收發書籍、稽查功課一直都是提調的分內之事。例如，「軍機大臣和珅等奏遵旨將罰校看書及外任各員分別議罰片」（乾隆五十二年十月十八日）載：「……又書內有全卷字畫潦草之處，該提調等未經隨時駁換，亦有不合，自應一體分別核議，以歸平允。」[281]可見，提調要為謄抄本的字畫潦草負責。至於收發圖書，更是提調的日常工作，故後來追查遺失底本時，就是要求提調負責的[282]。

---

280 張書才主編：《纂修四庫全書檔案》（上海市：上海古籍出版社，1997年），頁1946。

281 張書才主編：《纂修四庫全書檔案》（上海市：上海古籍出版社，1997年），頁2075。

282 可參「質郡王永瑢等奏查出遺失《四庫全書》有印底本緣由摺」（乾隆五十二年六月二十九日）、「質郡王永瑢等奏查明《四庫全書》遺失有印底本請將提調等分別議處摺」（乾隆五十二年七月三十日），以上分別載張書才主編：《纂修四庫全書檔案》（上海市：上海古籍出版社，1997年），頁2033-2034、頁2053-2056。

本章小結

本章重點討論了正副總裁、纂修官、分校官、編次黃簽考證官的選派、工作等。

一、總裁分為不閱書之總裁與閱書之總裁。前者以滿人為主，管理四庫館雜事；後者主要出身翰林，負責審查圖書。相對來說，後者更重要。四庫館實際上的最高總裁應是乾隆。

二、總裁多兼任。就兼職總裁而言，一般會盡力兼顧各方面工作，但還是以行政工作為主。以王際華為例，其對行政工作（入直與入署）的投入要遠高於其對修書工作（入館與入殿）的投入，而王際華恰恰是當時被公認為對修書投入非常大之總裁。這值得我們很好地思考。

三、纂修官中絕大多數是出自翰林（包括庶起士），而只有極少數是來自各部官員以及社會上的知名之士。纂修官的工作主要包括：（一）分派辦書，擬寫提要，提出處理意見；（二）校書。其校書與分校、復校的校書有區別。纂修官，都是專職的辦書者。隨著修書之進展，纂修工作漸少，而分校工作漸多，纂修官就多轉為分校官。

四、四庫館分校人數眾多，其充任之人的原任官職一般都較低。分校官來源主要有以下四個方面：以翰林（包括庶起士）為主，其次是中書，再其次是國子監官員，最少是部屬小京官。分校的主要工作：既要校對謄抄本，也要校對原書（底本）。由於有紀錄（獎勵）的刺激，分校可能對原書校對更積極，貢獻更多。此外，分校官可以領書回家校對，並按股份管謄錄。纂修、分校、復校、總校、總裁在校書時層層把關，反而容易產生廣泛的推諉現象。這可以給我們現在編修大型圖書提供了一些經驗教訓。

五、黃簽是指選取原有的校簽中較合適的，用黃紙謄抄清楚，黏貼於進呈本相應校改之處的眉端，專供進呈御覽之用的校簽。一般來說，《四庫》書經纂修、分校、復校等校辦後，黏貼校簽，然後經由總纂、總校、總裁等審定，酌定、認可其中的一些校簽，並從中選取一些寫成黃簽。可以說，黃簽是校簽的精選。在選定之後，有的校簽在抄成黃簽之前還需經過加工，主要是補充考證材料。武英殿四庫館專門有辦理抄錄黃簽的地方，為黃簽考證處，又可稱為黃簽處、考證處。《(欽定) 四庫全書考證》即是彙編、加工上述黃簽而成的，其所收的考證，既包括訛、衍、闕、倒置等一般問題的校正，也包括史實、觀點等的校正。

此外，本章還對總閱、總纂、總校（復校）、提調四類館臣的設置、選任、工作等作了簡單論述。

中華文化思想叢書 A0100012

四庫全書館研究　上冊

作　　者　張升
責任編輯　蔡雅如

發 行 人　陳滿銘
總 經 理　梁錦興
總 編 輯　陳滿銘
副總編輯　張晏瑞
編 輯 所　萬卷樓圖書股份有限公司
排　　版　林曉敏
印　　刷　百通科技股份有限公司
封面設計　斐類設計工作室

出　　版　昌明文化有限公司
桃園市龜山區中原街 32 號
電話 (02)23216565
發　　行　萬卷樓圖書股份有限公司
臺北市羅斯福路二段 41 號 6 樓之 3
電話 (02)23216565
傳真 (02)23218698
電郵 SERVICE@WANJUAN.COM.TW
大陸經銷
廈門外圖臺灣書店有限公司
電郵 JKB188@188.COM

ISBN 978-986-92892-2-1
2016 年 4 月初版
定價：新臺幣 420 元

如何購買本書：
1. 劃撥購書，請透過以下郵政劃撥帳號：
帳號：15624015
戶名：萬卷樓圖書股份有限公司
2. 轉帳購書，請透過以下帳戶
合作金庫銀行 古亭分行
戶名：萬卷樓圖書股份有限公司
帳號：0877717092596
3. 網路購書，請透過萬卷樓網站
網址 WWW.WANJUAN.COM.TW
大量購書，請直接聯繫我們，將有專人為您服務。客服：(02)23216565 分機 10

如有缺頁、破損或裝訂錯誤，請寄回更換
版權所有·翻印必究
Copyright©2016 by WanJuanLou Books CO., Ltd.
All Right Reserved　**Printed in Taiwan**

國家圖書館出版品預行編目資料

四庫全書館研究 / 張升著. -- 初版. -- 桃園市：昌明文化出版；臺北市：萬卷樓發行, 2016.04
冊；　公分. -- (中華文化思想叢書)
ISBN 978-986-92892-2-1(上冊：平裝)
1.四庫全書 2.研究考訂
082.1　105002880

本著作物經廈門墨客知識產權代理有限公司代理，由北京師範大學出版社（集團）有限公司授權萬卷樓圖書股份有限公司出版、發行中文繁體字版版權。